S0-ABA-554

Enseña
la ciencia de forma
divertida

Enseña
la ciencia de forma divertida

Janice VanCleave

LIMUSA · WILEY

VanCleave, Janice
    Enseña la ciencia en forma divertida   = Teaching
the fun of science / Janice VanCleave. -- México :
Limusa Wiley, 2005.
    226 p. : il. ; 21 cm. -- (Biblioteca científica)
    ISBN: 968-18-6284-8.
Rústica.
    1.Ciencia - Estudio y enseñanza

I. Escoffié y Martínez, Hugo Iván, tr.

LC: Q181   Dewey: 507.8 – dc21

VERSIÓN AUTORIZADA EN ESPAÑOL DE LA OBRA PUBLICADA
EN INGLÉS POR JOHN WILEY & SONS, INC., CON EL TÍTULO
TEACHING THE FUN OF SCIENCE

© JOHN WILEY & SONS, INC.
NUEVA YORK, CHICHESTER, WEINHEIM, BRISBANE,
SINGAPUR, TORONTO

COLABORADOR EN LA TRADUCCIÓN
HUGO IVÁN ESCOFFIÉ Y MARTÍNEZ

EL EDITOR Y LA AUTORA SE HAN ESFORZADO EN
GARANTIZAR LA SEGURIDAD DE LOS EXPERIMENTOS Y
ACTIVIDADES PRESENTADOS EN ESTAS PÁGINAS CUANDO
SE REALIZAN EN LA FORMA INDICADA, PERO NO ASUMEN
RESPONSABILIDAD ALGUNA POR DAÑOS CAUSADOS O
PROVOCADOS AL LLEVAR A CABO CUALQUIER EXPERIMENTO
O ACTIVIDAD DE ESTE LIBRO. LOS PADRES, TUTORES Y
MAESTROS DEBEN SUPERVISAR A LOS PEQUEÑOS LECTORES
CUANDO ÉSTOS LLEVEN A CABO LOS EXPERIMENTOS Y
ACTIVIDADES DE ESTE LIBRO.

LA PRESENTACIÓN Y DISPOSICIÓN EN CONJUNTO DE

ENSEÑA LA CIENCIA DE FORMA DIVERTIDA

SON PROPIEDAD DEL EDITOR. NINGUNA PARTE DE ESTA OBRA
PUEDE SER REPRODUCIDA O TRANSMITIDA, MEDIANTE NINGÚN
SISTEMA O MÉTODO, ELECTRÓNICO O MECÁNICO (INCLUYENDO
EL FOTOCOPIADO, LA GRABACIÓN O CUALQUIER SISTEMA DE
RECUPERACIÓN Y ALMACENAMIENTO DE INFORMACIÓN), SIN
CONSENTIMIENTO POR ESCRITO DEL EDITOR.

DERECHOS RESERVADOS:

© 2005, EDITORIAL LIMUSA, S.A. DE C.V.
    GRUPO NORIEGA EDITORES
    BALDERAS 95, MÉXICO, D.F.
    C.P. 06040
    ☎ (5) 8503-80-50
        01(800) 7-06-91-00
    📠 (5) 512-29-03
    ✉ limusa@noriega.com.mx
        www.noriega.com.mx

PRIMERA EDICIÓN
HECHO EN MÉXICO
ISBN 968-18-6284-8

Contenido

Dedicatoria

Es un placer dedicar este libro al doctor Ben Doughty, jefe del Departamento de Física de la Texas A&M University–Commerce en Commerce, Texas. Él es una persona especial que pacientemente ha respondido a mis numerosas preguntas sobre física y ciencia en general. Gracias a su valiosa información este libro es aún más entendible y ameno.

Agradecimientos

Deseo expresar mi agradecimiento a los siguientes especialistas por su valiosa colaboración al proporcionarme información o ayudarme a obtenerla: miembros de la Central Texas Astronomical Society, entre ellos Johnny Barton, John W. McAnally y Paul Derrick. Johnny es directivo del club y un entusiasta astrónomo aficionado desde hace más de veinte años. John es miembro también de The Association of Lunar and Planetary Observers, donde se desempeña como subcoordinador de la sección Tiempos de tránsito de Júpiter. Paul es autor de la columna "Stargazer" en el *Waco Tribune–Herald*. El doctor Glenn S. Orton, investigador senior del Jet Propulsion Laboratory del California Institute of Technology, es astrónomo y científico del espacio, cuya especialidad es investigar la estructura y composición de las atmósferas planetarias. Se le conoce por sus investigaciones sobre Júpiter y Saturno. He tenido el gusto de intercambiar ideas con Glenn en relación con el diseño de experimentos de astronomía.

Una nota especial de gratitud para los futuros maestros por su colaboración en actividades de preevaluación o suministro de información científica, los alumnos de la doctora Belinda Anderson, decana de la Escuela de Pedagogía de Lambuth University en Jackson, Tennessee: Michele Bowen, Brooke Newsom, Christy Crawford, Alison Holt, Starr Chestosky, Regina Dorris, Janet Robinson, Paul Mayer, Sara Hatch, Marcia Law y Crystie Sikes.

A estas personas tan especiales que no sólo aportaron ánimo, sino también información científica invaluable: Virginia Malone, consultora en ciencias; Sally A. DeRoo, profesora de ciencias de la Wayne State University en Detroit, Michigan; Holly Harris, profesora de ciencias de China Spring Intermediate en China Spring, Texas; Robert Fanick, químico del Southwest Research Institute en San Antonio, Texas; y Anne Skrabanek, consultora de "la escuela en casa" en Perry, Texas.

Palabras de la autora

A los chicos les encanta la ciencia. Les emociona atraer objetos con un imán, observar la metamorfosis de una mariposa, cultivar cristales y encontrar figuras en las estrellas. En otras palabras, les gusta investigar temas relacionados con las ciencias físicas, las ciencias de la vida y las ciencias de la Tierra y el espacio. Al proporcionarles una guía, el maestro puede fomentar esta curiosidad natural para conseguir una comprensión más profunda de estas disciplinas. Las investigaciones propuestas en este libro le ayudarán a encauzar a sus alumnos para desarrollar un conocimiento básico de estas ciencias y, a su vez, esto les dará una base sobre la cual podrán adquirir más conocimientos científicos y el gusto por la exploración científica.

El objetivo principal de este libro es crear las oportunidades para despertar la cosquilla de la investigación en los estudiantes. Este enfoque práctico les motiva a entender los conceptos científicos, les permite aplicarlos y refuerza las habilidades que necesitan para convertirse en investigadores independientes.

El diseño básico y los objetivos de cada sección del libro están apegados a estándares internacionales para la enseñanza de la ciencia dirigida a niños de 8 a 12 años. Aun cuando en este libro no se abordan todos los estándares internacionales, se ha procurado que en las investigaciones estén representados distintos puntos de referencia o guías para evaluar el progreso del conocimiento científico en este grupo de edad.

Las investigaciones que se presentan en este libro se pueden adaptar para estudiantes de diferentes niveles escolares con tan sólo aumentar o disminuir la cantidad de información suministrada. Por ejemplo, en la investigación número 1, llamada "Tipos diferentes", los estudiantes modelan moléculas compuestas de dos átomos, pero con alumnos mayores se puede introducir también el tema de los enlaces atómicos y mostrar cómo se combinan moléculas como las del agua, que tiene dos átomos de hidrógeno y uno de oxígeno.

La evaluación del progreso individual de los estudiantes se realiza de manera continua, pero los maestros necesitan información tangible para definir la calificación de un alumno. Para las investigaciones de este libro sugiero diversos métodos de evaluación, como reportes de investigación (desde dibujos para los más pequeños, hasta informes por escrito para los mayores), modelos y otras expresiones creativas del conocimiento, así como las pruebas tradicionales con lápiz y papel. Mi consejo para los maestros es que no permitan que la necesidad de evaluar el trabajo del estudiante arruine el gusto por descubrir las maravillas de la ciencia, que traten de equilibrar el espíritu libre que anima el descubrimiento con la tarea de tener que registrar y presentar la información científica.

Lineamientos para el uso adecuado de la investigación científica en el aula

Cómo usar este libro

Cada investigación está organizada en dos partes principales; la primera página, "Sugerencias para el maestro", es una guía paso por paso para que el profesor prepare el tema de estudio y la práctica de investigación antes de presentarla en el aula. La segunda parte es la página para el alumno; en ella se explica cómo llevar a cabo el experimento científico, el objetivo de éste y los resultados esperados.

Lea las sugerencias para el maestro

Este libro está organizado en cuatro secciones, una trata el método científico y las otras tres las ramas de la ciencia, incluyendo los fenómenos físicos, la vida, y la Tierra y el espacio. Cada una de estas tres últimas secciones y las subsecciones en ellas comienzan con una breve introducción en la que se identifican los objetivos generales que se persiguen. Estas tres secciones comprenden en conjunto un total de 75 prácticas de investigación para los alumnos.

Cada investigación incluye una descripción general con sugerencias para el maestro, se indican las guías para evaluar el progreso de los alumnos en el aprendizaje de la ciencia, lo que se espera que aprenda el alumno en cada experimento, recomendaciones para preparar los materiales, un miniglosario de términos nuevos que se deben explicar a los alumnos, antecedentes y datos interesantes acerca de los temas investigados y, por último, actividades e información adicionales en el apartado "Un poquito más".

Los términos usados en cada investigación están impresos en **letras negritas** y se definen en la investigación correspondiente, en las sugerencias para el maestro y en el glosario al final del libro. Estos términos, así como otros términos científicos clave, aparecen en *letras cursivas* en la introducción de cada sección. Los términos científicos clave que aparecen en las sugerencias para el maestro que no están en negritas, están en cursivas. Seguramente el maestro querrá enriquecer y ampliar el contenido científico de sus lecciones explicando los términos clave a sus alumnos. Todos ellos

están en el índice y se indica en qué otras partes del libro se hace referencia a ellos.

Las unidades de medida que se usan en las investigaciones, así como en las descripciones generales, se expresan en el Sistema Internacional de Unidades, y entre paréntesis aparecen los equivalentes aproximados en el sistema inglés. Es importante hacer notar que las medidas intercambiables que se dan son aproximaciones, no los equivalentes exactos. En las páginas 13 y 14 podrán consultar las equivalencias exactas.

Estudie cada investigación

Lea completamente cada práctica de investigación antes de empezar y ensáyela antes de la clase. Esto es para mejorar su dominio del tema; además le permite familiarizarse con el procedimiento y los materiales. Si conoce bien la investigación, le será más fácil dar instrucciones, contestar preguntas y exponer el tema.

Las investigaciones siguen un formato general:
1. **Objetivo:** el propósito de la investigación.
2. **Materiales:** lista de materiales que se necesitarán para cada alumno o equipo (artículos de uso común en el hogar).
3. **Procedimiento:** las instrucciones paso a paso.
4. **Resultado:** en algunas investigaciones se proporciona una tabla para que los estudiantes registren sus observaciones. En otras se explica con exactitud lo que se espera que ocurra. Ésta es una herramienta de aprendizaje inmediato. Si se logra el resultado esperado, los alumnos obtienen un reforzamiento positivo inmediato. Si los resultados no son los esperados, convénzalos de no cambiar sus datos. Explíqueles que los científicos pueden no obtener los resultados esperados, pero que siempre registran cuidadosamente los resultados observados. Para alentar esto puede diseñar un sistema de firmas, una forma de evaluación que compense a los estudiantes por terminar exitosamente la investigación, más que por la precisión de los resultados.

5. ¿Por qué?: las investigaciones explican por qué se obtuvieron los resultados en palabras que pueden entender los alumnos. Los nuevos términos científicos se van introduciendo conforme se avanza con cada investigación. Estos nuevos términos aparecen en **letras negritas** y se definen en la sección "¿Por qué?" de la investigación. En el glosario al final de este libro aparecen todos los términos de las 75 investigaciones.

Recopile y organice los materiales con anticipación

Habrá menos frustración y más éxito si se tienen listos todos los materiales de la investigación científica para su uso inmediato. Determine si los alumnos realizarán la investigación científica individualmente o en equipos y calcule la cantidad de cada material que necesitará para todo el grupo. Es recomendable designar un lugar en el aula para colocar los materiales cada vez que se programe la sesión para el descubrimiento científico. Separe los materiales y colóquelos en diferentes cajas o áreas de la mesa. Proporcione cajas o charolas a los alumnos para transportar los materiales a sus áreas de trabajo. Es deseable que ellos ayuden a reunir y organizar los materiales.

Forme equipos cooperativos y asígneles tareas

La formación de equipos para llevar a cabo las investigaciones científicas facilita el manejo del grupo y proporciona a los alumnos mejores oportunidades de aprendizaje, no solamente en el área científica, sino también en el campo del trabajo conjunto. Lo ideal es formar equipos de cuatro miembros, aunque también son aceptables los equipos más grandes o más pequeños, y a veces son preferibles. La recolección y análisis de datos se hace en equipo, pero los informes pueden hacerse individualmente o en grupo. La colaboración mejora el aprendizaje del alumno y permite reducir la cantidad de material necesario.

Asigne una tarea a cada miembro del equipo o deje que ellos determinen lo que hará cada uno. Esto permitirá que la actividad científica sea una aventura divertida para los estudiantes, y para el maestro uno de los momentos más fáciles y organizados de la jornada. El uso de delantales o batas de laboratorio protege la ropa de los alumnos y también les emociona porque sienten que están actuando como científicos. Las batas o delantales de diferentes colores son útiles para identificar la función que desempeña cada uno de ellos.

Funciones y tareas sugeridas

Director: este miembro del equipo dirige la investigación científica. Actúa como facilitador, sin olvidar que cada niño deberá realizar una parte de la investigación. El director determina qué parte realizará cada miembro del equipo. También puede informarle al maestro los problemas que pudieran presentarse en su equipo. Para hacerlo, pueden utilizar como señales tres objetos de colores diferentes apilados uno sobre otro. El color de arriba indica lo que el grupo necesita: rojo, ayuda inmediata; amarillo, pregunta que el maestro contestará cuando tenga tiempo; y verde, todo va bien.

Encargado de materiales: este miembro del equipo obtiene los materiales necesarios para la investigación científica de la mesa de materiales y al final de la sesión regresa los que no fueron usados. Asimismo, recibe una lista de lo que se necesitará para la investigación. Esto ayuda a reunir a todos los encargados frente a la mesa de manera que el maestro pueda identificar los materiales para ellos y dar instrucciones especiales para su transportación y uso. El encargado de materiales y el encargado de desperdicios serán los únicos que tendrán permiso para desplazarse por el salón o laboratorio.

Secretario: registra todas las observaciones realizadas por el equipo, ya sea en forma de dibujos o información escrita (tal vez tablas), o las dos cosas. El secretario recopila y maneja todos los escritos del grupo. (Para algunas investigaciones se requiere llevar un registro individual, por lo que no será necesario contar con un secretario.)

Encargado de desperdicios: este miembro del equipo es responsable de enviar al lugar adecuado los materiales ya usados. Debe cerciorarse de que el área de trabajo quede limpia y lista para la siguiente actividad. También puede ser quien tome el tiempo. Es importante terminar la investigación de manera que quede tiempo suficiente para la limpieza.

Supervise la investigación científica

Haga a sus alumnos leer por completo la investigación antes de comenzar y seguir cuidadosamente cada paso sin omitir ni agregar ninguno. Haga énfasis en que la seguridad es de máxima importancia y en que se deben seguir las instrucciones al pie de la letra. Para cerciorarse de que todos los alumnos entienden el procedimiento, tal vez sea conveniente mostrarles todo o una parte de él antes de comenzar. Puede suprimir el último paso para que los estudiantes vean el resultado por primera vez por sí mismos.

Ayude a sus alumnos en el análisis de resultados

Como ya se ha dicho, es mejor que realice la investigación anticipadamente a fin de que sepa lo que puede esperar. Así, si los resultados a los que lleguen los alumnos no son idénticos a los descritos en la investigación científica, usted está mejor preparado para ayudarlos a descifrar lo que pudieron haber hecho mal. Primero repase el procedimiento completo paso por paso con el alumno o equipo para cerciorarse de que no se omitió ninguno. En caso de que hayan seguido todos los pasos, guíe a los alumnos con preguntas para que puedan formular una hipótesis acerca de los motivos por los que no obtuvieron los resultados deseados. Analice los materiales. Puede hacer preguntas como: "¿Consideras que el agua de la llave de este lugar contiene demasiadas sustancias químicas?" o "¿Cambiarían los resultados si se usara gelatina de otra marca?".

Después analice otras variables del entorno del salón, por ejemplo iluminación, temperatura y humedad. Haga preguntas como éstas: "¿El hecho de haber apagado la luz durante la noche afectó el resultado?" o "¿Consideras que la humedad del aire haya afectado los resultados?". A veces se puede organizar una lluvia de ideas con los alumnos, y en otras basta indicarles que vuelvan a leer las instrucciones y repitan la investigación. Esto da oportunidad para señalarles que los científicos siempre deben repetir los experimentos para confirmar sus resultados.

Cuando los resultados sean los esperados, vuelva a las secciones "Sugerencias para el maestro" y "¿Por qué?" para proporcionar a los alumnos las explicaciones científicas pertinentes.

Anime a sus alumnos a informar sus resultados

Ha llegado la hora de demostrar que la buena ciencia no es sólo investigación cuidadosa, sino también documentación precisa. Puede dejarles de tarea la elaboración de un informe individual o en equipo; este informe lo realizará el secretario con los datos de todo el equipo. Los informes pueden ser desde dibujos sencillos que representen los resultados de la investigación, hasta escritos que resuman el procedimiento y los datos obtenidos, con una conclusión que explique por qué se lograron los resultados. No es mala idea escribir en el pizarrón los resultados combinados de todos los equipos y usarlos para la discusión grupal. Hacer que los estudiantes investiguen el tema del experimento los ayuda a adquirir habilidades invaluables para la investigación.

Plantee sugerencias para investigaciones posteriores

Una vez terminada la práctica de investigación, haga preguntas que los obliguen a pensar cómo variarían los resultados si se alterara una parte del experimento. Por ejemplo, si se usa un cordón de longitud y calidad específicas, guíelos a que evalúen la posibilidad de intentar la investigación con cordones de diferentes largos y calidades (¡asegúrese de cambiar una sola variable a la vez!). Comience este tipo de reflexión con una pregunta como: "¿Qué pasaría si utilizaran un cordón más largo?". Pida a cada equipo que formule una hipótesis y seleccione las que sean más prácticas para investigaciones futuras. El procedimiento para la investigación original tal vez necesite tan sólo algunos cambios para someter a prueba la hipótesis. Se recopilarán los datos y la conclusión indicará si el resultado apoya o no la hipótesis. Sólo señale si los resultados apoyan o no la hipótesis y que no pueden tomarse como un indicador de que la hipótesis es correcta o incorrecta. Busque ideas específicas en la sección "Un poquito más" en las "Sugerencias para el maestro" de cada capítulo.

Unidades de medida

- Como podrás ver, en los experimentos se emplean el Sistema Internacional (sistema métrico) y el sistema inglés, pero es importante hacer notar que las medidas intercambiables que se dan son aproximadas, no los equivalentes exactos.
- Por ejemplo, cuando se pide un litro, éste se puede sustituir por un cuarto de galón, ya que la diferencia es muy pequeña y en nada afectará el resultado.
- Para evitar confusiones, a continuación tienes unas tablas con los equivalentes exactos y con las aproximaciones más frecuentes.

ABREVIATURAS

atmósfera = atm	yarda = yd	onza = oz
milímetro = mm	pie = ft	cucharada = C
centímetro = cm	taza = t	cucharadita = c
metro = m	galón = gal	litro = l
kilómetro = km	pinta = pt	mililitro = ml
pulgada = pulg (in)	cuarto de galón = qt	

TEMPERATURA

Sistema inglés	Sistema Internacional (métrico decimal)	
32 °F (Fahrenheit)	0 °C (Celsius)	Punto de congelación
212 °F	100 °C	Punto de ebullición

UNIDADES DE VOLUMEN
(LÍQUIDOS)

Sistema inglés	Sistema Internacional (métrico decimal)	Aproximaciones más frecuentes
1 galón	= 3.785 litros	4 litros
1 cuarto de galón (E.U.)	= 0.946 litros	1 litro
1 pinta (E.U.)	= 473 mililitros	1/2 litro
1 taza (8 onzas)	= 250 mililitros	1/4 de litro
1 onza líquida (E.U.)	= 29.5 mililitros	30 mililitros
1 cucharada	= 15 mililitros	
1 cucharadita	= 5 mililitros	

UNIDADES DE LONGITUD
(DISTANCIA)

Sistema inglés	Sistema Internacional (métrico decimal)	Aproximaciones más frecuentes
1/8 de pulgada	= 3.1 milímetros	3 mm
1/4 de pulgada	= 6.3 milímetros	5 mm
1/2 de pulgada	= 12.7 milímetros	12.5 mm
3/4 de pulgada	= 19.3 milímetros	20 mm
1 pulgada	= 2.54 centímetros	2.5 cm
1 pie	= 30.4 centímetros	30 cm
1 yarda (= 3 pies)	= 91.44 centímetros	1 m
1 milla	= 1609 metros	1.5 km

UNIDADES DE MASA
(PESO)

Sistema inglés	Sistema Internacional (métrico decimal)	Aproximaciones más frecuentes
1 libra (E.U.)	= 453.5 gramos	1/2 kilogramo
1 onza (E.U.)	= 28 gramos	30 g

Enseña la ciencia de forma divertida

I

La ciencia como indagación

El *método científico* es la "herramienta" para llevar a cabo una indagación científica. Este método es el proceso por el cual se identifica un problema, se reflexiona acerca de sus posibles soluciones y se somete a prueba cada una de las posibilidades para llegar a la mejor solución. Este método comprende los siguientes pasos: *observación* (proceso de recopilación y análisis de datos acerca del tema de estudio), identificación de un *problema* (pregunta científica que debe ser resuelta), formulación de una *hipótesis* (idea acerca de la solución de un problema basada en el conocimiento y la investigación), *experimentación* (proceso de someter a prueba una hipótesis o de responder una pregunta científica) y *conclusión* (resumen de los resultados de un experimento y la manera en que éstos se relacionan con la hipótesis o responden a la pregunta del problema).

Aunque estos pasos del método científico se mencionan en un orden específico, los científicos no siempre siguen dicho orden. En el método científico se menciona como primer paso la observación, pero ésta es en realidad un elemento continuo y permanente de todo el proceso de indagación. No todos los pasos del método científico son parte de todas las investigaciones que se llevan a cabo en el aula. Por ejemplo, muchas de estas investigaciones tienen un problema pero no necesitan una hipótesis por escrito. Aun así, por lo general surgen ideas acerca de la respuesta al problema. Algunas investigaciones no siguen un experimento *per se*. Por ejemplo, es posible observar el comportamiento de los animales y llegar a conclusiones a partir de los datos recolectados.

Las investigaciones científicas en el aula están diseñadas para ayudar a los alumnos a desarrollar seis habilidades: 1) formular preguntas (plantear un problema), 2) anticipar lo que se espera observar (formular una hipótesis), 3) planear y realizar investigaciones (incluyendo experimentos para someter a prueba sus hipótesis), 4) recopilar las observaciones (datos), 5) organizar, examinar y evaluar los datos por medio de tablas, gráficas, cuadros y mapas, y 6) obtener conclusiones comparando sus hipótesis (observaciones esperadas) con los datos (observaciones reales). En caso de no contar con una hipótesis, la conclusión será un resumen de resultados, incluyendo la respuesta a la pregunta planteada.

II

Ciencias físicas

L as *ciencias físicas* comprenden la química y la física. La *química* estudia la manera en que se combinan los materiales y cómo cambian en diferentes condiciones. La *física* es el estudio de la energía y la materia y de la relación entre ambas. Los chicos disfrutan el estudio de las ciencias físicas porque realizan actividades que son de su agrado, como hacer la "masa divertida" y experimentar con imanes. En las ciencias físicas es de suma importancia aprender las propiedades de la materia y los cambios que ésta sufre, así como saber qué es la energía y cómo se transforma, incluyendo los movimientos y fuerzas de los objetos.

A

Propiedades de la materia y sus cambios

Todo lo que existe en el universo está compuesto de materia. Los átomos son los elementos básicos de la materia; todos los átomos que existen hoy han existido desde el principio del universo. Los átomos se combinan para formar nuevas sustancias, después se separan y vuelven a combinarse en diferentes formas una y otra vez. Es posible que los átomos del cuerpo de una persona hayan estado en el cuerpo de un dinosaurio hace millones de años. Normalmente, los átomos cambian sólo al perder o ganar algunas estructuras exteriores que se llaman *electrones*. En esta sección, los alumnos emplean modelos para descubrir las diferencias que existen entre las distintas estructuras básicas de la materia: átomos, elementos y compuestos.

La materia existe en diferentes formas llamadas *estados,* y cada uno de ellos tiene *propiedades físicas* exclusivas (color, forma, peso, etcétera). En esta sección, los estudiantes aprenden a identificar los diferentes estados de la materia (sólido, líquido y gaseoso), y mediante la observación y el uso de las herramientas apropiadas, descubren que la materia tiene propiedades físicas específicas.

Las sustancias en los diferentes estados de la materia pueden estar mezcladas de diferentes maneras: cuando están combinadas formando una mezcla, es fácil separarlas. Ejemplo de ello son la sal y el agua, que pueden separarse evaporando el agua; pero si las sustancias están combinadas químicamente formando un compuesto, entonces no será fácil separarlas. Un ejemplo de compuesto es la combinación química de sodio y cloro que forma cloruro de sodio (sal de mesa). Generalmente se necesita energía para que ocurra una combinación química. En esta sección, los alumnos comprueban que algunas combinaciones producen una mezcla que conserva las propiedades físicas de sus ingredientes, y que otras combinaciones no.

Tipos diferentes

Guías para evaluar el progreso

Al término del quinto grado, el alumno ya debe saber que:

- La materia puede estar compuesta de estructuras tan pequeñas que solamente pueden ser vistas con aumento.
- Cuando al combinar dos o más materiales se forma uno nuevo, éste tendrá propiedades diferentes a las de sus componentes originales.

Al término del sexto grado y en primero de secundaria, el alumno ya debe saber que:

- Los materiales que tienen diferentes partes (componentes) se llaman sistemas.
- La materia está hecha de átomos.
- Los átomos de un elemento son iguales, pero son diferentes de los átomos de otro elemento.

En esta investigación se espera que el alumno:

- Elabore un modelo de sistema y de sus partes individuales, así como modelos de átomos (partes) y de moléculas (sistemas).
- Comprenda que las partes se combinan para formar sistemas.
- Sea capaz de diferenciar e identificar átomos, moléculas, elementos y compuestos.

Para preparar la investigación

Elabore la tabla "Datos de la materia" y haga una copia para cada alumno. Prepare una bolsa de plástico resellable con gomitas (dulces) de todos los tamaños y colores por cada alumno o equipo. Numere las bolsas y márquelas con la leyenda "No comer". Ponga de 9 a 12 gomitas de diferentes colores en cada bolsa. Procure poner una cantidad diferente de cada color de gomitas en las bolsas. Pida a sus alumnos que escriban el número de su bolsa en su copia de la tabla.

Para presentar la investigación

1. Explique los nuevos términos científicos:

átomo: unidad más pequeña de un elemento; unidad básica de la materia.
compuesto: sustancia formada de moléculas semejantes.
elemento: sustancia hecha de átomos iguales.
enlace: fuerza que mantiene unidos a los átomos.
fórmula: representación simbólica de una molécula.
masa: cantidad de materia.
materia: todo lo que ocupa un espacio y tiene masa.
molécula: grupo de dos o más átomos que se mantienen unidos por enlaces.
molécula diatómica: molécula formada por dos átomos del mismo tipo.
sustancia: cualquier material.

2. Explore los nuevos términos científicos:

- Materia es todo lo que conforma el universo.
- Casi todos los elementos existen como átomos sencillos, pero hay algunos que son unidades más grandes llamadas moléculas, como las moléculas diatómicas. Por ejemplo, el símbolo para un átomo de hidrógeno es H, pero sus átomos rara vez se encuentran en forma aislada. Se trata de una molécula diatómica (H_2).
- Son ejemplos de compuestos el agua (H_2O) y la sal de mesa (cloruro de sodio, NaCl).
- Los átomos y las moléculas están en constante movimiento.
- Los modelos de moléculas indican el tipo y cantidad de átomos, así como su espaciamiento geométrico.
- Los símbolos químicos de los elementos se forman con una o dos letras. Si el símbolo tiene una sola letra, ésta es mayúscula, como la C para el elemento carbono. Si el símbolo consiste en dos letras, la primera es mayúscula y la segunda minúscula, como Co para el cobalto. Los símbolos se escriben siempre con letra de molde y nunca con cursivas.
- Una fórmula representa dos o más átomos, como en el elemento diatómico H_2 y el compuesto agua, H_2O.

¡Qué interesante!

Independientemente de cómo interactúen las sustancias en un sistema cerrado, el número de átomos nunca cambia. Ésta es la *ley de la conservación de la materia*.

UN POQUITO MÁS

Los *sistemas* son una combinación de partes o componentes que forman una unidad completa. Se pueden combinar para formar sistemas más grandes. ¿Por qué un átomo es un sistema y también es parte de otro sistema? (Un átomo está formado de partes: un centro que se llama *núcleo*, que contiene *protones* (partículas con carga positiva) y *neutrones* (partículas con carga neutra). En el exterior del átomo hay *electrones* (partículas con carga negativa). Los átomos se combinan para formar moléculas, y éstas se combinan para formar partes de un organismo vivo; los organismos vivos se combinan para formar poblaciones, etcétera.

Tipos diferentes

OBJETIVO

Elaborar modelos de átomos y moléculas.

Materiales

12 o más gomitas de dulce de tamaños y
   colores diferentes
tabla "Datos de la materia"
crayones
una pluma
6 o más palillos de dientes (mondadientes)

Procedimiento

1. Observa las gomitas. Cada una de ellas representa un átomo; cada color y tamaño de gomita representa un tipo diferente de átomo. En la tabla "Datos de la materia", abajo de la palabra "Átomos" en la columna correspondiente a "Sustancia", elabora un dibujo a color de cómo se ve cada tipo de gomita.

2. Agrupa las gomitas por colores y tamaños. Vuelve a la tabla; en la columna correspondiente a "Símbolo/Fórmula" escribe un símbolo que indique cada tipo de átomo representado. Los símbolos podrían ser, por ejemplo: "Gr" para la gomita grande y roja, y "Pr" para la gomita pequeña y roja.

3. Inserta una gomita en cada punta de un palillo. Las gomitas unidas representan una molécula. Continúa usando pares de gomitas y un palillo para hacer todos los modelos de moléculas posibles.

4. Agrupa las moléculas iguales.

5. Abajo de la palabra "Molécula" en la columna correspondiente a "Sustancia" de la tabla, elabora un dibujo como el que se muestra, pero a color, de cada tipo de molécula.

6. En la columna correspondiente a "Símbolo/Fórmula" de la tabla, escribe una fórmula química para cada tipo diferente de

molécula. Por ejemplo, si una molécula está constituida por dos gomitas, una Gr y otra Pr, la fórmula podría ser: GrPr (observa que no hay espacio entre los símbolos). Si una molécula está formada por dos gomitas de un mismo tamaño y color, una Gr y otra Gr, la fórmula será Gr_2 (observa que el número es un subíndice).

Resultados

Has completado las columnas de la tabla "Datos de la materia". El tipo y la cantidad de átomos y moléculas varían según el color y el tamaño de las gomitas y la manera en que se combinan.

¿Por qué?

Materia es todo lo que ocupa un lugar en el espacio y tiene **masa** (cantidad de materia). Una **sustancia** (material hecho de un solo tipo de materia) formada de dos o más átomos iguales es un **elemento**. La unidad más pequeña de un elemento es el **átomo**. Las gomitas individuales representan átomos y cada tipo de "átomo" de gomita difiere de los otros en tamaño y/o color. Por ejemplo, un átomo de gomita grande y roja difiere de otro de gomita pequeña y roja; y un átomo verde y pequeño difiere de otro rojo y pequeño, o grande.

Las **moléculas** de gomita (grupos de dos o más átomos unidos por un enlace) están formadas por átomos de gomitas unidos por los palillos que representan **enlaces** (fuerzas que mantienen unidos a los átomos). Un **compuesto** es una sustancia formada por moléculas semejantes. Las moléculas formadas por dos átomos de la misma clase se llaman **moléculas diatómicas,** y se representan con dos gomitas enlazadas con un palillo. Una posible **fórmula** (símbolo que representa una molécula) para una molécula biatómica sería Gr_2.

DATOS DE LA MATERIA	
Sustancia	**Símbolo/Fórmula**
Átomos	Gr
	Pr
Molécula	Gr_2

¡Qué curva!

Guías para evaluar el progreso

Al término del quinto grado, el alumno ya debe ser capaz de:

- Medir materiales líquidos en las cantidades prescritas.

Al término del sexto grado y en primero de secundaria, el alumno ya debe ser capaz de:

- Elegir las unidades apropiadas para elaborar un informe de las mediciones realizadas.

En esta investigación se espera que el alumno:

- Utilice un modelo de probeta para medir la propiedad física del volumen en unidades del SI.

Para preparar la investigación

Consulte en el apéndice 1 el patrón para elaborar un modelo de probeta. Si tiene tiempo, construya con anticipación un modelo para cada alumno o equipo. Otra posibilidad es hacer que ellos elaboren su propio modelo como parte de la investigación. Si quiere tener modelos reusables, enmique las hojas antes de recortarlas.

Para presentar la investigación

1. Explique los nuevos términos científicos:

litro (l): unidad de volumen del SI o sistema métrico.
menisco (media luna): superficie curva superior de una columna de líquido.
mililitro (ml): milésima parte de un litro.
probeta: instrumento que se usa para medir volúmenes.
Sistema Internacional de Unidades (SI): sistema de medidas que se usa principalmente en ciencia y tecnología; comúnmente se le llama sistema métrico decimal.
sistema métrico: véase Sistema Internacional de Unidades (SI).
volumen: cantidad de espacio que ocupa algo.

2. Explore los nuevos términos científicos:

- Las *propiedades físicas*, como masa y volumen, son características de la materia que se pueden medir y observar sin alterar la composición de la sustancia. Generalmente los volúmenes iguales de sustancias diferentes tienen masas diferentes. (La *densidad* es una relación de masa a volumen. Para mayor información acerca de la densidad consulte la investigación número 64).

- Entre las cosas que no son materia se incluyen la luz visible y las ondas sonoras.

- En un lugar determinado, las masas iguales experimentan una fuerza de gravedad igual, que se llama *peso*, por lo que en la Tierra, si se conoce la masa se puede determinar el peso. En esencia, una libra de peso es igual a 454 g de masa.

- Es común utilizar dos sistemas básicos de medición: 1) el imperial o Inglés, y 2) el sistema métrico. El sistema imperial fue desarrollado en el Reino Unido y se usa comúnmente en Estados Unidos. El sistema métrico fue creado por científicos franceses en el siglo XVIII y se usa en la mayor parte del mundo. Éste es un sistema fácil de usar porque las unidades de diferentes tamaños se relacionan mediante potencias de 10. El sistema métrico fue usado por los científicos hasta 1960, cuando se estableció un sistema revisado basado en el mismo, el cual se llama Sistema Internacional de Unidades (SI).

- En un recipiente, todo líquido tiene un menisco, pero si el recipiente es ancho, como un vaso para beber o una jarra, no siempre se nota la curva.

¡Qué interesante!

Mientras que la superficie de casi todos los líquidos se curva hacia abajo, la superficie del mercurio se curva hacia arriba. *Precaución: no permita que los alumnos manejen mercurio porque es venenoso.*

UN POQUITO MÁS

Anime a sus alumnos para que trabajen individualmente con sus modelos de probeta. Observe su avance individual para cerciorarse de que pueden encontrar los números. Escriba más volúmenes en el pizarrón para que los representen en el modelo. Éste se puede usar para evaluar el conocimiento alcanzado por los alumnos. Asigne a cada uno de ellos un volumen que deberán representar en el modelo. Observe cuando el alumno mueva la tira para indicar el centro del menisco sobre la marca del volumen dado.

¡Qué curva!

OBJETIVO

Leer una probeta.

Materiales

modelo de probeta (lo suministra el maestro o el alumno consulta las instrucciones para elaborarlo).

Procedimiento

1. Observa el extremo curvo de la tira de líquido del modelo. Muévela hasta que el centro de la curva esté en el número 9.

2. Desliza la tira de manera que el centro de la curva esté en el 6.5 (la marca que está entre el 6 y el 7).

Resultados

En el modelo de probeta se han identificado los volúmenes de 9 y 6.5 ml.

¿Por qué?

Una manera de medir la materia consiste en determinar su **volumen**, que es la cantidad de espacio que ocupa. En el **Sistema Internacional de Unidades (SI)**, comúnmente llamado **sistema métrico**, el volumen de los líquidos se mide en **litros**. Un **mililitro (ml)** es la milésima parte de un litro.

El volumen de un líquido se puede medir con un recipiente llamado **probeta**. La tira de líquido del modelo de probeta representa una columna de líquido. La curva se llama **menisco** y representa la superficie curvada de un líquido.

Cada división graduada en el modelo equivale a 1 ml. Las marcas a la mitad entre las divisiones graduadas equivalen a medio mililitro, 0.5 ml, por lo que la primera lectura, de 9, quiere decir que la probeta contiene 9 ml de líquido. La segunda lectura de 6.5 ml, quiere decir que la probeta contiene 6.5 ml de líquido.

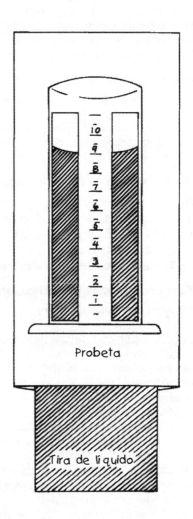

Probeta

Tira de líquido

Estados

Guías para evaluar el progreso

Al término del quinto grado, el alumno ya debe saber que:

- El agua puede ser sólida, líquida o gaseosa, y puede cambiar de un estado a otro.

Al término del sexto grado y en primero de secundaria, el alumno ya debe saber que:

- El estado de la materia de una sustancia depende del movimiento de sus átomos. Los átomos de los sólidos tienen el menor movimiento; los átomos de los líquidos tienen un movimiento moderado; y los átomos de los gases tienen el mayor movimiento.

En esta investigación se espera que el alumno:

- Distinga las propiedades físicas de los tres estados de la materia.
- Identifique la materia como: líquidos, sólidos y gases.
- Comprenda que un líquido se convierte en gas por evaporación.

Para preparar la investigación

El perfume que se use en la investigación puede ser de una marca barata, un aceite aromático o un saborizante de alimentos como la vainilla. Explique que se usa el perfume porque su olor ayuda a detectar la presencia de un gas invisible que se forma cuando se evapora el perfume.

Para presentar la investigación

1. Explique los nuevos términos científicos:

difusión: extenderse libremente para distribuirse de manera uniforme.

estados de la materia: formas en que existe la materia. Los principales son: sólido, líquido y gaseoso.

evaporación: cambio de líquido a gas.

fluido: materia que fluye: gas o líquido.

gas: sustancia que se encuentra en un estado de la materia que se caracteriza por no tener un volumen o forma definidos.

líquido: sustancia que se encuentra en una estado de la materia que se caracteriza por tener un volumen definido pero no una forma definida.

propiedades físicas: características de la materia que se pueden medir y observar sin alterar la composición de la sustancia.

reacción física: cambio en el que no se forman nuevas sustancias.

sólido: sustancia que se encuentra en un estado de la materia que se caracteriza por tener forma y volumen definidos.

2. Explore los nuevos términos científicos:

- El estado de la materia de una sustancia depende del movimiento de sus átomos. En los sólidos, los átomos están unidos en forma compacta en una posición y sólo pueden vibrar. En los líquidos están enlazados sin cohesión y pueden deslizarse entre sí. En los gases no están conectados, pero ocasionalmente chocan.
- Las propiedades físicas de la materia son: estado, tamaño, color, sabor, y puntos de fusión y de ebullición.
- La evaporación es un ejemplo de reacción física porque aunque cambia de líquido a gas, sigue siendo la misma sustancia.
- Un líquido se evapora cuando las moléculas que se mueven con mayor rapidez en su superficie tienen suficiente energía como para desprenderse unas de otras.
- Cuando se evapora un líquido las moléculas individuales de la sustancia abandonan su superficie y se mezclan con el aire de arriba.
- Se puede saber cuando se está cocinando algo de olor fuerte, como un repollo, sin necesidad de entrar a la cocina porque las partículas que llevan el olor se difunden o extienden libremente por toda la casa.

¡Qué interesante!

Cuando una persona nada o se baña no se siente húmeda mientras está en el agua. Sólo cuando sale de ella tiene la sensación de estar mojada. Esta sensación es en realidad una respuesta al enfriamiento rápido de su piel. Cuando sale del agua y entra en contacto con el aire, el agua de su piel se evapora llevándose el calor de su cuerpo.

UN POQUITO MÁS

Pida a sus alumnos que formulen ejemplos de cada estado de la materia tomados de la vida cotidiana. He aquí algunos ejemplos. Sólidos: azúcar, ropa, muebles; líquidos: agua, refrescos, leche; gaseosos: aire, propano (gas usado para las estufillas en los campamentos) y bióxido de carbono (gas exhalado).

Estados

OBJETIVO

Observar las propiedades físicas de los estados de la materia.

Materiales

marcador
3 vasos desechables de 90 ml (3 onzas)
agua de la llave
cubito de hielo
perfume
3 tarjetas para ficha bibliográfica
3 platos hondos desechables

Procedimiento

1. Con el marcador escribe en uno de los vasos la palabra "Líquido", en el segundo la palabra "Sólido" y en el tercero la palabra "Gaseoso".
2. Échale agua al vaso marcado con la palabra "Líquido" hasta la mitad y tápalo con una tarjeta.
3. Coloca el cubito de hielo en el vaso marcado con la palabra "Sólido" y tápalo con otra tarjeta.
4. Pon una gota de perfume en el vaso marcado con la palabra "Gaseoso" y tápalo con la tarjeta restante.
5. Coloca los tres vasos juntos sobre una mesa.
6. Retira la tarjeta y observa el contenido del vaso de "Líquido". Vacía el contenido del vaso en uno de los platos hondos y observa la forma del contenido de éste. Registra cualquier olor que pudiera percibirse al vaciar el contenido del vaso en el plato.
7. Repite el paso 6, primero con el vaso "Sólido" y después con el "Gaseoso", usando un plato hondo para cada uno de ellos.

Resultados

El hielo conserva su forma cuando se vacía en el plato hondo, pero el agua se extiende. No se percibe olor del agua y el hielo, pero aunque el perfume parezca haber desaparecido se puede detectar su olor.

¿Por qué?

Las **propiedades físicas** son características de la materia que se pueden medir y observar. Los **estados de la materia** son las formas en que la materia existe. Los tres estados principales de la materia son: sólido, líquido y gaseoso. Estos estados son propiedades físicas de la materia. Los **sólidos** tienen forma y volumen definidos. El hielo tuvo la misma forma y volumen en el plato hondo y en el vaso. Los **líquidos** tienen volumen definido, pero no tienen forma definida. La cantidad de agua fue la misma en el plato hondo y en el vaso, pero el agua líquida se extendió en el plato hondo. Los **gases** no tienen forma ni volumen definidos. Los materiales que fluyen, como los gases y líquidos, se llaman **fluidos**. El perfume líquido del vaso se **evaporó** (cambió de líquido a gaseoso), lo que es un ejemplo de **reacción física** (cambio en el que no se forma una sustancia nueva). El gas formado por la evaporación del perfume estaba hecho de unidades individuales del compuesto del perfume, que se **difundieron** (extendieron libremente) en el aire de la habitación y llegaron a tu nariz.

Masa divertida

Guías para evaluar el progreso

Al término del quinto grado, el alumno ya debe saber que:

- Cuando al combinar dos o más materiales se forma uno nuevo, éste tendrá propiedades diferentes a las de los materiales originales.

Al término del sexto grado y en primero de secundaria, el alumno ya debe saber que:

- Independientemente de la manera como interactúan las sustancias dentro de un sistema cerrado, la cantidad de átomos permanece igual. Ésta es la *ley de la conservación de la materia*.

En esta investigación se espera que el alumno:

- Muestre cómo ocurre una reacción química.
- Identifique un polímero de enlaces cruzados por sus propiedades físicas.
- Identifique las propiedades químicas de una sustancia.

Para preparar la investigación

Aunque los materiales usados en esta investigación no son tóxicos, cerciórese de que los alumnos no coman la masa pegajosa que hayan elaborado. Para evitar que se haga mal uso del material, al terminar el experimento recoja toda la masa en una bolsa de plástico resellable grande y tírela o refrigérela para una actividad adicional. (La masa se puede refrigerar dos o más meses en la bolsa resellable.)

Para presentar la investigación

1. Explique los nuevos términos científicos:

   enlace cruzado: puente químico entre las moléculas de un polímero.
   polímero: molécula muy larga que parece una cadena.
   propiedades químicas: características que describen el comportamiento de una sustancia cuando se cambia su identidad.
   reacción química: proceso por el cual interactúan los átomos para formar una o más sustancias nuevas.

2. Explore los nuevos términos científicos:

   - La capacidad de una sustancia para arder es una propiedad química. El proceso de combustión es una reacción química. Generalmente no se puede revertir una reacción química. No se puede hacer que el papel que está quemado deje de estarlo.

- Un polímero se hace pegando (encadenando) muchas moléculas pequeñas llamadas *monómeros* (una unidad).
- Los polímeros como concreto, vidrio, plástico y hule, se forman de largas cadenas de moléculas muy grandes llamadas *macromoléculas*.
- El pegamento escolar líquido contiene polímeros que se unen al enmarañarse como una porción de espagueti. Si se agrega almidón al pegamento ocurre una reacción química. El almidón forma enlaces cruzados entre las moléculas del polímero en forma muy parecida a como los travesaños unen los dos lados de una escalera.

¡Qué interesante!

En 1943, James Wright, científico de General Electric, buscaba un sustituto barato para el hule y accidentalmente formó una masa pegajosa que se extendía y rebotaba pero que no servía como sustituto del hule ni para nada más. Peter Hodgson, padre, vio la masa en una celebración y compró a G.E. los derechos en 1950. Hodgson empacó este material en un huevo de plástico y lo comercializó como un juguete que se llamó "Silly Putty" (masa divertida o bolimasa).

UN POQUITO MÁS

Descubra el efecto de la temperatura sobre la "masa divertida". Ponga muestras de ésta en una bolsa resellable en el refrigerador o en un recipiente con hielo durante una hora o más. Se pueden poner más muestras en un área con calor, por ejemplo, iluminada por la luz directa del sol. Si lo desea, caliente una muestra en un horno de microondas durante un minuto. *Precaución: la masa caliente podría producir quemaduras en la piel. Déjela enfriar antes de tocarla.* Generalmente el cambio de temperatura no afecta las propiedades de la masa divertida una vez que vuelve a estar a temperatura ambiente y mientras no se deshidrate. La autora hizo una prueba con esta masa en el Polo Sur a una temperatura de −28.9 °C (−20 °F). La masa se congeló y solidificó en poco tiempo a la intemperie, pero conservó sus propiedades "divertidas" una vez que se descongeló bajo techo.

Masa divertida

OBJETIVO

Demostrar una reacción química.

Materiales

cuchara
1 cucharadita (5 ml) de almidón líquido
1 cucharadita (5 ml) de pegamento escolar
   blanco
colorante vegetal
hoja cuadrada de papel encerado de 30 cm
   (12 pulgadas)
reloj

Procedimiento

1. Con la cuchara, mezcla el almidón con el pegamento y una gota de colorante vegetal en el centro de la hoja de papel encerado. Continúa revolviendo los materiales hasta formar una sustancia que empiece a separarse del papel encerado.
2. Deja que la sustancia repose de tres a cuatro minutos sobre el papel encerado. Con los dedos, haz una bola y amásala durante un minuto aproximadamente. Ahora tienes una masa divertida.
3. Intenta realizar estos experimentos:

   - Forma una bola con la masa y déjala caer sobre una superficie lisa.
   - Pon la bola de masa sobre una mesa y obsérvala unos treinta segundos.
   - Sostén la masa en tus manos y jala *rápidamente* los extremos en direcciones opuestas.
   - Sostén la masa en tus manos y jala *lentamente* los extremos en direcciones opuestas.

Resultados

Se obtiene un material suave, flexible y que rebota ligeramente al caer; se extiende si se le jala lentamente y se rompe si se le jala con rapidez.

¿Por qué?

Cuando se combinan ciertos materiales, sus moléculas no sólo se mezclan sino que interactúan y sufren una **reacción química**. Esto significa que se forma una nueva sustancia diferente a las sustancias originales con las que se hizo. En esta investigación, la sustancia que se formó es una masa pegajosa que es un polímero de enlaces cruzados. Un **polímero** es una molécula muy larga que parece cadena. Los **enlaces cruzados** son puentes químicos entre las moléculas de un polímero. La "masa divertida" es una sustancia poco común debido a que si se le aplica presión muy rápidamente, se desbarata como un sólido. Cuando se deja reposar, fluye lentamente como líquido y adopta la forma del recipiente que la contiene; este comportamiento de la masa pegajosa describe sus propiedades físicas. Pero el comportamiento del almidón cuando se mezcla con el pegamento es ejemplo de una **propiedad química** (describe la manera como reacciona una sustancia con otra) del almidón, la cual consiste en formar enlaces cruzados con los polímeros del pegamento.

Tira, tira y estira

Guías para evaluar el progreso

Al término del quinto grado, el alumno ya debe saber que:

- Es posible cambiar las propiedades de un material, pero no todos los materiales cambian de la misma manera.

Al término del sexto grado y en primero de secundaria, el alumno ya debe saber que:

- Para que los resultados de un experimento se puedan atribuir con precisión a una variable, sólo se puede cambiar una variable a la vez.

En esta investigación se espera que el alumno:

- Identifique la propiedad física de la elasticidad.
- Compare la elasticidad de diferentes materiales.

Para preparar la investigación

Elabore la tabla "Datos de la elasticidad" y haga una copia para cada alumno.

Para presentar la investigación

1. Explique los nuevos términos científicos:

   contraerse: acción de retraerse o encogerse.
   elasticidad: propiedad física que consiste en poder volver a la longitud o forma originales después de haberse estirado.
   estándar: patrón o material de referencia contra el cual se comparan otros materiales.

2. Explore los nuevos términos científicos:

- Las ligas y los gusanos de goma son elásticos. Pida a sus alumnos que piensen en cosas elásticas como una pelota de basquetbol o una cuerda de bungee (salto al vacío). Cuando se les alarga y pierden su forma, los materiales elásticos se contraen o vuelven a su forma original.

- Para determinar qué tan elástico es un material, debe tener algo con lo cual compararlo. Esto es, algo ampliamente conocido, lo que se llama un estándar. En esta investigación, la elasticidad del gusano de goma se compara con el estándar de elasticidad de una liga.

¡Qué interesante!

En un principio, la palabra *hule* se usaba para designar un producto natural y elástico obtenido de la secreción de ciertas plantas. Hoy, el término se aplica al tipo de materiales que tienen la propiedad única de ser altamente elásticos. Una tira de hule se puede estirar hasta varias veces su longitud original sin que se rompa, y al soltarla regresará instantáneamente a su longitud original.

UN POQUITO MÁS

1. Investigue el efecto de la temperatura en la elasticidad de un gusano de goma. Primero, enfríe los gusanos de goma en el refrigerador. Si no cuenta con uno, ponga los gusanos de goma en una bolsa de plástico resellable y coloque ésta en otra bolsa más grande que contenga hielo. Después eleve la temperatura de los gusanos de goma poniéndolos en un área soleada.

2. Determine si las propiedades elásticas de un gusano de goma cambian cuando éste se estira en repetidas ocasiones. Repita varias veces la investigación con el mismo gusano de goma.

Tira, tira y estira

OBJETIVO

Determinar el grado de elasticidad de un gusano de goma.

Materiales

liga
tabla "Datos de la elasticidad"
tijeras
gusano de goma
regla

Procedimiento

1. Sin estirar la liga, corta una sección del gusano de goma del mismo largo que la liga.
2. Coloca el gusano de goma a lo largo de la orilla de la regla. Mídelo con aproximación en milímetros. En la tabla "Datos de la elasticidad", registra esta medida en la columna "Longitud inicial".
3. Estira el gusano de goma al máximo sin que se rompa y registra el largo mayor en la columna "Longitud al estirarse".
4. Suelta el gusano de goma, espera a que termine de encogerse y vuelve a medir su longitud, registra esta medida en la columna "Longitud final".
5. Repite los pasos del 2 al 4 con la liga.

Resultados

Según los datos registrados, el gusano de goma resultará ser más, menos o igualmente elástico que la liga. La autora descubrió que el gusano es un poco menos elástico, aproximadamente 24 mm ($^{15}/_{16}$"), que la liga.

¿Por qué?

Elasticidad es la capacidad que tiene un material para regresar a su longitud o forma originales después de haber sido estirado. Por lo general, se considera que una liga es perfectamente elástica, lo que significa que recupera su longitud original después de haber sido alargada. Se usa la liga como **estándar** (patrón o material de referencia con el que se comparan otros) contra el cual se está midiendo la elasticidad del gusano de goma. En la mayoría de los casos, el gusano de goma se **contraerá** (encogerá) hasta casi su longitud inicial, por lo que la elasticidad del gusano de goma es grande, pero el gusano de goma utilizado por la autora fue un poco menos elástico que la liga.

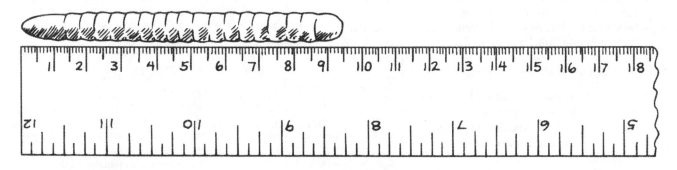

DATOS DE LA ELASTICIDAD			
Material de prueba	Longitud inicial	Longitud al estirarse	Longitud final
gusano de goma			
liga			

Mezclas

Guías para evaluar el progreso

Al término del quinto grado, el alumno ya debe saber que:

- Los materiales se pueden describir en términos de sus partes componentes y de sus propiedades físicas.

Al término del sexto grado y en primero de secundaria, el alumno ya debe saber que:

- Puede pensarse que un sistema contiene subsistemas y que, a su vez, es un subsistema de otro sistema más grande.

En esta investigación se espera que el alumno:

- Distinga las mezclas homogéneas de las heterogéneas.
- Identifique los cambios que pueden ocurrir en las propiedades físicas de los ingredientes de las soluciones, como en el caso de la sal que se disuelve en el agua.

Para preparar la investigación

Quite las etiquetas a las botellas. El tamaño de la botella no tiene importancia para el experimento, pero se puede trabajar bien con botellas de 600 ml (20 onzas) de capacidad. Puede usar etiquetas adhesivas en lugar de masking tape.

Para presentar la investigación

1. Explique los nuevos términos científicos:

   disolver: desintegrar y mezclar completamente una sustancia con otra, como la sal en el agua.
   mezcla: combinación de dos o más sustancias puras. Las mezclas pueden ser homogéneas o heterogéneas.
   mezcla heterogénea: es una mezcla que no es uniforme y consiste en partes visiblemente diferentes (piedras en agua, agua y aceite, etcétera).
   mezcla homogénea: es una mezcla uniforme en la que a simple vista no hay diferencia (aire, sal en agua).
   solución: se trata de una mezcla homogénea en la que una sustancia está disuelta en otra.

2. Explore los nuevos términos científicos:

   - La materia se puede dividir en dos grupos básicos: materiales homogéneos y heterogéneos. Cada uno de estos grupos se puede subdividir como se ve en el diagrama.
   - Una *sustancia* es un material homogéneo que consiste en una clase particular de materia (elemento o compuesto).
   - Las sustancias que forman una mezcla se pueden separar. Una mezcla homogénea tiene partes demasiado pequeñas como para que sean visibles, y no se pueden separar estando en reposo o inactivas, pero sí pueden ser separadas por otros

medios. Por ejemplo, la sal y el agua se pueden separar si se deja que el agua se evapore, quedando sal seca. Una mezcla heterogénea tiene partes que son fácilmente visibles y muchas veces se separan al estar en reposo o por otros medios. Por ejemplo, las limaduras de hierro y la sal se pueden separar al retirar las limaduras con un imán.

- Una solución se forma cuando una sustancia se disuelve en otra. La sustancia que se disuelve, llamada *soluto*, se descompone en partículas pequeñas y se difunde por toda la sustancia en la que está disolviéndose, a la que se le llama *solvente*.
- Las mezclas heterogéneas tienen dos o más partes claramente diferentes y fáciles de observar, como la mezcla de una ensalada de frutas.

UN POQUITO MÁS

Explique a sus alumnos que las soluciones pueden ser mezclas de sólidos disueltos en sólidos, líquidos o gases; líquidos disueltos en sólidos, líquidos o gases; y gases disueltos en sólidos, líquidos o gases. Señale que una solución puede estar en cualquier estado de la materia y que el estado de la solución es el mismo que el del solvente. Pida a sus alumnos que investiguen los diferentes tipos de soluciones y elaboren una tabla similar a la que se muestra en esta página (Tipos de soluciones), con un ejemplo de cada tipo.

TIPOS DE SOLUCIONES			
Soluto	**Solvente**	**Solución**	**Ejemplo**
sólido	sólido	sólido	cobre y zinc (latón)
sólido	líquido	líquido	sal en agua (agua de mar o sangre)
sólido	gas	gas	partículas de carbono en el aire (hollín en el aire)
líquido	sólido	sólido	mercurio en plata (amalgama dental)
líquido	líquido	líquido	jarabe de chocolate en leche (leche de chocolate)
líquido	gas	gas	agua en aire (aire húmedo)
gas	sólido	sólido	gases venenosos en carbono (venenos atrapados en el filtro de una máscara antigases para carbón)
gas	líquido	líquido	dióxido de carbono en agua (refresco gaseoso)
gas	gas	gas	nitrógeno y oxígeno (aire)

Mezclas

OBJETIVO

Determinar la diferencia básica entre las mezclas homogéneas y las mezclas heterogéneas.

Materiales

2 botellas de 600 ml (20 onzas) de capacidad, vacías y con tapa
agua de la llave
$^1/_2$ cucharadita (2.5 ml) de sal de mesa
cinta adhesiva (masking tape)
pluma
reloj
$^1/_4$ de taza (63 ml) de aceite de cocina

Procedimiento

1. Échale agua a una de las botellas hasta tres cuartas partes de su capacidad.
2. Agrégale sal y ciérrala bien con la tapa.
3. Usa la cinta adhesiva y la pluma para etiquetar la botella así: "Mezcla homogénea".
4. Agita vigorosamente la botella veinte veces o más. Déjala reposar de dos a tres minutos.
5. Échale agua a otra botella aproximadamente hasta la mitad de su capacidad.
6. Agrégale el aceite de cocina y ciérrala bien con la tapa.
7. Usa la cinta adhesiva y la pluma para etiquetar la botella así: "Mezcla heterogénea".
8. Agita vigorosamente la botella veinte veces o más. Déjala reposar de dos a tres minutos.
9. Compara el contenido de ambas botellas.

Resultados

La mezcla homogénea se ve igual de arriba a abajo, pero la heterogénea tiene dos capas separadas.

¿Por qué?

Cuando se combinan una o más sustancias con otra forman una **mezcla**, que puede ser **homogénea** (toda igual) o **heterogénea** (no toda igual). Comúnmente se dice que el agua y el aceite no se mezclan, pero siempre que se pongan agua y aceite en el mismo recipiente y éste se agite o sacuda, se combinarán y formarán una mezcla. Sin embargo, como la mezcla se separa en dos capas visibles después de estar en reposo, es heterogénea. La sal se **disuelve** (se separa y se mezcla bien con otra sustancia en el agua) formando una **solución** (mezcla homogénea en la cual una sustancia se disuelve en otra) que no se separa después de estar en reposo, pero que al igual que todas las mezclas se puede separar por otros medios, como la evaporación del agua, que deja sal seca.

Separación

Guías para evaluar el progreso

Al término del quinto grado, el alumno ya debe saber que:

- En todo lo que está compuesto de muchas partes, generalmente éstas se influyen mutuamente.

Al término del sexto grado y en primero de secundaria, el alumno ya debe saber que:

- Se puede considerar que un sistema contiene subsistemas y que, a su vez, es un subsistema de un sistema más grande.

En esta investigación se espera que el alumno:

- Separe una mezcla en sus partes.
- Identifique los cambios que pueden ocurrir en las propiedades físicas de los ingredientes de una solución, como en el caso de la absorción de los pigmentos de la tinta en un papel filtro.

Para preparar la investigación

La mejor tinta negra que puede usarse es aquella soluble en agua especial para equipo audiovisual, pizarrones blancos y acetatos.

Para presentar la investigación

1. Explique los nuevos términos científicos:

   absorber: acción de succionar.
   atracción: capacidad para atraer o ser atraído por algo.
   cromatografía: método para separar una mezcla en las diferentes sustancias que la componen.
   pigmento: sustancia que da color a los materiales.

2. Explore los nuevos términos científicos:

   - Los pigmentos se encuentran en forma natural o pueden elaborarse artificialmente.

- El espectro visible está formado por los colores del arco iris: rojo, naranja, amarillo, verde, azul, índigo y violeta.
- Los pigmentos producen su color absorbiendo ciertos colores de la luz y reflejando y/o transmitiendo otros. El color *reflejado* (rebotado) y/o *transmitido* (que cruza o atraviesa) es el color que se ve.
- En la cromatografía se usa papel absorbente, del tipo de los filtros para café.
- La cromatografía depende de diferentes factores, uno de los cuales es la atracción que las sustancias que se están separando tienen hacia el papel absorbente.
- Se puede hacer tinta negra mezclando pigmentos rojo, azul y amarillo con un solvente líquido.

¡Qué interesante!

La impresión con tinta es un *coloide* deshidratado. Un coloide es una mezcla de partículas sólidas suspendidas en un fluido. Al escribir con tinta se deja coloide húmedo en el papel. Cuando se evapora el fluido (líquido), las partículas sólidas quedan sobre el papel.

UN POQUITO MÁS

Si lo desea, puede hacer que cada equipo use una marca diferente de rotulador de tinta negra y/o plumas de diferentes colores de tinta para comparar los colores.

Separación

OBJETIVO

Separar una mezcla en sus partes.

Materiales

3 o 4 hojas de periódico
filtro para café tipo canasta de 8 por 6 cm ($3\frac{1}{4}$ por $2\frac{3}{8}$ de pulgada)
marcador negro soluble en agua
vaso desechable de plástico de 300 ml (10 onzas)
vaso desechable de unicel de 90 ml (3 onzas)
agua de la llave

PROCEDIMIENTO

1. Coloca el periódico sobre una mesa.
2. Extiende el filtro para café sobre el periódico.
3. Con el marcador, pinta una flor en el centro del filtro.
4. Pon el vaso de plástico sobre el periódico.
5. Extiende el filtro sobre la boca del vaso de plástico.
6. Llena con agua el vaso de unicel.
7. Sumerge el dedo en el agua y después toca el centro de la flor con el dedo húmedo. Observa los cambios en el punto húmedo del filtro hasta que se detengan.
8. Si quedan puntos secos en la flor dibujada en el filtro, repite el paso 7.

Resultados

Al agregar el agua, la tinta negra comienza a separarse en diferentes colores. Dependiendo de la tinta usada, podrán verse diferentes cantidades de rojo, azul y amarillo.

¿Por qué?

La tinta es una mezcla de un líquido de secado rápido y varias sustancias colorantes llamadas **pigmentos**. El pigmento de la tinta seca sobre el papel, se disuelve al agregar el agua a éste; la mezcla acuosa es **absorbida** por el papel y se mueve en el mismo. Los pigmentos de diversos colores tienen diferentes grados de **atracción** (capacidad de ser atraídos hacia algo). El pigmento que tiene menos atracción avanzará distancias más grandes sobre el papel. Generalmente, el pigmento azul de la tinta es el que se mueve más, seguido por el amarillo y después el rojo. Este método de separación de una mezcla en sus diferentes sustancias se llama **cromatografía**.

B

Fuerzas y movimiento

Por supuesto, la materia no es *estática* (no permanece en reposo); siempre está en movimiento y no hay manera de que éste ocurra sin la presencia de una fuerza. En esta sección se investigan las fuerzas y el movimiento.

Se sabe que existen varias clases de fuerzas, incluyendo la fuerza de *gravedad* (atracción entre objetos), la *fuerza de fricción* (fuerza que se crea por objetos que se frotan unos con otros), y la *fuerza magnética* (atracción entre un imán y un material magnético). Las fuerzas pueden ser equilibradas o no equilibradas.

En esta sección se utilizan las leyes del movimiento de Newton para describir y explicar las diferencias entre las fuerzas equilibradas y las fuerzas no equilibradas. Asimismo, los alumnos descubrirán el efecto de viraje de una fuerza, llamado *momento de torsión*, y el punto de equilibrio de un objeto, llamado *centro de gravedad* o *centro de masa*.

¡En sus marcas, listos... fuera!

Guías para evaluar el progreso

Al término del quinto grado, el alumno ya debe saber que:

- Una fuerza provoca que un objeto se mueva, cambie de velocidad o cese de moverse. A mayor fuerza, mayor cambio en el movimiento.

Al término del sexto grado y en primero de secundaria, el alumno ya debe saber que:

- Una fuerza no equilibrada sobre un objeto cambia la velocidad y/o dirección de su movimiento.

En esta investigación se espera que el alumno:

- Comprenda que los cambios en la velocidad de un objeto son causados por fuerzas.
- Determine una velocidad promedio.

Para preparar la investigación

Será necesario que los alumnos trabajen en equipos de cuando menos cuatro integrantes. Los alumnos pueden usar sus relojes para tomarse el tiempo unos a otros. Las calculadoras son opcionales, pues pueden hacer operaciones aritméticas sencillas sin calculadora.

Para presentar la investigación

1 . Explique los nuevos términos científicos.

fuerza: acción de atracción o de repulsión sobre la materia.
fuerza muscular: fuerza ocasionada por cambios en la longitud de los músculos.
movimiento: acto o proceso de cambiar de posición.
velocidad: rapidez a la que se recorre una distancia en un tiempo determinado.
velocidad promedio: distancia total recorrida dividida entre el tiempo total del recorrido.

2 . Explore los nuevos términos científicos.

- Se necesita una fuerza para producir un movimiento.
- Una fuerza puede hacer que un objeto se mueva, cambie de velocidad o deje de moverse. A mayor fuerza, mayor cambio en el movimiento. Los objetos más pesados requieren mayor fuerza para moverse.
- Cuando los músculos se alargan o se acortan producen la fuerza que mueve al cuerpo.
- A mayor fuerza, mayor movimiento.

- Velocidad es la medida del tiempo que se necesita para recorrer cierta distancia.
- La velocidad promedio se calcula sobre un periodo determinado. Por ejemplo, la velocidad no es la misma durante todo un viaje. Hay paradas por los semáforos, para comidas, etc. La velocidad promedio se calcula dividiendo la distancia total recorrida entre el tiempo total del viaje. Por ejemplo, si se viaja en automóvil 160 km (100 millas) en 2 horas, la velocidad promedio es 160 (100) ÷ 2 = 80 km (50 millas) por hora.

¡Qué interesante!

El chita puede correr a 112 km (70 millas) por hora una distancia pequeña de unos cuantos centenares de metros (yardas).

UN POQUITO MÁS

Pida a sus alumnos que elaboren una gráfica de barras para comparar los promedios de velocidad de cada miembro de su equipo. La numeración del eje horizontal puede representar la velocidad promedio. Por ejemplo, si la velocidad más alta es de 22 m (66 pies) por 10 segundos, entonces la numeración puede ir de 0 a 30. Los nombres de todos los integrantes del equipo se pueden listar en el eje vertical rellenando las barras con diferentes colores para que se pueda apreciar la velocidad promedio de cada persona.

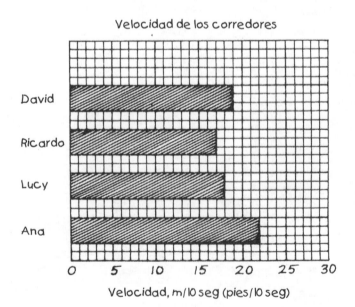

Velocidad de los corredores

Velocidad, m/10 seg (pies/10 seg)

¡En sus marcas, listos... fuera!

OBJETIVO

Determinar la velocidad promedio de un grupo de corredores.

Materiales

cinta adhesiva (*masking tape*)
pluma
cronómetro
regla de 1 metro
calculadora (opcional)

Procedimiento

1. Coloca una tira de cinta adhesiva en el piso para marcar la línea de salida.
2. Escribe tu nombre en el primer renglón de la tabla "Datos de velocidad".
3. Párate colocando los talones sobre la línea de salida.
4. Pídele a un ayudante que mida 10 segundos con el cronómetro mientras tú caminas lo más rápido posible. Cuando tu ayudante indique "fuera", comienza a caminar. Detente cuando tu ayudante diga "alto".
5. Pídele a tu ayudante que ponga una tira de cinta adhesiva en el piso justo en el talón de tu pie que haya quedado adelante.
6. Mide la distancia en metros (o pies) entre las dos tiras de cinta adhesiva.
7. Calcula tu velocidad promedio dividiendo la distancia que hayas recorrido entre el tiempo, 10 segundos. Registra tu velocidad promedio en metros (o pies) por segundo en la tabla "Datos de velocidad".
8. Pídele a cada uno de los demás ayudantes de tu equipo que repitan los pasos del 2 al 7.

Resultados

DATOS DE VELOCIDAD	
Nombres de los competidores	Velocidad promedio
1.	
2.	
3.	
4.	

¿Por qué?

Se necesita una **fuerza** (acción de atracción o de repulsión) para mover cualquier cosa. La fuerza que una persona utiliza para mover su cuerpo se llama **fuerza muscular** (fuerza ocasionada por cambios en la longitud de los músculos del cuerpo). El **movimiento** (acto o proceso de cambiar de posición) se mide en **velocidad**, que es la rapidez a la que se recorre una distancia en un tiempo determinado.

La distancia total avanzada dividida entre el tiempo total para recorrerla se llama **velocidad promedio**. Todos los competidores que participaron en esta actividad emplearon la misma clase de movimiento, caminar con rapidez, pero unos pudieron haberlo hecho con más rapidez que otros logrando una mayor velocidad promedio. Una de las razones para las diferencias en las velocidades promedio de los competidores puede ser el largo de sus piernas, quienes las tienen más largas avanzarán más en 10 segundos.

¡Suelo!

Guías para evaluar el progreso

Al término del quinto grado, el alumno ya debe saber que:

- Las cosas que están cerca de la superficie de la Tierra caen al suelo si no hay algo que las detenga.
- La gravedad de la Tierra atrae los objetos hacia su superficie sin necesidad de tocarlos.

Al término del sexto grado y en primero de secundaria, el alumno ya debe saber que:

- Todos los objetos ejercen su fuerza de gravedad sobre todos los demás objetos.

En esta investigación se espera que el alumno:

- Comprenda que la fuerza de gravedad atrae los objetos hacia el centro de la Tierra.

Para preparar la investigación

El tamaño y la longitud de la vara utilizada no son tan importantes. Puede servir cualquier vara recta, inclusive un lápiz o una regla.

Para presentar la investigación

1. Explique los nuevos términos científicos:

   gravedad: fuerza de atracción que existe entre todos los objetos del universo.

2. Explore los nuevos términos científicos:

   - Algunas fuerzas implican contacto entre los objetos. Por ejemplo, al levantar un tenedor hay contacto entre la mano y el tenedor.
   - Algunas fuerzas actúan sin que un objeto entre en contacto con otro. Por ejemplo, la gravedad puede actuar a grandes distancias, como en el caso de la gravedad entre el Sol y la Tierra, que mantiene a ésta girando alrededor del Sol.
   - Los objetos que caen o que están suspendidos (colgando libremente) sobre la superficie de la Tierra son atraídos hacia el centro de ésta por la fuerza de gravedad.
   - La gravedad atrae hacia el centro de la Tierra todo lo que está sobre o cerca de ella, por lo que la expresión "hacia abajo" quiere decir en realidad "hacia el centro de la Tierra".

¡Qué interesante!

La ingravidez (falta de pesantez) de los astronautas no se debe a una falta de gravedad, sino a que su nave espacial se encuentra en caída libre, lo que significa que al caer, la gravedad es la única fuerza que actúa sobre ella. Por ejemplo, una persona experimenta ingravidez cada vez que cae libremente, como cuando salta de un trampolín.

UN POQUITO MÁS

En los globos terráqueos el Polo Sur parece estar abajo, pero en realidad no hay "abajo" en la Tierra. Pida a sus alumnos que le ayuden a elaborar un periódico mural sobre la gravedad. Si lo desea, puede incluir un diagrama en el que aparezcan niños parados en diferentes puntos de la Tierra jugando con yo-yos que apunten "hacia abajo", hacia el centro de la Tierra. Puede incluir un retrato de Galileo arrojando objetos desde la Torre Inclinada de Pisa, lugar donde se dice que llevó a cabo sus experimentos de gravedad. También puede incluir una fotografía de cada uno de sus alumnos demostrando un efecto de la gravedad: de pie sobre una báscula para baño, depositando un libro sobre una mesa o caminando. Incluya junto con la fotografía un diagrama hecho por el alumno que muestre cómo se verían los objetos en la fotografía si no hubiera gravedad.

¡Suelo!

OBJETIVO

Comprender la fuerza de atracción que ejerce la gravedad.

Materiales

cordón de 60 cm (24 pulgadas)
vara de 1 cm de ancho por 1 m de largo
    ($^3/_8$ por 36 pulgadas)
clip

Procedimiento

1. Ata uno de los extremos del cordón al centro de la vara.
2. Fija el clip en el extremo libre del cordón.
3. Sostén horizontalmente la vara a unos 30 cm (12 pulgadas) de tu cara. Observa la posición en la que cuelga el clip.
4. Inclina la vara de manera que uno de sus extremos casi toque el cordón. Observa cualquier cambio en la posición en la que cuelga el clip.
5. Vuelve a poner la vara en posición horizontal y repite el paso 4, inclinando ahora el otro extremo hacia abajo hasta que casi toque el cordón.

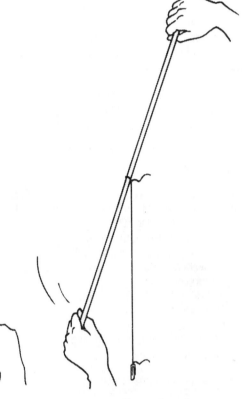

Resultados

El clip cuelga en la misma posición independientemente de la manera en que se incline la vara.

¿Por qué?

El clip cuelga libremente, lo que significa que se mantiene en su lugar sólo por el cordón y que está libre para oscilar en cualquier dirección. En la Tierra, la **gravedad** (fuerza de atracción que existe entre todos los objetos del universo) jala al clip hacia abajo, esto es, hacia el centro de la Tierra. Al inclinar la vara, el cordón no se inclina con ella, por lo que el clip continúa siendo atraído en la misma dirección por la gravedad. En la superficie de la Tierra o cerca de ella, la gravedad atrae todo hacia su centro.

¿Más o menos?

Guías para evaluar el progreso

Al término del quinto grado, el alumno ya debe saber que:

- La gravedad de la Tierra, como la de otros planetas, atrae los objetos.

Al término del sexto grado y en primero de secundaria, el alumno ya debe saber que:

- Los demás planetas tienen una composición y condiciones muy diferentes a las de la Tierra, incluyendo su fuerza de gravedad.

En esta investigación se espera que el alumno:

- Compare la gravedad de los diferentes planetas.
- Identifique el efecto de la gravedad en el peso.

Para presentar la investigación

1. Explique los nuevos términos científicos:

   coeficiente de gravedad (G.R.): gravedad superficial de un cuerpo celeste dividida entre la gravedad de la Tierra, de modo que la G.R. de la Tierra es 1.
   cuerpos celestes: objetos naturales que se encuentran en el cielo como: planetas, lunas, estrellas y soles.
   gravedad superficial: gravedad en o cerca de la superficie de un cuerpo celeste.
   libra: unidad de peso del sistema inglés.
   newton (N): unidad de peso del S.I.
   peso: medida de la fuerza de gravedad, que en la Tierra es una medida de la fuerza con la que la gravedad de su superficie atrae un objeto.

2. Explore los nuevos términos científicos:

   - La gravedad es la fuerza con la que un objeto es atraído hacia otro. La fuerza de la gravedad de la Tierra en unidades SI es de 9.8 N/kg. Esto significa que la gravedad de la Tierra atrae los objetos con una fuerza de 9.8 N (newtons) por cada kilogramo (kg) de masa del objeto, de ahí que por razones de redondeo, para convertir kilos a newtons sólo se multiplican los kilos por 10.

   - Lo que se conoce como *peso* es una medida de la fuerza con la que la gravedad de la Tierra atrae a un objeto; por ejemplo, el cuerpo de una persona.
   - Por lo común se considera que el valor nominal de la gravedad de la Tierra es de 1 g y se lee como se escribe: 1 g; se entiende que significa 1 x gravedad de la superficie de la Tierra (g) de 9.8 N/kg, por lo que, 1.16 g para Saturno significa que la gravedad de su superficie es 1.16 x 9.8 N/kg. La medida de 1 g para la Tierra no se debe confundir con la medida SI de masa de 1 g, que se lee "1 gramo". La diferencia se puede determinar por el contenido del material que se está leyendo.
   - El peso, llamado también peso fuerza (F_{wt}) es el producto de la masa de un objeto multiplicada por la fuerza de gravedad. Esto se expresa con la fórmula $F_{wt} = m \times g$.
   - Sobre la Tierra, una libra es igual a 4.5 N, y un kilo es igual a 10 N.
   - La fuerza de gravedad depende de la masa de dos objetos y de la distancia entre sus centros. La gravedad aumenta con la masa y disminuye con la distancia entre los centros de dos objetos.
   - El peso de un objeto varía en los diferentes planetas porque éstos tienen diferente gravedad en su superficie.

UN POQUITO MÁS

En otro planeta, la masa de un objeto no cambia aunque varíe su peso. Pida a sus alumnos que comparen su masa en uno o más planetas con su masa en la Tierra. Su masa la pueden calcular dividiendo su peso en determinado planeta entre la fuerza de gravedad de ese planeta. Esto se expresa como $m = F_{wt} \div g_{planeta}$.

Nota: la fuerza de gravedad de los planetas se puede determinar multiplicando la fuerza de gravedad de la Tierra (9.8 N/kg) por el G.R. del planeta en cuestión. Esto se expresa como $g_{planeta} = g_{Tierra} \times G.R._{planeta}$.

¿Más o menos?

OBJETIVO

Determinar el peso de una persona en diferentes planetas.

Materiales

báscula para baño
lápiz
calculadora

Procedimiento

1. Determina tu peso parándote sobre la báscula.

2. Calcula tu peso en newtons (N): multiplica tu peso en kilogramos por 10. Cada kilogramo equivale a 10 N. Así, si pesas 40 kilos, tu peso en newtons sería:

$$40 \text{ kilos} \times 10 = 400 \text{ N}$$

Si la báscula está en libras y pesas 89 libras, multiplica tu peso por 4.5: 89 libras X 4.5 = 400 N.

3. Determina cuál sería tu peso en los diferentes planetas usando la calculadora para multiplicar tu peso en la Tierra por el "coeficiente de gravedad" de cada uno de los planetas de la lista. Por ejemplo, si pesas 400 N en la Tierra, tu peso en Marte, que tiene un múltiplo de gravedad de 0.38, sería:

$$400 \text{ N} \times 0.38 = 152 \text{ N}.$$

Resultados

El peso de una persona será diferente en cada planeta, siendo el más bajo en Plutón y el más alto en Júpiter.

¿Por qué?

El **peso** de una persona es una medida de la fuerza de gravedad, que en la Tierra es la medida de la fuerza con que la gravedad de la superficie terrestre atrae un objeto. La **gravedad superficial** es la gravedad en o cerca de la superficie de un **cuerpo celeste** (objeto natural que se encuentra en el cielo, como planetas, lunas, estrellas y soles). El **coeficiente de gravedad (G.R.)** de un cuerpo celeste es la gravedad de su superficie dividida entre la gravedad de la Tierra. El G.R. de la Tierra es igual a 1. Los cuerpos celestes con un coeficiente de gravedad mayor de 1 tienen una gravedad superficial mayor que la de la Tierra. Los que tienen un múltiplo de gravedad menor que 1 tienen una gravedad superficial menor que la de la Tierra. Como se ha visto en esta investigación, el peso de una persona en cada planeta se calcula como el producto de su peso en la Tierra por el coeficiente de gravedad de cada planeta. La **libra** es la unidad de peso inglesa. El **newton (N)** es la unidad de peso del SI. En esta investigación, el peso de una persona estando sobre los cuerpos celestes se mide en newtons.

DATOS DE PESO		
Planeta	**Coeficiente de gravedad (G.R.)**	**Peso en el planeta calculado en newtons (G.R. x peso en la Tierra)**
Mercurio	0.38	
Venus	0.90	
Marte	0.38	
Júpiter	2.54	
Saturno	1.16	
Urano	0.92	
Neptuno	1.19	
Plutón	0.06	

Patrón de fuerza

Guías para evaluar el progreso

Al término del quinto grado, el alumno ya debe saber que:

- Se pueden utilizar imanes para mover objetos de hierro sin tocarlos.

Al término del sexto grado y en primero de secundaria, el alumno ya debe saber que:

- Una fuerza, como el magnetismo, puede mover algunos objetos.

En esta investigación se espera que el alumno:

- Identifique las líneas de fuerza magnética alrededor de un imán.
- Comprenda que el magnetismo es una propiedad física de algunas sustancias.

Para preparar la investigación

Si realiza la investigación con sus alumnos, deberá cortar los limpiapipas con anticipación.

Para presentar la investigación

1. Explique los nuevos términos científicos:

   campo magnético: espacio alrededor de un imán, donde puede detectarse una fuerza magnética.
   fuerza magnética: atracción entre imanes o entre un imán y un material magnético.
   imán: objeto rodeado de un campo magnético que atrae materiales magnéticos.
   líneas de fuerza magnética: patrón de líneas que representan el campo magnético alrededor de un imán.
   magnetismo: fuerza magnética.
   materiales magnéticos: materiales que pueden ser atraídos o magnetizados por un imán, como el hierro y el acero.
   polo magnético: uno de los dos extremos de un imán, donde es más fuerte el campo magnético.

2. Explore los nuevos términos científicos:

   - Entre los materiales magnéticos se encuentran: hierro, cobalto, níquel y mezclas de estos materiales entre sí y/o con otras sustancias (el acero es una mezcla de hierro, carbono y otros metales).

- El campo magnético alrededor de un imán lo conforman las líneas de fuerza que salen del polo norte, rodean al imán y llegan al polo sur del imán.
- El campo magnético que rodea la Tierra se llama *magnetosfera*.
- Los extremos magnéticos de la Tierra son: el *polo norte magnético* y el *polo sur magnético*.
- Cuando un imán de barra queda suspendido, el polo que apunta hacia el polo norte magnético de la Tierra es el buscador del norte o *polo norte del imán*. El extremo opuesto del imán de barra apunta hacia el polo sur magnético de la Tierra y se llama buscador del polo sur magnético de la tierra o *polo sur del imán*.
- En un imán de disco, las superficies planas son los polos.
- La atracción y la repulsión entre dos imanes disminuye conforme aumenta la distancia entre sus polos.

¡Qué interesante!

Debido a que los polos geográficos y magnéticos de la Tierra se encuentran en diferentes lugares, una brújula no apunta al norte verdadero (definido como el extremo norte del eje de la Tierra, línea imaginaria alrededor de la cual gira el planeta), sino justo hacia el norte, hacia el polo norte magnético de la Tierra.

UN POQUITO MÁS

Otra manera de mostrar las líneas de fuerza magnética de un imán consiste en poner una cucharadita (5 ml) de limadura de hierro (se puede conseguir en una herrería) dentro de una bolsa de plástico resellable. Sujete la bolsa de manera que la limadura de hierro quede justo arriba del imán. Sacuda suavemente la bolsa para que se extiendan los trocitos, que se pondrán en línea con el campo magnético alrededor del imán. Repita la investigación con imanes de diferentes formas (barra, herradura, etcétera).

Enseña la ciencia de forma divertida

Patrón de fuerza

OBJETIVO

Producir un patrón que represente el campo magnético alrededor de un imán de disco.

Materiales

tijeras
limpiapipas de 30 cm (12 pulgadas)
imán de disco
tarjeta para ficha bibliográfica
pegamento escolar

Procedimiento

1. Corta el limpiapipas a la mitad. Después, corta cada segmento a la mitad. Sigue cortando las piezas en mitades. Continúa hasta tener 16 piezas de igual tamaño.

2. Pon el imán sobre una mesa y cúbrelo con la tarjeta.

3. Extiende una capa gruesa de pegamento sobre la tarjeta en el área que cubre el imán.

4. Sostén los trozos de limpiapipas aproximadamente a 12 mm ($^1/_2$ pulgada) por encima del pegamento que está sobre la tarjeta, con los extremos apuntando directamente hacia abajo. Entonces déjalos caer uno por uno dentro del pegamento.

5. Mantén en su lugar los trozos de limpiapipas hasta que seque el pegamento, lo que debe tardar aproximadamente una hora.

Resultados

Los trozos de limpiapipas forman un diseño circular en el cual los trozos exteriores quedan hacia afuera formando un ángulo, y los del centro quedan más derechos. El pegamento mantiene en su lugar los pedazos de limpiapipas.

¿Por qué?

La **fuerza magnética** o **magnetismo** es la atracción entre imanes o entre un imán y un material magnético. Un **imán** es un objeto rodeado por un **campo magnético**, el espacio donde puede detectarse la fuerza magnética. **Materiales magnéticos** son aquellos que pueden ser atraídos o magnetizados por un imán, como el hierro y el acero. El campo magnético se extiende desde un extremo o **polo magnético** del imán al otro, y es más fuerte en los polos. Los polos de un imán de disco son sus superficies planas. Los limpiapipas contienen un alambre delgado de acero que es atraído hacia el imán. Cuando el acero de los limpiapipas entra al campo magnético, el acero es atraído hacia el imán. La distribución de los trozos de limpiapipas indica la dirección de las **líneas de fuerza magnética** invisibles (el patrón de líneas que representan el campo magnético alrededor del polo invertido de un imán de disco).

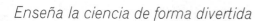

Lucha de fuerzas

Guías para evaluar el progreso

Al término del quinto grado, el alumno ya debe saber que:

- Sin tocar un material magnético u otros imanes, un imán atrae los materiales magnéticos, y repele o atrae a otros imanes.

Al término del sexto grado y en primero de secundaria, el alumno ya debe saber que:

- Si las fuerzas están equilibradas, un objeto puede permanecer inmóvil aun cuando las fuerzas estén actuando sobre él.

En esta investigación se espera que el alumno:

- Comprenda que las fuerzas, incluyendo las fuerzas magnéticas, pueden estar equilibradas o no equilibradas.
- Demuestre cómo una fuerza no equilibrada hace que un objeto se mueva.

Para preparar la investigación

Es necesario que los imanes utilizados por cada alumno o equipo sean iguales. Los imanes de disco del tamaño de una moneda son baratos y es fácil deslizarlos por la regla; pero todos funcionarán sin importar qué forma tengan. Señale que aunque se supone que los imanes tienen la misma fuerza, los resultados de la investigación determinarán si esto es cierto o no.

Para presentar la investigación

1. Explique los nuevos términos científicos:

   fuerza equilibrada: fuerza aplicada de manera uniforme a un objeto desde direcciones opuestas.
   fuerza no equilibrada: fuerza aplicada sobre un objeto sin una fuerza opuesta e igual.

2. Explore los nuevos términos científicos:

   - Cuando se aplica una fuerza equilibrada sobre un objeto en reposo, el objeto permanece en reposo.

- Cuando se aplica una fuerza equilibrada a un objeto en movimiento, el objeto sigue moviéndose a la misma velocidad y en la misma dirección.
- Una fuerza no equilibrada hace que un objeto inmóvil empiece a moverse.
- Una fuerza no equilibrada hace que un objeto en movimiento altere la velocidad y/o dirección del mismo. En otras palabras, el objeto acelera (aumenta su velocidad o cambia de dirección) o desacelera (disminuye su velocidad), dependiendo de si la fuerza opuesta aumenta o diminuye, respectivamente.
- Las fuerzas que actúan en la misma dirección sobre un objeto a lo largo de una línea recta, se suman.
- Las fuerzas que actúan en direcciones opuestas sobre un objeto a lo largo de una línea recta, se cancelan mutuamente.
- Los polos iguales de un imán se repelen y los polos diferentes se atraen.
- La fuerza de un campo magnético disminuye con la distancia del imán a un objeto.

¡Qué interesante!

Los trenes Maglev, que operan con levitación magnética, obedecen el principio de que los polos iguales de un imán se repelen. Los imanes que se encuentran sobre la vía y otros imanes en el tren permiten que el HSST (transporte de superficie de alta velocidad) de Japón levite (se levante) aproximadamente 10 cm (4 pulgadas) sobre la vía mientras corre como un cohete hasta 480 km (300 millas) por hora.

UN POQUITO MÁS

Repita el experimento usando imanes de diferentes formas.

Lucha de fuerzas

OBJETIVO

Utilizar fuerzas magnéticas equilibradas y no equilibradas para comparar las fuerzas de dos imanes.

Materiales

cuerda de 1 m (4 pies)
clip
cinta adhesiva transparente
regla de 1 metro (1 yarda)
2 imanes de disco idénticos

Procedimiento

1. Amarra uno de los extremos de la cuerda al clip.
2. Utiliza un trozo de cinta adhesiva para asegurar la punta libre de la cuerda al borde de una mesa, de manera que el clip cuelgue aproximadamente a 2.5 cm (1 pulgada) del piso.
3. Coloca la regla en el piso debajo del clip, de manera que éste quede justo arriba del centro de la regla.
4. Pon un imán en cada extremo de la regla. El imán que esté en el extremo cero de la regla es el imán A, y el que esté en el extremo opuesto es el imán B.
5. Desliza lentamente el imán A a lo largo de la regla hacia el clip. Continúa hasta que el clip se mueva hacia el imán. Detente y anota en la tabla ("Datos de las pruebas de distancia del imán") la distancia a la que está el imán del centro de la regla.
6. Repite el paso 5 tres veces más y promedia las distancias del imán obtenidas en las pruebas.
7. Repite los pasos 5 y 6 usando el imán B.
8. Con base en los promedios, determina si los imanes son de igual fuerza o si uno es más fuerte que el otro.
9. Somete a prueba la conclusión a la que hayas llegado en el paso 8 colocando cada imán a la distancia promedio calculada.

DATOS DE LAS PRUEBAS DE DISTANCIA DEL IMÁN					
Imán	Prueba 1	Prueba 2	Prueba 3	Prueba 4	Promedio
A					
B					

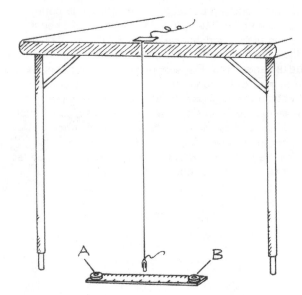

Resultados

Los resultados variarán dependiendo de la fuerza de los imanes utilizados.

¿Por qué?

Si los imanes son de igual fuerza, las fuerzas magnéticas estarán equilibradas y a igual distancia del clip. **Fuerza equilibrada** es aquella que se aplica de manera uniforme a un objeto desde direcciones opuestas. Si los imanes no son de igual fuerza, su fuerza combinada estará desequilibrada y el clip se moverá hacia el imán que tenga más fuerza cuando ambos imanes estén a igual distancia. Una **fuerza no equilibrada** no tiene una fuerza opositora de la misma magnitud.

¡Qué pegue!

Guías para evaluar el progreso

Al término del quinto grado, el alumno ya debe saber que:

- El material que ha recibido una carga eléctrica atrae a los demás y puede atraer o repeler a otros materiales con carga sin tocarlos.

Al término del sexto grado y en primero de secundaria, el alumno ya debe saber que:

- Una fuerza no equilibrada puede ocasionar que un cuerpo en movimiento cambie su velocidad y/o su dirección.

En esta investigación se espera que el alumno:

- Identifique los efectos de la electricidad estática.

Para preparar la investigación

Si no dispone de cereal de arroz inflado, use pedazos pequeños de papel o unicel.

Para presentar la investigación

1. Explique los nuevos términos científicos:

electricidad estática: acumulación de cargas eléctricas, positivas o negativas.
electrón: partícula con carga negativa que se encuentra fuera del núcleo de un átomo.
núcleo: el centro de un átomo.
protón: partícula con carga positiva que se encuentra en el núcleo de un átomo.

2. Examine los nuevos términos científicos:

- Toda la materia está hecha de átomos. Los átomos tienen un centro llamado núcleo que contiene partículas con carga positiva llamadas protones. Fuera del núcleo, que tiene carga positiva, giran partículas con carga negativa que se llaman electrones. Generalmente, cuando dos materiales se frotan entre sí, los electrones de uno de ellos tenderán a salir, debido a la fricción, para pasar al otro material. Esto hace que uno de los materiales quede con más carga positiva y el otro con más carga negativa. Esta acumulación de cargas se llama electricidad estática.

- Cuando una persona frota con sus pies una alfombra, los electrones de ésta pasan, por el efecto de la fricción, a los pies de la persona. Las cargas opuestas se atraen. Así, cuando la persona se acerca a otro objeto, especialmente la perilla de una puerta u otro objeto de metal, los protones de la perilla atraen a los electrones adicionales en el cuerpo de la persona. Los electrones viajan por el cuerpo y pasan de la mano a la perilla al tomarla, lo que ocasiona una pequeña descarga eléctrica.

¡Qué interesante!

Hay más electricidad estática en otoño e invierno que en primavera y verano. Esto es porque hay más electricidad estática cuando el aire es frío y seco, como ocurre durante el otoño y el invierno. El aire caliente puede retener más humedad. Cuando el aire está húmedo, las moléculas de agua del aire recogen electrones evitando que se acumulen en el cuerpo de las personas.

UN POQUITO MÁS

Se puede crear un modelo de mariposa en movimiento tomando como base la atracción entre cargas opuestas. Pida a sus alumnos que dibujen una mariposa sobre un cuadrado de un pañuelo desechable de 10 cm (4 pulgadas) por lado. Posteriormente deberán recortar el diseño de la mariposa y poner un poco de pegamento por la parte inferior y central del cuerpo de la mariposa para pegarla sobre una pieza cuadrada de cartón de 15 cm (6 pulgadas) por lado. Cerciórese de no engomar las alas. Esperen a que seque el pegamento. Pleguen las alas a lo largo del cuerpo de la mariposa de modo que se muevan hacia arriba y hacia abajo con facilidad. Froten una envoltura plástica como se explica en la siguiente página o un globo inflado (hay que cerciorarse de que esté seco) en el cabello. El globo cargado se mantiene cerca de las alas, pero sin tocarlas. Se repite este movimiento del globo para que las alas de la mariposa se muevan de arriba hacia abajo.

¡Qué pegue!

OBJETIVO

Demostrar la electricidad estática.

Materiales

20 a 25 piezas de cereal de arroz inflado
tira de envoltura plástica para alimentos
    de 60 cm (2 pies)
hoja tamaño carta

Procedimiento

1. Pon las piezas de cereal en una mesa.
2. Arruga la envoltura plástica para formar una bola del tamaño de tu puño.
3. Frota rápidamente la bola de envoltura plástica de un lado a otro sobre la hoja de papel de 10 a 15 veces. Coloca inmediatamente la envoltura plástica encima de las piezas de cereal, cerca de éstas, pero sin tocarlas.

Resultados

El cereal brinca hacia el plástico.

¿Por qué?

Los átomos tienen un centro llamado **núcleo,** que contiene partículas con carga positiva llamadas **protones.** Afuera del núcleo giran unas partículas con carga negativa llamadas **electrones.** Generalmente, cuando se frotan dos materiales, como el plástico y el papel, uno pierde electrones (el papel) y el otro (el plástico) los gana. La acumulación de cargas eléctricas en un objeto se llama **electricidad estática** porque las cargas son estacionarias (no se mueven). Cuando el plástico con carga negativa se aproxima al cereal, las cargas positivas de los cereales son atraídas hacia las cargas negativas del plástico. Esta atracción es suficiente para que las piezas de cereal, que son livianas, se liberen de la atracción hacia abajo que ejerce sobre ellas la gravedad y se levanten pegándose al plástico.

¿Fuerza o maña?

Guías para evaluar el progreso

Al término del quinto grado, el alumno ya debe saber que:

- A mayor fuerza, mayor cambio en el movimiento del objeto al que se le aplica la fuerza.
- Mientras más pesado sea el objeto, menor será el efecto de la fuerza que se le aplique.

Al término del sexto grado y en primero de secundaria, el alumno ya debe saber que:

- Los objetos tienen tendencia a resistir un cambio de movimiento. Los que están en reposo permanecen en reposo y los que están en movimiento siguen en movimiento, a menos que actúe sobre ellos una fuerza externa.

En esta investigación se espera que el alumno:

- Demuestre que un objeto permanecerá en reposo debido a su inercia.
- Identifique el efecto de la masa sobre el estado de inercia de un objeto.

Para preparar la investigación

Si no dispone de arena, use cualquier material que agregue peso a los vasos, como la grava para peceras.

Para presentar la investigación

1. Explique los nuevos términos científicos:

   fricción: fuerza que se opone al movimiento de un objeto cuya superficie está en contacto con otro objeto.

   inercia: tendencia de un objeto a permanecer en reposo o a resistirse a cambios en su estado de movimiento, a menos que actúe sobre él una fuerza externa.

2. Explore los nuevos términos científicos:

   - Fuerzas externas cambian o modifican el estado de movimiento de un objeto.
   - Debido a la inercia, un objeto no cambiará su movimiento a menos que una fuerza no equilibrada actúe sobre él.

- Debido a la inercia, un objeto en reposo permanecerá también en reposo.
- Debido a la inercia, un objeto en movimiento seguirá en movimiento en línea recta a velocidad constante. Por ejemplo, coloque una canica sobre una superficie plana y aplique un impulso. Esta fuerza no equilibrada hace que la canica se mueva. Como la canica tiene inercia, seguirá moviéndose una vez que se haya dejado de empujarla. Pero hay otra fuerza no equilibrada, la fricción, que actúa sobre la canica haciendo que pierda velocidad y finalmente pare.
- Mientras más pesado sea el objeto, mayor es su inercia. La fuerza necesaria para mover un objeto aumenta con su inercia.
- La fricción actúa en dirección opuesta al movimiento del objeto.
- A mayor aspereza de las dos superficies que se frotan entre sí, mayor fricción.

¡Qué interesante!

Para aumentar la fricción, se esparce arena en los caminos con hielo. De esta manera, hay menos probabilidades de sufrir una caída caminando sobre hielo con arena que caminando sobre hielo sin arena.

UN POQUITO MÁS

Pida al grupo que piense cómo un mago puede quitar un mantel de una mesa sin derribar los objetos que están encima del mantel; el mago debe poner artículos pesados sobre la mesa para que tengan más inercia y un mantel liso y resbaladizo para reducir la fricción. También se debe aplicar una gran fuerza no equilibrada al mantel.

¿Fuerza o maña?

OBJETIVO

Determinar cómo la masa afecta la inercia de un objeto.

Materiales

2 vasos de plástico transparente de 300 ml
    (10 onzas)
arena
regla
tira de papel encerado de 5 X 30 cm
    (2 X 12 pulgadas)

Procedimiento

1. Llena con arena uno de los vasos.
2. Extiende aproximadamente 10 cm (4 pulgadas) de la tira de papel encerado cerca de la orilla de una mesa.
3. Pon el vaso vacío sobre el extremo del papel encerado.
4. Intenta jalar la tira para sacarla de abajo del vaso sin moverlo. Para hacerlo, sostén el extremo libre de la tira y asesta un golpe al papel con el borde de la mano al estilo de los karatecas, pasando justo por la orilla de la mesa, como se ve en la figura. Observa cualquier movimiento del vaso.
5. Repite los pasos del 2 al 4 unas tres veces o más.
6. Repite cuatro veces los pasos del 2 al 4 con el vaso que contiene arena.

Resultados

En los dos casos, el papel se movió de abajo de los vasos, pero el vaso con arena permaneció en su lugar o se movió menos que el vaso vacío.

¿Por qué?

El papel encerado es resbaladizo, por lo que hay poca **fricción** (fuerza que se opone al movimiento de un objeto cuya superficie está en contacto con otro objeto) entre los vasos y el papel. El vaso con arena tiene más masa que el vaso vacío. Dado que el vaso vacío permaneció en el mismo lugar o se movió menos, tiene más **inercia** (la tendencia de un objeto a permanecer en reposo o a resistirse a cualquier cambio en su estado de movimiento a menos que actúe sobre él una fuerza externa). Mientras más pesado sea el objeto, más inercia tendrá.

C

Energía

La materia puede verse y tocarse, pero la *energía* no. Al observar la materia es posible ver los efectos de la energía. Por ejemplo, la energía hace que las cosas se muevan. Cuando se ve un balón de futbol americano volando por el aire, se sabe que se usó energía para lanzarlo.

La energía y la materia son intercambiables. En condiciones comunes la materia nunca cambia, pero cuando hay cambios nucleares, como en el Sol, la materia se transforma en energía. Las leyes de conservación de la *materia* y la *energía* establecen que éstas no se pueden crear ni destruir. Pueden cambiar de un estado o forma a otro, pero la cantidad total de energía y materia en el universo permanece constante.

Al investigar la energía, los alumnos descubrirán que la energía existe en diferentes formas, entre ellas *calor, luz, sonido* y *electricidad*. Estas formas se dividen en dos grupos básicos: *potencial* y *cinética*.

Igual, igual

Guías para evaluar el progreso

Al término del quinto grado, el alumno ya debe saber que:
- La energía es necesaria para que haya movimiento.

Al término del sexto grado y en primero de secundaria, el alumno ya debe saber que:
- La energía no se crea ni se destruye, sólo se transforma.
- La energía se presenta en diferentes formas.

En esta investigación se espera que el alumno:
- Identifique el efecto que tiene la altura sobre la energía de un objeto.
- Determine las diferencias entre los dos grupos básicos de energía: potencial y cinética.
- Determine que la energía es necesaria para realizar un trabajo.

Para preparar la investigación

Los calcetines deben ser blancos, estar limpios y sin agujeros. Use cualquier báscula graduada en gramos.

Para presentar la investigación

1. Explique los nuevos términos científicos:

energía (E): capacidad para realizar un trabajo.
energía cinética (KE): energía que posee un objeto en movimiento, debida al mismo movimiento.
energía potencial (PE): energía acumulada en un objeto debido a su posición o condición.
energía potencial gravitacional (GPE): energía potencial debida a la altura de un objeto sobre una superficie.
joule (J): unidad SI con la que se mide el trabajo; $1N \times m = 1J$.
trabajo (W): movimiento de un objeto por una fuerza.

2. Examine los nuevos términos científicos:

- Trabajo es el producto de una fuerza sobre un objeto multiplicada por la distancia que el objeto recorre debido a la fuerza. Por ejemplo, una caja que pesa 1N se mueve 1 m. El trabajo se determina por medio de esta ecuación: $w = f_{wt} \times d = 1\ N \times 1\ m = 1\ N \bullet m = 1\ joule$. El punto entre las unidades indica que se han multiplicado entre sí. (También es correcto expresar las unidades como Nm, sin el punto.)
- Cuando se realiza un trabajo sobre un objeto, éste gana una energía igual a la cantidad de trabajo realizado sobre él. Por ejemplo, si se hace un trabajo de $1\ N \bullet m$ en un objeto, éste gana un joule de energía.
- Si un objeto realiza un trabajo, la energía que pierde es igual al trabajo realizado.

- Todas las formas de energía se pueden dividir en dos grupos: energía potencial y energía cinética.
- Un objeto en reposo que es capaz de realizar un movimiento debido a su posición o condición, posee energía potencial.
- Ejemplos de objetos que tienen energía potencial por su posición: el agua retenida por una presa o una roca a la orilla de un acantilado. Ejemplos de objetos que tienen energía potencial por su condición: una liga estirada o un resorte comprimido. Ninguno de estos objetos está en movimiento, pero todos poseen el potencial para moverse y realizar un trabajo.
- Si la posición de un objeto está arriba del suelo, se dice que el objeto tiene energía potencial gravitacional.
- Si un objeto cae, su energía potencial gravitacional cambia a energía cinética.
- Cuando la energía potencial cambia a energía cinética, la materia se mueve.
- Así como la energía potencial puede cambiarse a energía cinética, ésta puede cambiarse a energía potencial.
- El trabajo realizado para levantar un objeto es igual a la energía potencial gravitacional que tiene cuando está en reposo en la posición más alta. Esta energía potencial es igual tanto a la energía cinética que el objeto tiene cuando golpea la superficie de la que fue levantado como al trabajo realizado en la superficie.
- Ejemplos de objetos que tienen energía cinética: un automóvil en movimiento y una cascada.

¡Qué interesante!

Medio litro (1 pinta) de agua con una masa de 500 g tiene aproximadamente 4.271 J de GPE en lo más alto de la Catarata del Ángel en Venezuela, que es la cascada más alta del mundo, con más de 960 m (3200 pies) de altura.

UN POQUITO MÁS

Repita el experimento usando calcetines que contengan diferentes cantidades de arroz. Use un marcador para numerar los calcetines de manera que todos los que tienen igual cantidad de arroz tengan el mismo número.

Igual, igual

OBJETIVO

Determinar el efecto que la altura tiene sobre la energía potencial gravitacional de un objeto.

Materiales

1 taza (250 ml) de arroz seco
calcetín
báscula de cocina graduada en gramos
calculadora
pluma
regla de 1 metro

Procedimiento

1. Vacía el arroz dentro del calcetín y amárralo.
2. Con la báscula, mide la masa del calcetín con arroz (pésalo) con aproximación en gramos (g).
3. Determina el peso del calcetín con arroz en Newtons (N). Para ello usa la calculadora y la siguiente ecuación. Registra el peso en la columna "Peso fuerza" de la tabla "Datos de energía"

$$\text{Peso fuerza} = \text{masa} \times 0.0098 \text{ N/g}$$

La fuerza necesaria para levantar el calcetín es igual a su peso, al que puede llamarse peso fuerza (f_{wt}).

4. Calcula el trabajo (w) realizado si el calcetín se levantara a una altura o distancia (d) de 0.5 m, utilizando la siguiente ecuación. Registra la respuesta en la columna "Trabajo" de la tabla "Datos de energía".

$$w = f_{wt} \times d$$

Nota: la unidad de fuerza llamada newton (N) por la unidad de distancia llamada metro (m) es igual a N • m, lo que a su vez es igual a la unidad de trabajo del joule (J).

5. Pídele a un ayudante que levante el calcetín a una altura de 0.5 m del piso.
6. Manteniendo arriba la palma de tu mano justo encima del piso y en línea con el calcetín, pídele a tu ayudante que suelte el calcetín. Observa lo que sientes cuando el calcetín

DATOS DE ENERGÍA			
Peso fuerza (f_{wt}), n	Altura (d), m	Trabajo (w), J	Observaciones
	0.5		
	1.0		

golpea tu mano. Registra tus observaciones en la tabla.

7. Repite los pasos del 4 al 6 desde una altura de 1 m.

Resultados

Mientras más alto se sostenga el calcetín, mayor será el trabajo para levantarlo y mayor será la energía que tenga el calcetín al dejarlo caer. Mientras mayor sea la altura a la que se deje caer el calcetín, mayor será la fuerza con que golpee la mano.

¿Por qué?

Energía (E) es la capacidad para realizar un **trabajo (w)**, el cual ocurre cuando una fuerza mueve un objeto. **Energía potencial (PE)** es energía almacenada. Cuando se levanta un objeto sobre una superficie se dice que tiene **energía potencial gravitacional (GPE)**. A mayor altura del objeto levantado, mayor GPE. GPE también es igual al trabajo realizado para levantar el objeto e igual al trabajo que el objeto puede realizar al caer desde su posición elevada. Cuando el objeto cae, su GPE se convierte en **energía cinética (KE)** (la energía de un objeto en movimiento). En esta investigación, mientras más alto se levantó el calcetín, mayor fue el trabajo realizado para levantarlo, mayor la energía potencial gravitacional que tenía en lo alto, y mayor la energía que tenía cuando hizo contacto con la mano. En esta investigación, el trabajo y la energía se miden en **joules (J)**. Un joule es la cantidad de trabajo realizado cuando se aplica una fuerza igual a 1 N sobre una distancia de 1 m.

Nada se pierde

Guías para evaluar el progreso

Al término del quinto grado, el alumno ya debe saber que:

- Se puede transferir energía de un objeto a otro.

Al término del sexto grado y en primero de secundaria, el alumno ya debe saber que:

- La energía no se crea ni se destruye, sólo se transforma.
- La energía se encuentra en diferentes formas. La energía mecánica está en los cuerpos en movimiento y en los cuerpos capaces de estar en movimiento.

En esta investigación se espera que el alumno:

- Demuestre e identifique la transferencia de energía.

Para preparar la investigación

Los alumnos trabajarán en parejas. Si lo desea, perfore las tapas con anticipación. Cada pareja de alumnos trabajará con una tapa. Se puede trabajar con tapas de plástico de algunas latas de alimentos.

Para presentar la investigación

1. Explique los nuevos términos científicos:

   energía mecánica: energía de movimiento; suma de las energías potencial y cinética de un objeto.

   ley de conservación de la energía: ley de la física que establece que la energía se puede transformar (cambiar de una forma a otra), pero que en condiciones normales no se puede crear ni destruir.

   ley de conservación de la energía mecánica: ley de la física que establece que la suma de las energías potencial y cinética de un objeto permanece igual mientras no actúe sobre ella ninguna fuerza externa.

2. Explore los nuevos términos científicos:

   - El agua de una corriente que fluye cuesta abajo posee *energía mecánica cinética*. El agua en una torre de enfriamiento no está en movimiento, pero es capaz de estarlo. Debido a su posición tiene energía potencial gravitacional, que también puede llamarse *energía mecánica potencial*.
   - Un objeto que posee energía mecánica no tiene que estar en movimiento pero debe poseer energía potencial, la cual tiene capacidad para producir movimiento.

- La energía se puede transformar (cambiar de una forma a otra). Por ejemplo, la energía eléctrica de un relámpago se transforma en luz (energía que se puede ver), en energía calorífica (que se puede sentir) y en energía sonora (que se puede oír).
- La energía total del universo es constante. Todas las formas diferentes de energía que hay en el universo se suman y la cantidad total de energía siempre es igual; pero debido a que la energía cambia de una forma a otra, en determinado momento puede haber una cantidad mayor o menor de alguna forma de energía.
- La ley de conservación de la energía mecánica establece que si se ignora cualquier fuerza externa, como la fricción, la suma de las energías potencial y cinética de una sustancia permanece constante. Por ejemplo, si la energía mecánica total es igual a 40 J, la energía potencial en lo más alto de la torre de enfriamiento es de 40 J y la energía cinética es de 0 J. A la mitad de la distancia entre la punta y la base de la torre, la energía potencial es igual a 20 J y la energía cinética es igual a 20 J. Cuando el agua cae al suelo en la base de la torre, su energía cinética es igual a 40 J y su energía potencial es igual a 0 J.

¡Qué interesante!

Por lo general, e independientemente del grado de eficiencia con que alguna forma de energía sea convertida en otra, en el proceso siempre se pierde algo de energía en forma de calor.

UN POQUITO MÁS

Pida a sus alumnos que vuelvan a cargar de energía el sistema. Repitan el paso 5 del procedimiento, pero cuando la tapa comience a enrollar nuevamente la cuerda, no tensen la cuerda, pues esto permite que se enrolle más. Tensen otra vez la cuerda hasta que la tapa comience a enrollarla, entonces aflojen la cuerda y vuelvan a tensarla, y así sucesivamente.

Nada se pierde

OBJETIVO
Observar la transferencia de energía mecánica.

Materiales
clavo
tapa de plástico con un diámetro de 7.5 cm
   (3 pulgadas)
cuerda de 1 m (3 pies) de largo

Procedimiento
1. Con el clavo, haz en el centro de la tapa de plástico dos orificios separados aproximadamente 5 mm ($1/4$ de pulgada).
2. Pasa las puntas de la cuerda por los agujeros de la tapa. Cerciórate de que la cuerda forme un bucle, pero que no esté enmarañada, y ata las puntas.
3. Mueve la tapa hacia el centro de la cuerda en forma de bucle.
4. Pídele a un ayudante que sujete una punta de la cuerda en forma de bucle mientras tú sujetas la otra punta con una mano. Jalen la cuerda hasta tensarla.
5. Con la otra mano haz girar la tapa 20 veces o más en una dirección, de manera que la cuerda quede enrollada. Suelta la tapa. Observa el movimiento de la cuerda y el de la tapa.

Resultados
Al irse desenredando la cuerda, la tapa gira en dirección contraria a las vueltas que le diste. Al girar la cuerda se enrolla en dirección contraria hasta que la tapa deja de girar. Entonces, la cuerda se desenrolla otra vez y la tapa gira en dirección contraria. Esta acción se repite varias veces por sí misma, pero cada vez que la tapa giró en la dirección opuesta, giró a menor velocidad y lo hizo durante menos tiempo, hasta que finalmente se detuvo.

¿Por qué?
La **energía mecánica** es energía de movimiento, que es la suma de las energías potencial y cinética. Al girar la tapa se emplea fuerza muscular para realizar un trabajo sobre ella. A su vez, la tapa realiza un trabajo sobre la cuerda al enrollarla. A mayor trabajo aplicado sobre la tapa, el sistema tapa-cuerda tendrá más energía mecánica. En la cuerda se almacena energía mecánica potencial. Al soltar la tapa, la cuerda se desenrolla y la energía almacenada se transforma en energía mecánica cinética. Al irse desenrollando la cuerda, la tapa gira. La velocidad de la tapa aumenta cuando ésta gana energía mecánica cinética. Cuando la cuerda se desenrolla por completo, se termina la energía mecánica potencial causada por el trabajo realizado sobre la cuerda. La energía mecánica cinética transferida a la tapa se transfiere entonces de regreso a la cuerda, haciendo que ésta se enrolle en dirección opuesta.

Esta transferencia de energía de un lado a otro continúa, pero en cada transferencia la cuerda se enrolla menos y la tapa gira más despacio. La **ley de conservación de la energía mecánica** establece que la suma de las energías potencial y cinética de un objeto permanece igual mientras no haya una fuerza externa que actúe sobre ellas. Pero hay una fuerza externa —la fricción— que está actuando sobre la cuerda. Debido a la fricción, una parte de la energía de rotación se está transformando en otras formas de energía, como calor y sonido. Al final ya no queda suficiente energía para enrollar la cuerda y hacer girar la tapa, por lo que ésta se detiene. La energía de la cuerda y de la tapa no se destruyó, sólo asumió otra forma. Esto comprueba la **ley de conservación de la energía**, según la cual, en condiciones normales, la energía no se crea ni se destruye, sólo se transforma.

Clic, clic

Guías para evaluar el progreso

Al término del quinto grado, el alumno ya debe saber que:

- Cuando un material caliente está en contacto con un material frío, el primero pierde calor y el segundo gana calor hasta que ambos llegan a tener una temperatura igual.
- Un objeto caliente puede calentar a otro objeto frío por contacto.

Al término del sexto grado y en primero de secundaria, el alumno ya debe saber que:

- El calor es transferido a través de los materiales o de un material a otro debido a la colisión entre moléculas.

En esta investigación se espera que el alumno:

- Identifique el proceso mediante el cual se transfiere el calor.
- Observe el efecto del calor en un gas.

Para presentar la investigación

1. Explique los nuevos términos científicos:

   calor: energía que se transfiere de una sustancia caliente a otra fría.
   conducción: transferencia de calor de una partícula a otra por colisión.
   energía térmica: la energía interna total de un material, debida al movimiento molecular.
   expansión: dilatación o aumento del volumen de un cuerpo por efecto del calor que separa sus moléculas.

2. Explore los nuevos términos científicos:

   - Cuando las moléculas de la materia vibran, chocan unas con otras. La energía cinética es energía de movimiento. Cuando aumenta el movimiento de las moléculas, aumenta su energía cinética.
   - Energía térmica es la suma de la energía cinética de las moléculas en movimiento de un material.
   - El término calor suele usarse muy a la ligera, pero técnicamente, la energía en una taza de chocolate caliente no es calor, sino energía térmica. Calor es la energía que fluye de un material caliente (el chocolate caliente) a un material frío (como la piel de una persona) debido a las diferencias de temperatura.
   - Se dice que un objeto se calienta cuando se le agrega calor. Todo objeto calentado tiene un aumento de energía térmica, así como un aumento de temperatura.

- Cuando las moléculas chocan, la energía del calor pasa de una molécula a otra.
- El calor se puede transferir por conducción en sólidos y fluidos.
- Las moléculas de los gases no están tan juntas entre sí como las de los líquidos y los sólidos, de manera que cuando las moléculas de los gases se calientan, chocan unas con otras y se separan más que las de los líquidos y sólidos.
- Cuando las moléculas de un material ganan calor, generalmente se expanden, y cuando pierden calor, generalmente se contraen.

¡Qué interesante!

Algunos materiales son mejores conductores del calor que otros. Los materiales que son malos conductores del calor se llaman *aislantes*. El aire es un buen aislante y ésta es la razón por la que las ventanas con doble cristal, que mantienen una capa de aire entre ellos, evitan que se pierda el calor de una casa en invierno y entre calor en verano.

UN POQUITO MÁS

1. Pida a sus alumnos que expresen ideas acerca de cómo hacer que el experimento de la moneda surta efecto más rápido. Una manera de hacerlo es calentar la botella envolviéndola con las manos. O bien, colocarla dentro de un recipiente con agua caliente. Advierta que no deben apretar la botella.
2. Pida a sus alumnos que investiguen la teoría calorífica. ¿Quién fue Antonio Lavoisier? ¿Quién fue el conde Rumford? [La teoría calorífica fue descrita por el químico francés Antonio Lavoisier (1743-1794): el calor es un material ingrávido de apariencia fluida que avanza penetrando y saliendo de la materia. Benjamín Thompson (1753-1814), conocido después como el conde Rumford, fue un físico angloamericano que desaprobó la teoría calorífica.] *Nota:* para vincular la investigación con la historia, puede pedir a sus alumnos que investiguen la vida del espía británico conocido como el conde Rumford.

Clic, clic

OBJETIVO

Observar el efecto del calor en un gas.

Materiales

vaso desechable con agua fría (250 ml)
botella de plástico vacía, de 2 litros de capacidad (de algún refresco)
moneda de níquel del tamaño de la boca de la botella

Procedimiento

1. Vacía el agua fría en la botella. Revuelve el agua en la botella para que se enfríe como la botella hasta donde sea posible.
2. Vuelve a vaciar el agua en el vaso.
3. Sumerge la moneda en el vaso con agua e inmediatamente tapa la boca de la botella con la moneda mojada para que forme un sello.
4. Observa cualquier movimiento de la moneda.

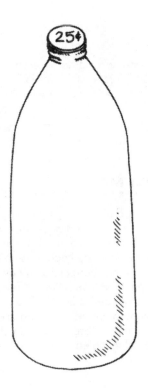

Resultados

En unos segundos la moneda comienza a hacer un ruidito al levantarse y caer.

¿Por qué?

La energía cinética es energía de movimiento. La **energía térmica** es la energía interna total de un material debida al movimiento molecular o energía cinética de las moléculas. **Calor** es energía transferida de una sustancia caliente a una fría. Cuando se calienta un material, éste absorbe calor y aumenta su energía térmica. Cuando aumenta la energía térmica, también aumenta la energía cinética. Cuando se enfría un material, pierde calor; sus partículas se mueven más despacio y tienen menos energía cinética. A menor energía cinética de las partículas, menor energía térmica del material.

Al agitar el agua fría en la botella, el aire que está arriba se enfría. Las moléculas de aire frío se contraen (se juntan más) y ocupan menos espacio, por lo que puede entrar más aire en la botella. La moneda sobre la boca de la botella sella el aire que hay adentro. Cuando el aire caliente que está afuera de la botella calienta las moléculas del plástico dentro de la botella, las moléculas empiezan a vibrar. Estas moléculas en movimiento chocan con las moléculas de aire dentro de la botella, que a su vez chocan con otras moléculas. Esta transferencia de calor de una partícula a otra por colisión se llama **conducción**. Cuando aumenta la energía térmica de las moléculas de aire, éstas se expanden (se separan). Las moléculas de aire que se **expanden** ejercen suficiente presión sobre la moneda que cubre la boca de la botella y hacen que la moneda se levante en uno de sus lados. La moneda vuelve a asentarse cuando escapa parte del aire. Este proceso continúa hasta que la presión debajo de la moneda deja de ser suficiente para levantarla. (La moneda dejará también de hacer el ruidito si se asienta en una posición en la que quede espacio para que escape el aire. Si esto ocurre, trate de corregir la posición de la moneda.)

Guías para evaluar el progreso

Al término del quinto grado, el alumno ya debe saber que:

- Un objeto caliente puede calentar a otro frío por contacto.

Al término del sexto grado y en primero de secundaria, el alumno ya debe saber que:

- El calor es transferido a través de los materiales o de un material a otro por el choque de las partículas.

En esta investigación se espera que el alumno:

- Utilice un modelo de termómetro para medir la temperatura en grados Celsius.

Para preparar la investigación

Consulte en el Apéndice 2 el patrón y las instrucciones para elaborar un modelo de termómetro. Dependiendo del tiempo de que disponga, podrá elaborar un modelo por alumno o por equipo, o puede pedirles con anticipación que hagan sus modelos como parte de la investigación. Si quiere tener modelos reutilizables, póngales mica autoadherible a las hojas antes de recortarlas.

Para presentar la investigación

1. Explique los nuevos términos científicos:

   escala Celsius: escala de temperatura en la que el punto de congelación del agua es 0° y su punto de ebullición es 100°.
   temperatura: propiedad física que determina la dirección en la que el calor fluye entre las sustancias.
   termómetro: instrumento que se usa para medir la temperatura.

2. Explore los nuevos términos científicos:

   - La temperatura de un objeto es una medida de su capacidad para despedir (ceder) calor o absorberlo de otro objeto.
   - A mayor energía térmica de un material, mayor su energía cinética y mayor su temperatura.
   - El calor fluye de un material con temperatura más alta a otro con temperatura más baja.
   - La energía térmica de un material es la causa de su temperatura, pero la temperatura no es una medida de la energía térmica del material. Por ejemplo, un galón de agua contenida en un recipiente puede tener la misma temperatura que el agua contenida en una taza, pero el galón de agua tiene más energía térmica total que el agua de la taza.

- Si una persona bucea en una piscina con agua más fría que su cuerpo, fluirá calor de su cuerpo al agua que está más fría aun cuando la piscina pueda tener una cantidad total mayor de energía térmica porque en ella hay más moléculas en movimiento.
- La energía térmica es la energía cinética de todas las moléculas, mientras que la temperatura es el promedio de energía cinética. Por ejemplo, si la energía cinética de 100 moléculas es igual a 200 J, la energía térmica es de 200 J. La temperatura es una medida del promedio de energía cinética, que sería de 200 J divididos entre 100 moléculas o 2 J/molécula. Así que cualquier material con un promedio de energía térmica de 2 J/molécula, tendrá igual temperatura.
- El agua siempre se congela cuando tiene cierta cantidad de energía cinética, por lo que es lo mismo 0°C que 32°F de temperatura, que indican el mismo promedio de energía cinética de un material.
- Cuando el líquido de un termómetro se calienta, se dilata (sus partículas se separan más), de modo que el líquido sube por la columna delgada.
- Cuando el líquido de un termómetro se enfría, se contrae (sus partículas se unen más), de modo que el líquido baja por la columna delgada.

¡Qué interesante!

- La escala Fahrenheit se llama así en honor al físico alemán Gabriel Fahrenheit (1686-1736), inventor del primer termómetro práctico de mercurio.
- La escala Celsius se llama así en honor al astrónomo sueco Anders Celsius (1701-1744).

UN POQUITO MÁS

Anime a su grupo para que trabajen individualmente con el modelo. Observe el adelanto individual de sus alumnos para asegurarse de que pueden encontrar los números en los modelos y entender el valor de cada división de la escala. Escriba en el pizarrón más temperaturas que se puedan identificar en el modelo. Puede utilizar el modelo para evaluar el conocimiento de los estudiantes. Para ello, asígnele a cada alumno una temperatura que deberá representar en el modelo. Observe cuando el estudiante mueve la tira para colocarla en o entre las marcas de temperatura.

Sube y baja

OBJETIVO

Leer un termómetro.

Materiales

modelo de termómetro (lo puede proporcionar el maestro o el alumno podrá elaborar el suyo consultando las instrucciones).

Procedimiento

1. Observa la escala del modelo de termómetro y determina el valor de cada división.
2. Desliza la tira de color de manera que el extremo superior de la misma quede alineado con la sexta división por arriba del cero de la escala. Determina la temperatura en esta marca.
3. Mueve la tira de color de manera que quede entre las divisiones novena y décima de la escala. Determina la temperatura entre estas marcas.

Resultados

En el modelo de termómetro, se identificaron las lecturas de 6°C y 9.5°C.

¿Por qué?

El **termómetro** es un instrumento que se usa para medir la **temperatura** (propiedad física que determina la dirección en la que fluye el calor entre las sustancias). Básicamente, un termómetro detecta la rapidez con que se mueven las partículas de un material. Mientras más rápido se muevan las partículas, más alta será la lectura de temperatura.

El modelo de este experimento representa una parte de un termómetro Celsius. En la **escala Celsius**, el punto de congelación del agua es 0° y el punto de ebullición es 100°. El modelo representa un termómetro hecho con un tubo largo con líquido adentro. Cuando el líquido se calienta, se dilata y sube por el tubo. La lectura en la escala es más alta conforme aumenta la temperatura. Cuando se enfría, el líquido se contrae y baja por el tubo. Al bajar la temperatura, baja la lectura de la escala. En la escala del modelo cada división tiene el valor de 1 grado Celsius (1°C). Por consiguiente, un punto a la mitad entre dos divisiones tiene el valor de medio grado, que se puede representar como 0.5°C.

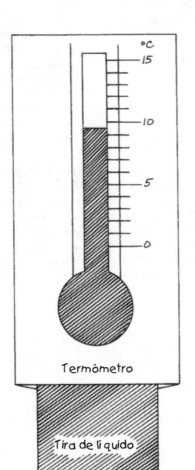

Termómetro

Tira de líquido

¡Qué corriente!

Guías para evaluar el progreso

Al término del quinto grado, el alumno ya debe saber que:

- Las cosas se agrandan cuando se calientan.

Al término del sexto grado y en primero de secundaria, el alumno ya debe saber que:

- En un material fluido es posible que se formen corrientes que pueden favorecer la transmisión de calor.

En esta investigación se espera que el alumno:

- Describa métodos de transferencia de calor en fluidos.
- Observe las corrientes de convección en un fluido.

Para preparar la investigación

Antes del experimento, reúna y limpie botellas de plástico vacías (de algún refresco). Si lo desea, corte la parte de arriba de las botellas y cubra los bordes con masking tape, especialmente si va a trabajar con niños pequeños. Incluso si trabaja con chicos más grandes, utilice un cuchillo para hacer un corte inicial en cada botella, de modo que ellos tengan un lugar seguro dónde comenzar a cortar.

Para presentar la investigación

1. Explique los nuevos términos científicos:

   convección: transferencia de calor de una región a otra por la circulación de corrientes en un fluido.
   corriente de convección: la que se debe al movimiento circular de fluidos de temperatura diferente.

2. Explore los nuevos términos científicos:

   - En cualquier estado de la materia, el calor puede transferirse por conducción (choque de partículas). Cuando se le agrega calor a las partículas, pueden variar su grado de vibración, pero quedar relativamente en el mismo lugar. Por ejemplo, cuando se calienta una varilla de metal, sus partículas vibran con mayor rapidez, pero la varilla no se mueve por la habitación.
   - Se puede transferir calor a través de los fluidos (líquidos y gases) por convección. En este tipo de transferencia de calor, el material se mueve de un lugar a otro. Los fluidos calentados se levantan y los enfriados se sumergen, creando corrientes de convección.

¡Qué interesante!

- Casi todas las corrientes marinas fluyen siempre en una dirección, pero en el norte del Océano Índico las corrientes superficiales cambian de dirección dos veces al año movidas por los vientos monzones. Parte del año estas corrientes se mueven alejándose de la India y el resto del año se mueven hacia la India.
- Cuando navegaba rumbo al sur cerca de la costa noreste de Florida, el explorador español Juan Ponce de León (1460-1521) descubrió que no avanzaba porque el agua fluía en dirección al norte. Estaba navegando en una corriente que más tarde se llamaría la Corriente del Golfo. En 1769, el estadista y científico estadounidense Benjamín Franklin (1706-1790) publicó un mapa de la Corriente del Golfo.

UN POQUITO MÁS

Pregunte a sus alumnos cómo podrían modificarse los resultados si usa agua fría en el frasco y agua caliente en la botella de plástico. Haga demostraciones para ver este efecto, ya sea repitiendo el experimento, invirtiendo la temperatura del agua en los envases o permitiendo a los alumnos planear ellos mismos un experimento.

¡Qué corriente!

OBJETIVO

Observar las corrientes de convección en el agua.

Materiales

tijeras
botella de plástico de 2 litros (de algún
  refresco), limpia y vacía
cinta adhesiva (masking tape)
2 tazas (500 ml) de hielo picado
agua de la llave
frasco chico
cuchara
colorante vegetal de color azul
pieza de papel aluminio de 15 cm (6 pulgadas)
liga
lápiz
reloj

Procedimiento

1. Corta el tercio superior de la botella y cubre las orillas cortadas de la parte de abajo con masking tape. Desecha la parte de arriba.
2. Pon el hielo en el fondo de la botella y échale agua fría hasta la mitad.
3. Llena el frasco con agua caliente hasta el borde. Con la cuchara, revuelve de 6 a 8 gotas de colorante vegetal.
4. Tapa la boca del frasco con papel aluminio. Usa la liga para fijar el papel aluminio alrededor de la boca del frasco.
5. Mete el frasco en el agua helada hasta el fondo de la botella.
6. Saca del agua todo el hielo que no se haya derretido. La botella de plástico debe tener cuando menos unas tres cuartas partes de agua o más. En caso necesario, agrega agua fría.
7. Con la punta del lápiz, haz dos orificios en el papel aluminio que cubre el frasco.
8. Observa la superficie del papel aluminio, el agua arriba del papel aluminio y el contenido del frasco durante 3 minutos o hasta que no se vean cambios.

Resultados

El agua de color sale del frasco por uno de los orificios de la tapa de papel aluminio, pero éste sigue estando lleno. Conforme pasa el tiempo, el color del agua del frasco se va tornando más claro.

¿Por qué?

Las moléculas de agua, al igual que las de todos los fluidos, están menos espaciadas cuando están frías y más espaciadas cuando están calientes. Por consiguiente, el agua caliente pesa menos que un volumen igual de agua fría. El agua caliente de color sube a través de uno de los orificios del papel aluminio que cubre el frasco, y el agua fría y cristalina se sumerge y entra en el frasco por el otro orificio para ocupar el lugar del agua caliente que salió. Este movimiento circular de fluidos de temperaturas desiguales se llama **corriente de convección** y continúa hasta que el agua del frasco tiene una temperatura igual a la de afuera. La transferencia de calor de una región a otra por la circulación de corrientes en un fluido se llama **convección**.

Radiación

Guías para evaluar el progreso

Al término del quinto grado, el alumno ya debe saber que:

- Las cosas que emiten luz muchas veces también despiden calor.
- Un objeto caliente puede calentar uno frío a cierta distancia.

Al término del sexto grado y en primero de secundaria, el alumno ya debe saber que:

- El calor puede transferirse por radiación.

En esta investigación se espera que el alumno:

- Describa un método de transferencia de calor en el espacio.
- Verifique que la energía radiante se puede transferir sin necesidad de materia.

Para preparar la investigación

En un día con sol, puede ser preferible llevar al grupo fuera del salón para utilizar la luz solar, en vez de una lámpara de escritorio. En tal caso, siga el mismo procedimiento, pero haga que los estudiantes pongan sus manos en una posición en que el sol ilumine directamente la mano que está arriba. *Advierta a los estudiantes que no deben mirar directamente el sol porque podría dañarles la vista.*

Para presentar la investigación

1. Explique los nuevos términos científicos:

   energía radiante: forma de energía que viaja en ondas electromagnéticas.
   onda electromagnética: alteración en los campos eléctrico y magnético; alteración que puede propagarse por el espacio.
   radiación: energía radiante; también la transmisión de energía radiante en ondas.
   radiación infrarroja: radiación que emiten todos los objetos y que produce calor cuando se absorbe.

2. Explore los nuevos términos científicos:

   - Las *ondas* son alteraciones que se propagan a través de la materia o del espacio.
   - Las ondas son creadas por el movimiento, como las que se producen al tirar una piedra en un estanque (ola). Aunque la mayoría de las ondas son alteraciones de la materia, las ondas electromagnéticas son producidas por el movimiento de electrones y son alteraciones de los campos de fuerza magnética y eléctrica.

- La energía radiante no requiere materia para moverse de un lugar a otro, por lo que puede salir del Sol, atravesar el espacio y llegar a la Tierra.
- Algunas formas de radiación pueden sentirse como calor, como la infrarroja; otras pueden verse, como la luz visible, y otras pueden pasar a través del cuerpo humano sin que la persona las sienta ni las vea, como los *rayos X*.
- Todas las formas de energía radiante viajan a la velocidad de la luz, 300 millones de metros (186 mil millas) por segundo.
- Todos los objetos *absorben* (admiten) y *radian* (despiden) radiación infrarroja. Mientras más caliente es el objeto, más radiación infrarroja despide; por lo que muchas veces se le llama *energía calórica*. Aun el hielo emite radiación infrarroja, aunque muy poca.
- La radiación no transfiere físicamente el calor como la conducción y la convección, sino que la radiación, al ser absorbida por un objeto, hace que éste se caliente.
- La radiación proveniente del Sol se llama *radiación solar* y está conformada por la radiación de ondas electromagnéticas de diferentes tamaños. La mayor parte de la radiación solar es luz visible, radiación ultravioleta y radiación infrarroja.

¡Qué interesante!

Si las reacciones nucleares que ocurren en el centro del Sol (núcleo solar) cesaran hoy, se necesitarían alrededor de 10 millones de años para que la superficie del Sol se enfriara lo suficiente como para afectar a la Tierra.

UN POQUITO MÁS

Las *microondas* son también un tipo de energía radiante. En un horno de microondas sólo se calientan las *moléculas polares* (las que tienen un extremo positivo y otro negativo), como las moléculas de agua. En un microondas, las moléculas polares son lanzadas de un lado a otro. En el proceso, las moléculas chocan unas con otras y la fricción de este movimiento produce energía calórica. Para demostrar cómo hace la fricción que se calienten los materiales, pida a sus alumnos que se froten las manos con mucha rapidez. Mientras más rápido se froten, más calor sentirán en las manos.

Radiación

OBJETIVO

Demostrar que el calor puede viajar por radiación.

Materiales

regla
lámpara de escritorio

Procedimiento

1. Coloca una mano aproximadamente 5 cm (2 pulgadas) por debajo de la otra.
2. Mueve las manos de manera que la de arriba quede 15 cm (6 pulgadas) por debajo del foco de la lámpara de escritorio.
3. Mantén así las manos durante unos 5 segundos. Toma nota de lo caliente o fría que sientas cada mano.

Resultados

La mano de arriba, que está más cerca de la luz, se siente mucho más caliente que la mano de abajo.

¿Por qué?

La **energía radiante** es la energía que viaja en **ondas electromagnéticas** (alteración en los campos eléctrico y magnético). Todos los objetos emiten **radiación infrarroja**, la que produce calor cuando es absorbida. La energía radiante, así como su transmisión, se llama **radiación**.
En esta investigación la mano se calienta básicamente por la radiación infrarroja que emite el foco encendido, no por la conducción de calor proveniente del foco a través del aire. Las moléculas de aire que rodean el foco se calientan por conducción, pero la mayor parte del aire caliente se expande y se eleva hacia el techo. Como sólo la mano de arriba se siente más caliente, el calor adicional que se siente no se debe al aire en contacto con la piel sino a la radiación infrarroja. La mano de arriba absorbe la radiación infrarroja y la otra mano no la recibe. Cuando la mano absorbe esta radiación, las moléculas de la piel se mueven con más rapidez y la piel tiene más energía térmica y se siente más caliente.
Si el aire que rodea la mano estuviera más caliente, la mano se sentiría más caliente con mayor rapidez. El calor adicional que se siente en la mano de arriba no se debe al aire que la toca. El calor en forma de radiación infrarroja del foco se transfiere a la mano por radiación. Cuando la mano absorbe esta energía radiante, se siente más caliente.

Ciencias de la vida

Las *ciencias de la vida* estudian la manera en que los organismos vivos se comportan e interactúan. Las ciencias de la vida abarcan tres áreas principales: la *botánica*, el estudio de las plantas; la *zoología*, el estudio de los animales; y la *anatomía*, el estudio del cuerpo humano. A los niños les encanta estudiar estas disciplinas porque aprenden más sobre su propio cuerpo y sobre el mundo vivo que los rodea. Chicos de todas las edades podrán divertirse observando el desarrollo de las semillas y las diferentes conductas de los animales. Entre los temas más importantes de las ciencias de la vida se incluyen la estructura y funciones de los sistemas vivos; la reproducción y herencia de los organismos; el comportamiento de los organismos, las poblaciones y ecosistemas; y la diversidad y adaptación de los organismos.

A

Estructura y función de los sistemas vivos

Los seres vivos, como las plantas y los animales, se denominan *organismos*. Un *sistema* se define como la combinación de partes que forman un todo, de tal manera que los organismos, que están hechos de partes diferentes, se pueden denominar *sistemas vivos*.

Existen millones de tipos diferentes de organismos. El primer método sistemático para clasificarlos lo inventó Carlos Linneo (1707-1778), un botánico sueco, hace casi 200 años. Esta sección comienza con un modelo sencillo de la forma como Linneo clasificó a los organismos por su semejanza estructural. También se estudian los niveles de organización de las partes que forman los organismos. Los niveles de organización de los organismos, comenzando por los más sencillos hasta los más complejos, son: células, tejidos, órganos y sistemas de órganos.

Los estudiantes investigarán la estructura celular y las similitudes y diferencias entre las células. También conocerán un organismo llamado *paramecio*, que está formado por una sola célula. La mayoría de los organismos están constituidos por más de una célula. Estos organismos son *multicelulares* (formados por muchas células). Los estudiantes investigarán la manera como se organizan las células para formar órganos en los organismos multicelulares; también aprenderán que las células dentro de un organismo multicelular son especializadas, lo que significa que tienen estructuras especiales que les permiten tener funciones únicas que benefician al organismo. Cada tipo de célula es necesario para que todo el sistema (organismo) funcione correctamente.

Grupos

Guías para evaluar el progreso

Al término del quinto grado, el alumno ya debe saber que:

- Los organismos son seres vivos.
- Existen muchas formas para clasificar toda la variedad de organismos que existen, utilizando sus diversas características para decidir qué organismos pertenecen a qué grupo.
- Las características que se utilizan para agruparlos dependen del objetivo del agrupamiento.

Al término del sexto grado y en primero de secundaria, el alumno ya debe saber que:

- Al clasificar los organismos, los biólogos consideran que los detalles de las estructuras interna y externa son más importantes que el comportamiento o aspecto general.

En esta investigación se espera que el alumno:

- Prepare un sistema de clasificación sencillo.

Para preparar la investigación

Si lo desea, puede recortar las tarjetas (figuras) con anticipación y poner un paquete de ellas para cada alumno o equipo dentro de una bolsa de plástico resellable. También debe elaborar para cada alumno o equipo una copia del diagrama de flujo para la clasificación de figuras que aparece en la página 71.

Para presentar la investigación

1. Explique los nuevos términos científicos:

   características: rasgos naturales.
   clasificación: ordenamiento de los organismos en grupos, tomando como base las similitudes de sus características.
   especie: grupo de organismos similares que pueden producir más de su mismo tipo.
   organismo: ser vivo.

2. Examine los nuevos términos científicos:

   - Las características son similitudes naturales, como estructura, desarrollo y funciones bioquímicas o fisiológicas.
   - La clasificación biológica es el ordenamiento de organismos en categorías, tomando como base sus características. A la rama de la biología que trata la clasificación se le llama *taxonomía* o *clasificación sistemática*.

- El primer esquema para la clasificación de animales en grupos pudo haber sido propuesto por Aristóteles (384-322 a.C.) hace más de 2000 años. Desde entonces se han propuesto muchos sistemas de clasificación. Aunque ningún sistema es perfecto, se encontró que el sistema de clasificación de Linneo es el más práctico y es el que se utiliza actualmente en todo el mundo.
- En 1735, el botánico sueco Carlos Linneo inventó un método para la clasificación de organismos tomando como base sus características. En el sistema de clasificación de Linneo, los organismos se dividen en siete grupos diferentes, en el que cada grupo se hace más específico y contiene menos organismos. Los siete grupos, de mayor a menor, son reino, phylum (filo), clase, orden, familia, género y especie.

¡Qué interesante!

Carlos Linneo (1707-1778) utilizó el latín para asignar nombre a los organismos. Incluso latinizó su propio nombre (Carolus Linnaeus). Su nombre original era Carl von Linné.

- La clasificación ayuda a demostrar qué tan estrechamente están relacionados los seres vivos. Por ejemplo, el cuadro de abajo muestra la clasificación biológica de un gato doméstico y un leopardo. Observe cuántas de las clasificaciones de estos dos animales son iguales.
- Los organismos de una especie se reproducen de manera natural con otros de su misma especie pero nunca con otras especies.

CLASIFICACIÓN BIOLÓGICA DEL GATO DOMÉSTICO Y EL LEOPARDO			
Clasificación	Gato doméstico	Leopardo	Comparación
reino	Animal	Animal	igual
phylum	Chordata (cordados)	Chordata (cordados)	igual
clase	Mamífero	Mamífero	igual
orden	Carnívoro	Carnívoro	igual
familia	Félidos	Félidos	igual
género	*Felis*	*Panthera*	diferente
especie	*domesticus* (doméstico)	*pardus* (leopardo)	diferente

Enseña la ciencia de forma divertida

- Aunque los organismos están divididos en siete grupos diferentes, los dos grupos más pequeños, género y especie, se utilizan para dar nombre a los organismos. La primera palabra de un nombre científico es el género y se escribe con mayúscula. La segunda palabra es la especie y no se escribe con mayúscula. A esto se le denomina *nomenclatura binomial*.
- El nombre del género y de la especie son suficientes para identificar un organismo. En la siguiente tabla se muestra el nombre científico y el nombre común de algunos organismos conocidos.

UN POQUITO MÁS

1. Pida a sus alumnos que inventen un método diferente para clasificar las figuras.
2. Pida a sus alumnos que den la nomenclatura binomial de cada figura.
3. Otra forma de enseñar a alumnos muy pequeños a clasificar consiste en utilizar animales de juguete. Es fácil limpiar los animales de plástico después de manejarlos. Proporcione los animales o pida a sus alumnos que los lleven. Tienda una sábana o una hoja grande de papel sobre el suelo y reúnalos alrededor. Ponga todos los animales en el centro de la sábana. Pida ideas para clasificarlos. Continúe clasificando hasta que cada animal esté en un grupo.

NOMBRE CIENTÍFICO Y NOMBRE COMÚN DE ALGUNOS ORGANISMOS CONOCIDOS	
Nombre científico	**Nombre común**
Rattus norvegicus	rata común o rata café
Homo sapiens	ser humano
Felis domesticus	gato doméstico
Camelus bactrianus	camello bactriano
Elephas maximus	elefante de la India
Equus zebra	cebra de la montaña
Canis lupus	lobo gris
Ulmus americana	olmo americano
Pinus ponderosa	pino ponderosa

Grupos

OBJETIVO

Preparar un sistema de clasificación de figuras diferentes.

Materiales

tijeras
8 tarjetas para ficha bibliográfica sin rayado:
  4 amarillas, 4 azules
2 crayones: 1 azul, 1 amarillo
diagrama de flujo para la clasificación de
  figuras

Procedimiento

1. Recorta las tarjetas de la siguiente manera:

   - 2 rectángulos grandes de igual tamaño:
     1 amarillo, 1 azul
   - 2 rectángulos pequeños de igual tamaño:
     1 amarillo, 1 azul
   - 2 triángulos grandes de igual tamaño:
     1 amarillo, 1 azul
   - 2 triángulos pequeños de igual tamaño:
     1 amarillo, 1 azul

2. Distribuye las figuras de manera aleatoria sobre la mesa. Utiliza los crayones para hacer en el círculo 1 del diagrama de flujo para la clasificación, dibujos que representen todas tus figuras.

3. Divide las figuras en dos grupos, utilizando una de estas características: forma, color o tamaño. Rotula los círculos 2 y 3 del diagrama. Por ejemplo, si divides las figuras por forma, etiqueta los círculos del diagrama como "Triángulo" y "Rectángulo". Haz dibujos en los círculos 2 y 3 que representen los dos grupos diferentes de figuras.

4. Repite el paso 3 dividiendo cada uno de los círculos 2 y 3 en dos grupos, utilizando en cada uno una de las características restantes. Haz dibujos en cada uno de los cuatro círculos (del 4 al 7) para representar estos cuatro grupos.

5. Repite el paso 3 dividiendo cada uno de los círculos del 4 al 7 en dos grupos, utilizando una de las características restantes. Haz dibujos en cada uno de los ocho círculos (8 al 15) para representar estos ocho grupos.

Resultados

Se ha desarrollado un sistema de clasificación para las figuras.

¿Por qué?

Las tarjetas se dividieron en grupos por **característica** (rasgos naturales). Cada vez que se dividen, el número de figuras en cada grupo disminuye hasta que solamente hay una figura en cada grupo. El agrupamiento de **organismos** (seres vivos) por características se denomina **clasificación**. Esta investigación comenzó con ocho figuras de color, forma y tamaño diferente. Con cada división se hizo menor el número de figuras en cada grupo y aumentaron las similitudes entre las figuras de cada grupo. Carlos Linneo (1707-1778), botánico sueco, inventó un método para clasificar todos los organismos tomando como base las características. En el sistema de clasificación de Linneo, los organismos se dividen en siete grupos diferentes, en el que cada grupo tiene más características similares y contiene menos organismos. Los siete grupos, de mayor a menor son: reino, phylum, clase, orden, familia, género y especie. El grupo más pequeño, **especie,** lo forman organismos similares que producen de manera natural más organismos de su mismo tipo.

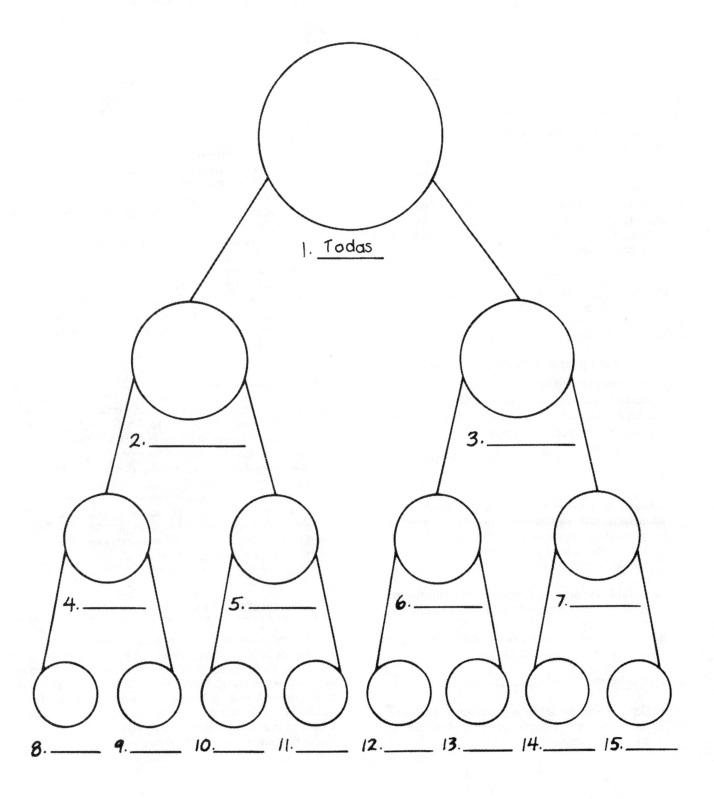

1. Todas

2. _____

3. _____

4. _____

5. _____

6. _____

7. _____

8. ____ 9. ____ 10. ____ 11. ____ 12. ____ 13. ____ 14. ____ 15. ____

Unidades estructurales básicas

Guías para evaluar el progreso

Al término del quinto grado, el alumno ya debe saber que:

- Algunas células de los organismos varían mucho en su aspecto y desempeñan funciones muy diferentes en dicho organismo.

Al término del sexto grado y en primero de secundaria, el alumno ya debe saber que:

- Todos los organismos están formados por células, desde una sola célula hasta varios millones de ellas; normalmente los componentes de una célula son visibles sólo por medio de un microscopio.

En esta investigación se espera que el alumno:

- Comprenda que todos los organismos están formados por células que llevan a cabo funciones para conservar la vida.
- Represente una célula utilizando un modelo.
- Identifique las partes básicas de una célula.

Para preparar la investigación

Se puede preparar gelatina y ponerla en bolsas con anticipación. La investigación se puede realizar como tarea en casa, siempre y cuando se informe a los padres que deben ayudar en la preparación de la gelatina.

Para presentar la investigación

1. Explique los nuevos términos científicos:

   célula: unidad estructural básica de los seres vivos.
   citoplasma: material transparente similar a la gelatina, que ocupa la región entre el núcleo de la célula y la membrana celular, y que contiene sustancias y partículas que juntas contribuyen para conservar la vida.
   membrana celular: capa externa delgada, que mantiene unida a la célula y permite que entren y salgan materiales de ella.
   núcleo: cuerpo de forma esférica u oval en la célula que controla la actividad de la misma.

2. Explore los nuevos términos científicos:

   - Generalmente las células son demasiado pequeñas como para verlas a simple vista. Para observarlas se utiliza el microscopio.

- La mayoría de las células tienen tres partes básicas: membrana celular, núcleo y citoplasma. (Una bacteria es un tipo de célula que no tiene núcleo.)
- En sentido estricto, el citoplasma es todo lo que se encuentra entre el núcleo y la membrana celular, pero a menudo el término se utiliza para indicar solamente la sustancia gelatinosa en la que flotan las partes de la célula. A este material se le denomina técnicamente *citosol*.
- Aproximadamente dos tercios del peso de una célula es agua.
- La membrana celular da forma a la célula, mantiene dentro las partes que la componen y regula el paso de materiales dentro y fuera de ella.
- El núcleo proporciona instrucciones por medio de la composición química para guiar el proceso de vida de toda célula. Las instrucciones del núcleo determinan el tipo de célula; por ejemplo, una célula de diente o una célula de nervio.

¡Qué interesante!

- En 1665, mientras utilizaba un microscopio sencillo, el científico inglés Robert Hooke (1635-1703) distinguió unos espacios diminutos en el corcho. Estos espacios le recordaron las celdas de un monasterio, de manera que denominó a esas cavidades diminutas "células" (la palabra cell en inglés significa "celda" y "célula" a la vez). Las células que Hooke vio estaban secas y vacías de protoplasma, el cual es un término que se refiere generalmente a las partes vivas de una célula.
- El huevo de avestruz es la célula más grande que tiene un solo núcleo.

UN POQUITO MÁS

Aunque las células de los animales son básicamente iguales, las células vegetales y las células animales son diferentes. Como tarea, pida a algunos alumnos que hagan modelos de células animales utilizando el modelo de célula básica del experimento "Unidades estructurales básicas" añadiendo materiales para representar las otras partes que se encuentran en las células de los animales. Pida a otro grupo de alumnos que hagan modelos de células vegetales.

Unidades estructurales básicas

OBJETIVO

Construir un modelo que muestre las tres partes básicas de una célula.

Materiales

paquete de postre de gelatina de limón
bolsa de plástico resellable para emparedado
uva grande
ayudante adulto

Procedimiento

1. Prepara la gelatina de limón con la ayuda de un adulto, siguiendo las instrucciones del paquete. Cuando la gelatina esté a la temperatura ambiente, ponla dentro de la bolsa para emparedado. Sella la bolsa y colócala dentro del refrigerador de 3 a 4 horas.
2. Cuando la gelatina esté firme, abre la bolsa y mete la uva en el centro de la gelatina, empujándola con un dedo.

Resultados

Has elaborado un modelo de célula básica.

¿Por qué?

Una **célula** es la unidad estructural básica más pequeña de los seres vivos. La mayoría de las células tienen membrana celular, núcleo y citoplasma. La **membrana celular**, representada por la bolsa de plástico, es la capa externa, delgada, que mantiene unida a la célula y permite que los materiales entren y salgan de la célula. El **núcleo**, representado por la uva, es un cuerpo de forma esférica u oval, que normalmente se encuentra en el centro de la célula y que controla la actividad de la misma. El **citoplasma**, representado por la gelatina, ocupa toda la región entre el núcleo y la membrana celular. El citoplasma está formado por un material gelatinoso y transparente, en el cual flotan las partes de la célula.

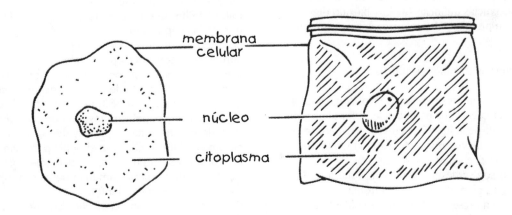

membrana celular

núcleo

citoplasma

Hojas de colores

Guías para evaluar el progreso

Al término del quinto grado, el alumno ya debe saber que:

- Las plantas están formadas por partes que desempeñan diferentes tareas (funciones) que son necesarias para la vida.

Al término del sexto grado y en primero de secundaria, el alumno ya debe saber que:

- Una de las diferencias más generales entre las plantas y los animales es que algunas plantas utilizan la luz solar para fabricar su propio alimento.

En esta investigación se espera que el alumno:

- Separe clorofila de la hoja de una planta.

Para preparar la investigación

Reúna hojas del mismo tipo de planta para cada equipo. En caso de no tener rocas disponibles, puede utilizar otros objetos de tamaño similar, como un pequeño pedazo de madera. Como alternativa, los alumnos pueden frotar un lápiz de un lado a otro sobre el papel, en lugar de golpearlo con una piedra.

Para presentar la investigación

1. Explique los nuevos términos científicos:

    absorber: captar, tomar.
    clorofila: pigmento verde de las células vegetales que absorbe la luz necesaria para la fotosíntesis.
    fotosíntesis: proceso por medio del cual las plantas verdes utilizan sustancias químicas (agua y bióxido de carbono) en presencia de clorofila y luz para producir alimento.

2. Explore los nuevos términos científicos:

    - Los pigmentos en los organismos vivos son sustancias químicas complejas que producen su color al absorber ciertos colores de la luz y reflejar y/o transmitir otros. El color que *reflejan* (envían de regreso) y/o *transmiten* (dejan pasar) es el color que se ve.
    - Las plantas son verdes por la presencia de clorofila.
    - Casi todas las plantas contienen clorofila.
    - La clorofila en presencia de luz utiliza bióxido de carbono y agua para producir azúcar y oxígeno. Éste es el proceso de fotosíntesis.

- La fotosíntesis es algo que las plantas pueden hacer y que los animales no pueden hacer. Es una de las principales diferencias entre animales y plantas.
- Las plantas, al igual que la mayoría de los organismos, necesitan agua, alimento y aire para sobrevivir.

¡Qué interesante!

- Cuando los árboles se preparan para el invierno, muchas de las moléculas de sus hojas, incluyendo la clorofila, se descomponen y reciclan. Esto significa que los átomos de una molécula de clorofila se utilizan para hacer otros tipos de moléculas. Al no haber clorofila verde, aparece el pigmento *caroteno* de color amarillo y anaranjado que se puede ver en las hojas.
- Los colores rojo y púrpura en las hojas del otoño se deben a la producción de *antocianina*. Las temperaturas frías aumentan el contenido de azúcar en las hojas. Un contenido alto de azúcar y la energía del sol favorecen la formación de antocianina. Por lo tanto, después de un periodo de días brillantes y noches frías en el otoño, se produce antocianina y las hojas se ven bellamente coloreadas con tonos rojos y púrpuras.

UN POQUITO MÁS

Pida a sus alumnos que prueben este método para separar los diferentes pigmentos de las hojas. Doble dos veces a la mitad el filtro que preparó teñido con clorofila, y asegure tres de las capas con un clip; a continuación abra el filtro para formar un cono. Llene un plato pequeño (para taza) con alcohol para fricciones y coloque en el alcohol el extremo redondo del cono de papel. Tape el cono con algo, puede ser una botella de plástico vacía a la cual le haya quitado el fondo, para evitar que el alcohol se evapore. Deje ahí el cono de papel sin moverlo durante 30 minutos o más. Posteriormente saque el papel y déjelo secar, lo cual tomará de 3 a 5 minutos. Observe el papel para determinar si en las hojas estaban presentes estos pigmentos: antocianina (azul a rojo), caroteno (amarillo naranja a rojo), clorofila (verde azul a verde brillante).
Precaución: mantenga el alcohol lejos de ojos, nariz y boca. El alcohol es flamable y por lo tanto deberá mantenerlo lejos del fuego.

Hojas de colores

 **23**

OBJETIVO

Obtener pigmento vegetal de las hojas.

Materiales

3 a 4 hojas de periódico
6 hojas de hierba verde
filtro para café tipo canasta
piedra del tamaño de una ciruela

Procedimiento

1. Extiende el periódico sobre una mesa y apila encima de él tres de las hojas, poniendo una sobre la otra.
2. Cubre las hojas con el filtro para café.
3. Golpea el papel filtro con la piedra 15 veces o más hasta que aparezca un área coloreada en el papel. Ten cuidado de no romperlo.
4. Deja que el área coloreada se seque, y repite el paso 3 utilizando el mismo papel filtro pero con las otras tres hojas. Deberás obtener pigmento suficiente de las hojas hasta tener un área de color oscuro en el papel.

Resultados

En el papel aparece un área verde oscuro.

¿Por qué?

El color de la hoja se debe a la presencia de pigmentos, los cuales son sustancias que absorben, reflejan y transmiten la luz visible. El color verde que se concentró en el papel filtro es **clorofila**, un pigmento verde de las células vegetales. La clorofila **absorbe** (capta) la luz necesaria para la **fotosíntesis**, que es el proceso por medio del cual las plantas verdes utilizan sustancias químicas (agua y bióxido de carbono) en presencia de clorofila y luz para producir alimento.

Conexiones

Guías para evaluar el progreso

Al término del quinto grado, el alumno ya debe saber que:

- Algunas células de los organismos varían mucho en su aspecto, y desempeñan funciones muy diferentes en el mismo; por ejemplo, las células de la sangre y de los vasos sanguíneos.

Al término del sexto grado y en primero de secundaria, el alumno ya debe saber que

- El sistema circulatorio transporta sustancias hacia las células y fuera de ellas, hasta donde se necesitan o producen.

En esta investigación se espera que el alumno:

- Observe e identifique los vasos sanguíneos del sistema circulatorio.

Para preparar la investigación

Se necesitará una linterna de bolsillo o una linterna pequeña en forma de pluma, y un espejo de mano para cada alumno o equipo.

Para presentar la investigación

1. Explique los nuevos términos científicos:

   arterias: vasos sanguíneos grandes que transportan la sangre roja oxigenada que sale del corazón.
   arteriolas: extremos de las arterias que se conectan a los vasos capilares.
   capilares: vasos sanguíneos microscópicos que unen arterias y venas.
   sangre: fluido que transporta sustancias por todo el cuerpo.
   sistema circulatorio: red cerrada de vasos sanguíneos a través de la cual la sangre fluye por el cuerpo.
   uniones capilares: nombre utilizado para designar a las arteriolas y vénulas.
   venas: vasos sanguíneos grandes que llevan la sangre "sucia" o poco oxigenada al corazón.
   vénulas: extremos de las venas que se conectan a los vasos capilares.

2. Explore los nuevos términos científicos:

   - La función de la sangre es llevar nutrientes y oxígeno a otras células del cuerpo y arrastrar las *sustancias de desecho* (que ya no sirven), como el bióxido de carbono.

- La sangre es un tejido líquido. El *plasma* es el líquido en el que flotan las células sanguíneas y está formado principalmente por agua.
- En el sistema circulatorio del cuerpo, la sangre sale del corazón a través de los vasos sanguíneos denominados arterias y capilares, y regresa a él por las venas. La sangre lleva nutrientes a las células y saca sustancias de desecho.

¡Qué interesante!

Los vasos capilares son tan pequeños, que los glóbulos rojos deben pasar por ellos en una sola hilera. Debido a su tamaño pequeño, existen aproximadamente 256 km de capilares por centímetro cuadrado (1000 millas/pulgada cuadrada) del cuerpo, o también se puede decir que en el cuerpo de un adulto existen vasos capilares suficientes como para formar un círculo alrededor de la Tierra.

UN POQUITO MÁS

Pida a sus alumnos que preparen un modelo que represente la cantidad de sangre en un bebé, en un niño y en un adulto. Llene con agua nueve botellas de 1 litro (1 cuarto de galón). Añada 10 gotas de colorante vegetal rojo a cada botella y revuelva. Doble por la mitad tres tarjetas de cartulina de manera que se puedan parar. En una tarjeta dibuje un bebé y una botella llena de líquido rojo. Escriba la palabra "Bebé" en la tarjeta. Pare la tarjeta frente a una de las botellas. En la segunda tarjeta dibuje un niño y tres botellas llenas con el líquido rojo. Escriba la palabra "Niño" en la tarjeta y párela frente a tres de las botellas. En la tercera tarjeta dibuje un adulto y cinco botellas llenas con el líquido rojo. Escriba la palabra "Adulto" en la tarjeta y párela frente a las cinco botellas restantes.

Conexiones

OBJETIVO

Identificar los vasos sanguíneos.

Materiales

linterna
espejo de mano

Procedimiento

1. Levanta la lengua y enfoca la luz en el área debajo de la misma.
2. Utiliza el espejo para inspeccionar el área debajo de tu lengua.
3. Encuentra las partes que se identifican en el dibujo.

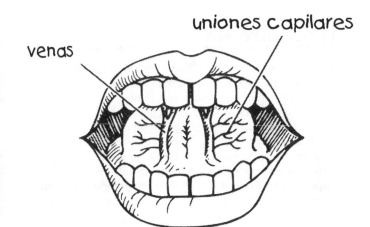

uniones capilares

venas

Resultados

Debajo de la lengua se pueden ver grandes vasos sanguíneos azules y vasos sanguíneos de color rojo y azul rojizo tan delgados como un cabello.

¿Por qué?

La **sangre** es un fluido que transporta sustancias por todo el cuerpo. La sangre fluye a través de una red cerrada de vasos sanguíneos denominada **sistema circulatorio**. Los vasos sanguíneos principales de este sistema son las arterias, venas y capilares. Las venas son vasos sanguíneos grandes que llevan hacia el corazón sangre sucia poco oxigenada. A menudo se pueden ver las **venas** debajo de la piel. La **arterias** también son vasos grandes, pero por lo general no están cerca de la piel, y por lo tanto no se les puede ver. Las arterias transportan la sangre roja bien oxigenada que sale del corazón. Los **capilares** son vasos sanguíneos microscópicos que unen las arterias y las venas. Los capilares que están conectados a las venas contienen sangre poco oxigenada de color rojo azulado. Los extremos de las venas y de las arterias que se conectan a los capilares se llaman **vénulas** y **arteriolas**, respectivamente. A las vénulas y arteriolas se les puede llamar **uniones capilares**. Debajo de la lengua se pueden ver uniones de venas y capilares.

¡Un para... qué?

Guías para evaluar el progreso

Al término del quinto grado, el alumno ya debe saber que:

- Algunos seres vivos están formados por una sola célula.

Al término del sexto grado y en primero de secundaria, el alumno ya debe saber que:

- Algunos tipos de organismos, muchos de los cuales son microscópicos, no se pueden clasificar perfectamente como plantas o animales.

En esta investigación se espera que el alumno:

- Represente un paramecio utilizando un modelo.

Para preparar la investigación

Recalque que el color del papel no es importante. No representa el color del paramecio, el cual básicamente es incoloro y transparente.

Para presentar la investigación

1. Explique los nuevos términos científicos:

   cilios: estructuras diminutas parecidas a un cabello que algunos de los organismos unicelulares utilizan para la locomoción.
   locomoción: acto de desplazarse de un lugar a otro.
   paramecio: un protista que tiene cilios y dos tipos de núcleo.
   protista: organismo del reino Protista, que comprende a la mayoría de los organismos unicelulares que tienen un núcleo visible.
   reproducción: proceso por medio del cual un organismo produce descendencia de la misma especie.
   unicelular: que consta de una sola célula.

2. Explore los nuevos términos científicos:

   - Algunos biólogos llaman *Protoctista* al protista.
   - La mayoría de los protistas se pueden mover en busca de alimento o luz.

- Un paramecio es un protista que utiliza cilios para la locomoción.
- Los protistas viven en el agua.
- Las fuentes naturales de agua dulce, como lagunas y lagos, contienen protistas, incluso cuando el agua se ve clara y cristalina. Un paramecio es un protista que se encuentra en el agua dulce.
- El paramecio tiene dos clases de núcleo: *macronúcleo* (grande) y *micronúcleo* (pequeño). El micronúcleo controla la reproducción y el macronúcleo las funciones celulares normales.

¡Qué interesante!

En 1870, Louis Pasteur (1822-1895), un químico microbiólogo francés, salvó a la industria de la seda al identificar un protista que causaba una enfermedad a los gusanos de seda.

UN POQUITO MÁS

1. Pida a sus alumnos que utilicen un libro de texto de biología para identificar la forma y función de las demás partes del cuerpo del paramecio. Indíqueles que las pueden dibujar en el modelo del paramecio.
2. Lleve un microscopio y consiga preparaciones microscópicas de paramecio para que sus alumnos puedan observar y examinar este organismo.
   Estas preparaciones pueden adquirirse en tiendas especializadas para materiales de laboratorio. También puede orientar a sus alumnos para que las hagan ellos mismos.

¡Un para... qué?

OBJETIVO

Elaborar el modelo de un paramecio.

Materiales

2 zapatos izquierdos: 1 grande, 1 pequeño
2 hojas de cartulina: 1 clara, 1 oscura
lápiz
tijeras
pegamento
diamantina (2 colores diferentes)
marcador

Procedimiento

1. Coloca el zapato grande sobre la cartulina de color claro y el zapato pequeño sobre la cartulina de color oscuro.
2. Dibuja el contorno de la suela de cada zapato, y después recorta la forma de la suela.
3. Cubre con pegamento la parte de abajo de la suela pequeña de cartulina.
4. Pega la suela pequeña en el centro de la suela grande.
5. Haz cortes en la suela grande hasta la orilla de la suela pequeña para formar un fleco alrededor de toda la orilla de la cartulina de color claro.
6. Pon pegamento en un círculo grande en el centro de la suela pequeña. Cubre el área de pegamento con diamantina de un color.
7. Cuando el pegamento esté seco, haz otro círculo pequeño de pegamento a uno de los lados del círculo grande cubierto con diamantina y cúbrelo con diamantina del otro color.

Resultados

Has elaborado un modelo de paramecio.

Paramecio

¿Por qué?

Un **paramecio** es un organismo **unicelular** (tiene una sola célula) que posee dos tipos de núcleos. La mayoría de los organismos unicelulares que tienen núcleos visibles son **protistas**, y están agrupados en un reino denominado Protista. Los paramecios tienen forma de zapato, como el modelo de esta investigación. El fleco alrededor de la orilla del modelo de paramecio representa las partes pequeñas de la célula parecidas a cabellos llamadas **cilios**, los cuales se utilizan para la **locomoción** (el acto de moverse de un lugar a otro). Los dos puntos de diamantina representan los dos tipos de núcleos del paramecio. El núcleo más grande controla las actividades normales de la célula, mientras que el núcleo más pequeño controla la **reproducción** (el proceso por medio del cual un organismo como el paramecio produce descendencia de la misma especie).

B

Reproducción y herencia

En esta sección se estudia la *reproducción*, el proceso por medio del cual los seres vivos producen más seres de su mismo tipo. La reproducción puede ser *asexual* (con un solo progenitor) o *sexual* (dos progenitores).

Uno de los aspectos más interesantes de la reproducción sexual es la *herencia*, la manera como las características físicas pasan de una generación a la siguiente. Puede decirse que un hijo tiene la nariz de su madre y los ojos de su padre. Otro hijo de la familia puede no parecerse a ninguno de los padres, pero se dice que se parece mucho a uno de los abuelos. Algunos padres tienen cabello castaño y sus hijos son pelirrojos. Al investigar la herencia en esta sección, los estudiantes descubrirán la manera como esto sucede.

Hijo de tigre... pintito

Guías para evaluar el progreso

Al término del quinto grado, el alumno ya debe saber que:

- Para que los hijos se parezcan a sus padres, debe existir una forma en la cual se pase información de una generación a la siguiente.

Al término del sexto grado y en primero de secundaria, el alumno ya debe saber que:

- En la reproducción sexual, normalmente la mitad de los genes de la descendencia proviene de cada uno de los padres.

En esta investigación se espera que el alumno:

- Identifique algunos de los rasgos que se heredan en los seres humanos.

Para preparar la investigación

Esta investigación se debe realizar como un proyecto para realizar en casa. Si se realiza en clase, los miembros de cada equipo podrán compartir un solo espejo.

Para presentar la investigación

1. Explique los nuevos términos científicos:

fenotipo: expresión de un rasgo.
heredar: recibir rasgos de los padres.
herencia: transmisión de rasgos de una generación a la siguiente.
rasgo: una característica física.

2. Explore los nuevos términos científicos:

- El color de los ojos es una característica física que se denomina rasgo; los ojos café son un aspecto de la apariencia física denominado fenotipo.
- Un niño con ojos café heredó el color de ojos de sus padres, abuelos u otros ancestros. El paso de este rasgo del color de ojos de padres a hijos se llama herencia.

¿Qué interesante!

Los "gemelos idénticos" no son cien por ciento idénticos. Aun cuando se vean tan parecidos, existen algunas diferencias de fenotipo, como las huellas digitales. Los patrones de las huellas digitales en los gemelos idénticos son iguales, pero con algunas diferencias, como el número de rayas.

UN POQUITO MÁS

Haga en el pizarrón una tabla de datos con los rasgos de todos los del grupo. En la columna 3, en lugar de la leyenda "Tu fenotipo", escriba la palabra "Número". Anote el número de alumnos que tienen cada uno de los rasgos de la tabla para determinar cuáles son las características visibles representadas por el mayor número de alumnos en el grupo.

Hijo de tigre... pintito

OBJETIVO

Identificar los rasgos visibles.

Materiales

espejo
lápiz

Procedimiento

1. Utilizando el espejo, observa el color de tus ojos. Regístralo como café u otro en la columna "Tu fenotipo" en la tabla "Datos de rasgos individuales".
2. Utiliza el espejo para estudiar tu lengua. Trata de enrollarla ("hacerla taquito") como se ilustra. Registra en el cuadro si puedes enrollarla o no.
3. Utiliza el espejo para estudiar tus orejas. Compara tus lóbulos con los que se ilustran para determinar si tienes lóbulos pegados o despegados. Registra en la tabla tu tipo de lóbulo.
4. Registra en la tabla si eres diestro o zurdo, dependiendo de la mano con que escribes.

Resultados

Se obtiene una tabla de las características observables de una persona.

¿Por qué?

El color de los ojos, la capacidad para enrollar la lengua, lo pegado o despegado de los lóbulos de la oreja, ser diestro o zurdo, son características físicas que se denominan **rasgos**. La expresión de los rasgos, como ojos café, es un **fenotipo**. El paso de estos rasgos de una generación a la siguiente se llama **herencia**. **Heredaste** cada uno de estos rasgos, lo que significa que los recibiste de tus padres. Los fenotipos son la expresión de rasgos específicos. Por ejemplo, el color de ojos es un rasgo, y el color real de tus ojos es tu fenotipo de este rasgo.

Lóbulo de la oreja

Pegado   Despegado

Lengua

Puede enrollarla   No puede enrollarla

DATOS DE RASGOS INDIVIDUALES		
Rasgo	**Fenotipo**	**Tu fenotipo**
Color de ojos	café otro	
Enrollar la lengua	puedes enrollarla no puedes enrollarla	
Lóbulos de la oreja	pegados despegados	
Para escribir eres	diestro zurdo	

Mitad y mitad

Guías para evaluar el progreso

Al término del quinto grado, el alumno ya debe saber que:

- Algunas semejanzas entre padres e hijos, como el color de ojos, se heredan.

- *Al término del sexto grado y en primero de secundaria, el alumno ya debe saber que:*

- En la reproducción sexual, normalmente la mitad de los genes de la descendencia viene de cada uno de los padres.

En esta investigación se espera que el alumno:

- Identifique pares de cromosomas.
- Explique el papel de los genes en la herencia.

Para preparar la investigación

Necesitará hacer una copia de los modelos de cromosomas (hoja A, página 86) para cada alumno o equipo.

Para presentar la investigación

1. Explique los nuevos términos científicos:

    ácido desoxirribonucleico (ADN): moléculas químicas que se encuentran en los cromosomas que controlan la actividad celular y determinan los rasgos hereditarios.
    alelo: una de las varias formas diferentes de un gen específico.
    cromosoma: estructura con forma de bastoncillo que se encuentra en el núcleo de una célula que contiene ADN.
    gen: la parte de un cromosoma que determina los rasgos hereditarios; está formada por ADN.
    sitio del gen: el sitio en donde se ubica un gen dentro de un cromosoma.

2. Explore los nuevos términos científicos:

    - Los genes determinan los rasgos, y todos los genes están formados por ADN.
    - El sitio del gen en el cromosoma para un rasgo, como el color de una flor, siempre es el mismo para cierto tipo de flor. Al sitio del gen también se le llama *locus*.
    - Las flores tienen colores diferentes, por lo tanto existen formas diferentes de genes para el rasgo del color de la flor. Estas formas alternativas se llaman *alelos*.
    - Cada célula viva tiene pares de cromosomas, y cada cromosoma del par tiene una copia de cada gen. (La excepción son las células sexuales, las cuales tienen cromosomas individuales).
    - Aunque en un gen determinado pueden existir muchos alelos, cada organismo tiene solamente dos alelos para ese gen, y pueden o no ser iguales.

- La función principal de un gen es controlar la producción de una sustancia llamada proteína. El tipo y número de proteínas determinan el rasgo de un organismo.

¡Qué interesante!

La primera persona de quien se tiene noticia que descubrió las leyes básicas de la herencia y planteó la existencia de los genes, fue el monje austriaco Gregor Johann Mendel (1822-1884). Mendel publicó sus hallazgos en 1866, pero no se puso atención a sus investigaciones hasta 1900, cuando tres científicos de tres países diferentes redescubrieron casi simultáneamente el trabajo de Mendel.

UN POQUITO MÁS

En la investigación, cada forma de los genes (alelos) en cada par de cromosomas es idéntica, pero en los pares de cromosomas reales, los alelos en par no todos son idénticos. Por ejemplo, el alelo de los ajos azules puede estar en un cromosoma y el alelo de los ojos café en el cromosoma par. Haga una copia de los modelos de cromosoma (hoja B, página 87) para cada uno de los alumnos. Si lo desea, haga las copias en una hoja de color para que no se confundan con los modelos originales. Indique que cada tipo de gen se identifica por su tamaño, y que los alelos diferentes de la misma característica están señalados en el modelo con áreas abiertas y sombreadas o con diferentes diseños.

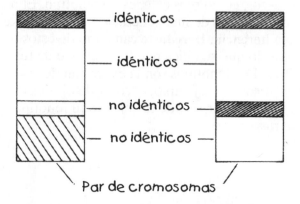

Pares de genes (alelos)

idénticos

idénticos

no idénticos

no idénticos

Par de cromosomas

Mitad y mitad

OBJETIVO

Identificar cómo coinciden los genes idénticos en un par de cromosomas.

Materiales

tijeras
copia de los modelos de cromosomas
    (Hoja A)

Procedimiento

1. Recorta cada modelo de cromosoma.
2. Distribuye los modelos en tu escritorio o mesa de laboratorio.
3. Cambia los modelos las veces que sea necesario para hacer coincidir tantos modelos como sea posible. Un par de cromosomas con genes idénticos debe coincidir en longitud al igual que en número, tamaño y ubicación de las áreas blancas y sombreadas, como se indica en el diagrama.

Resultados

En el diagrama se identifican cuatro pares de cromosomas.

¿Por qué?

Los **cromosomas** son estructuras en forma de bastoncillo que se encuentran en el núcleo de una célula que contiene **genes**, los cuales están formados por moléculas químicas de **ácido desoxirribonucleico (ADN)**. El ADN controla la actividad celular y determina los rasgos hereditarios. Las diferentes áreas blancas y sombreadas en los modelos de cromosomas representan sitios del gen (lugares en donde están ubicados los genes en un cromosoma). Cada célula viva contiene pares de cromosomas, y cada par tiene sitios del gen que coinciden. Cada elemento de un par de genes se llama **alelo**, que es una de las muchas y diferentes formas de un gen específico.

Pares de genes
(alelos)

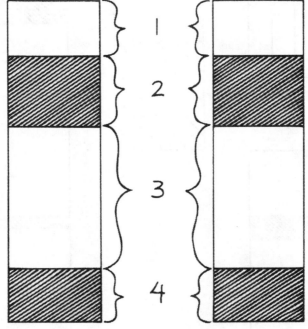

Par de cromosomas

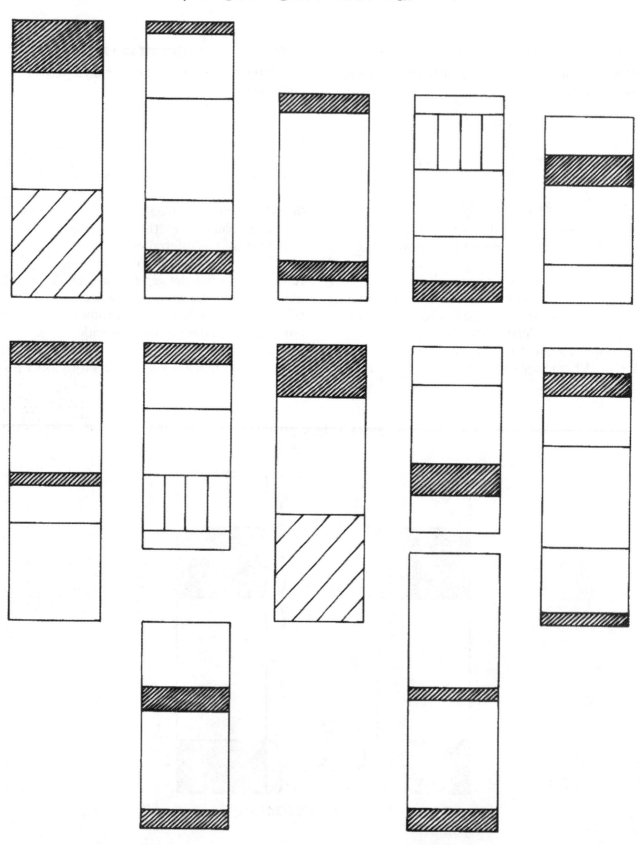

Modelos de cromosomas — B

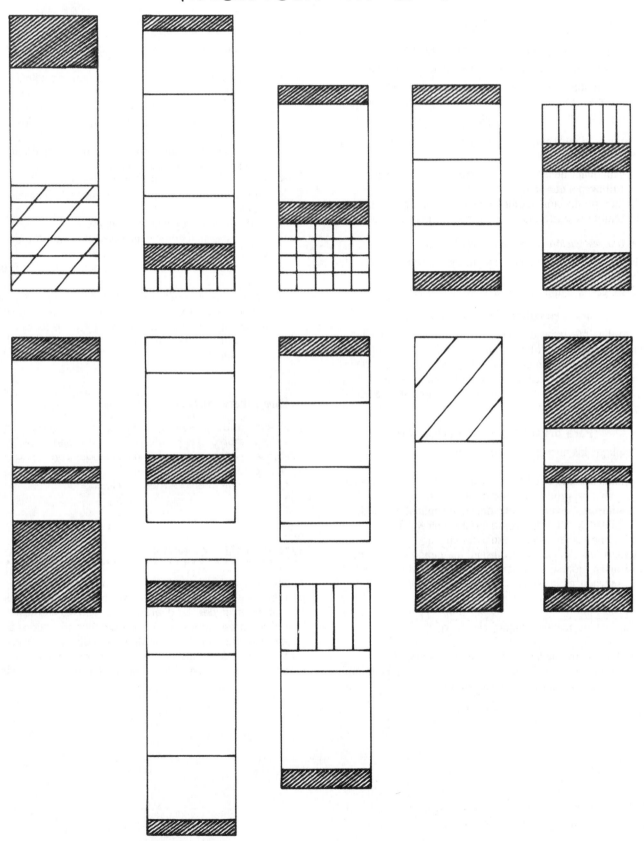

De uno a cuatro

Guías para evaluar el progreso

Al término del quinto grado, el alumno ya debe saber que:

- Para que los hijos se parezcan a sus padres, debe existir una forma por medio de la cual se pase información de una generación a la siguiente.

Al término del sexto grado y en primero de secundaria, el alumno ya debe saber que:

- Los animales tienen varias estructuras corporales que contribuyen a que se puedan reproducir.
- En la reproducción sexual, una sola célula especializada de la hembra se une a una célula especializada del macho.

En esta investigación se espera que el alumno:

- Haga un modelo de meiosis, la forma de reproducción de las células sexuales.
- Distinga las células sexuales de las demás células.

Para preparar la investigación

La cartulina puede ser de color o blanca; o también puede usar una hoja de rotafolio de tamaño similar. La tapa grande debe ser de aproximadamente 15 cm (6 pulgadas) de diámetro, y la tapa chica de aproximadamente 10 cm (4 pulgadas) de diámetro. En lugar de las tapas se pueden usar latas u otros recipientes.

Para presentar la investigación

1. Explique los nuevos términos científicos:

    células sexuales: células especializadas, espermatozoides y óvulos, producidas por medio de meiosis.
    cromosoma sexual: cromosoma que contiene el gen del género y se conoce como cromosoma X o Y.
    espermatozoide: célula sexual masculina.
    género: el sexo de un organismo: masculino o femenino.
    meiosis: proceso de división celular por medio del cual se reproducen las células sexuales.
    óvulo: célula sexual femenina.

2. Explore los nuevos términos científicos:

    - La mayoría de las células humanas tienen 46 cromosomas, o 23 pares de cromosomas, de la unión de un espermatozoide y un óvulo.

- Durante el proceso de meiosis, una célula se divide dos veces, formando cuatro células sexuales.
- Como resultado de la meiosis, cada nueva célula sexual del humano tiene 23 cromosomas, que es la mitad del número de cromosomas que se encuentran presentes en otras células del cuerpo. Uno de los 23 cromosomas es un cromosoma sexual, X o Y. Resalte que en la investigación solamente se están representando los cromosomas X.
- Después de la unión de dos células sexuales humanas, la célula resultante contiene 23 pares de cromosomas.
- Cada óvulo tiene un cromosoma X.
- Cada espermatozoide tiene un cromosoma X o un cromosoma Y.
- Las células femeninas tienen un par de cromosomas X (XX).
- Las células masculinas tienen un cromosoma X y un cromosoma Y (XY). Estos cromosomas, aunque se llaman "pares", no son iguales a los otros pares de cromosomas. El cromosoma X es más largo que el cromosoma Y.

¡Qué interesante!

Hay cientos de genes en los cromosomas X que no se encuentran en los cromosomas Y más pequeños. A éstos se les denomina *genes relacionados con el sexo*.

La hemofilia, o "enfermedad de los que sangran", es ejemplo de una enfermedad relacionada con el sexo.

UN POQUITO MÁS

Repita la investigación utilizando los modelos de cromosomas masculinos para demostrar cómo se producen los espermatozoides. La diferencia está en los cromosomas sexuales representados por los dos círculos recortados de la tarjeta. Escriba una X en uno de los círculos y una Y en el otro círculo. Realice las siguientes preguntas a los estudiantes acerca de los resultados de esta investigación.

PREGUNTAS PARA LOS ESTUDIANTES		
Preguntas	**célula femenina**	**célula masculina**
1. ¿Cuántos cromosomas hay en total en la célula A antes de duplicarse?	6	6
2. ¿Cuántos pares de cromosomas que se corresponden hay en la célula A?	3	2
3. ¿Cuántos cromosomas que no se corresponden hay en la célula A?	0	1
4. Después de haberse duplicado, ¿cuántos cromosomas hay en la célula A?	12	12
5. ¿Cuántos cromosomas hay en la célula B?	6	6
6. ¿Cuántos cromosomas hay en la célula C?	6	6
7. ¿Cuántos cromosomas hay en total en cada célula sexual?	3	3
8. ¿Cómo se compara el número de cromosomas en cada célula sexual con respecto al número de cromosomas que había en la célula antes de que se duplicara?	la mitad	la mitad
9. ¿Cómo se comparan los tipos de cromosomas de cada célula sexual?	igual en cada una	2 grupos de células iguales
10. ¿Qué células sexuales están presentes?	XX	XY

De uno a cuatro

OBJETIVO

Hacer un modelo de meiosis.

Materiales

marcador
2 tapas: 1 grande, 1 pequeña
cartulina (u hoja de rotafolio) de 55 por 70 cm
   (11 por 28 pulgadas)
2 tarjetas de cartulina lisas de dos colores
   diferentes
pluma
tijeras

Procedimiento

1. Utiliza el marcador y las tapas para dibujar siete círculos en la cartulina. Une los círculos con flechas y rotúlalos como se indica.

2. Dobla una de las tarjetas a la mitad, uniendo los lados largos.

3. Con la pluma, dibuja un círculo, un triángulo y un cuadrado lo más grandes que se pueda en uno de los lados de la tarjeta doblada. Recorta las figuras, haciendo el corte en las dos capas de papel. Obtendrás dos recortes de la misma forma.

4. Repite los pasos 2 y 3 utilizando la otra tarjeta.

5. Escribe una X en cada círculo recortado.

6. Coloca aleatoriamente una figura de cada color en la célula A, la célula corporal, en la cartulina.

7. Coloca las figuras restantes en la célula A, apilando las figuras del mismo color. Cada figura de color se ha duplicado, formando un par apilado.

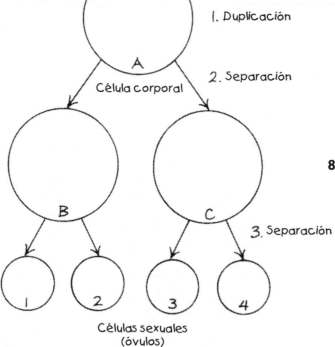

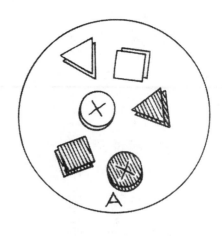

8. Pasa un par apilado de cada figura a la célula B. El color de las figuras no tiene que ser igual.

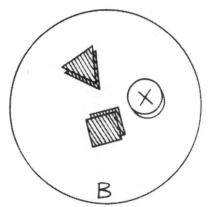

9. Pasa las figuras restantes de la célula A a la célula C.

10. Separa uno de los pares de las figuras de la célula B, colocando una figura en la célula sexual 1 y la otra en la célula sexual 2. Repite el procedimiento con los dos pares de figuras restantes.

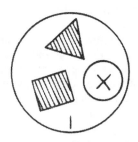

11. Separa uno de los pares de figuras de la célula C, colocando una figura en la célula sexual 3 y la otra en la célula sexual 4. Repite el procedimiento con los dos pares de figuras restantes.

Resultados

Primero se duplica una célula corporal con un grupo de tres pares de figuras, posteriormente se divide formando cuatro células sexuales con una figura en cada una.

¿Por qué?

Las **células sexuales**, llamadas **óvulos** y **espermatozoides**, femenina y masculina respectivamente, son células especializadas y cada una contiene un cromosoma de cada progenitor. Uno de estos cromosomas es un **cromosoma sexual**, que contiene el gen del **género** (sexo del organismo, masculino o femenino) y se le conoce como el cromosoma X o Y. Las células sexuales se producen por medio de un proceso de división celular llamado **meiosis**. Durante la meiosis se llevan a cabo muchos pasos. En esta investigación, el proceso se simplificó para mostrar solamente tres pasos. Antes de que se inicie la meiosis, la célula corporal tiene un conjunto doble de cromosomas, uno de cada progenitor. En esta investigación, un elemento del conjunto tiene la misma forma que el otro, pero se representó con un color diferente. El primer paso es la duplicación de los cromosomas (colocar dos de cada figura de color en la célula corporal). En el segundo paso, la célula se divide formando dos células (B y C), cada una con una combinación aleatoria de cromosomas de los padres (representado por el color), pero con un par de cada tipo de cromosomas (figura). En el tercer paso, las células B y C se dividen a la mitad, formando cuatro células sexuales. Los pares de cromosomas de las células B y C se separan y un cromosoma de cada par queda en una célula sexual. De la célula original se forman cuatro células. A estas células se les denomina células sexuales, y cada una tiene la mitad del número de cromosomas que la célula corporal original, pero cada una tiene un tipo de cada cromosoma que se encontraba en la célula corporal (círculo, triángulo, cuadrado). En las hembras la célula corporal contiene un par de cromosomas X, formando cuatro óvulos, y cada uno de ellos contiene un cromosoma X (representado por el círculo marcado con una X).

¡Qué combinaciones!

Guías para evaluar el progreso

Al término del quinto grado, el alumno ya debe saber que:

- Algunas semejanzas entre padres e hijos, como el color de los ojos, se heredan.

Al término del sexto grado y en primero de secundaria, el alumno ya debe saber que:

- En la reproducción sexual, normalmente cada mitad de los genes del hijo proviene de cada uno de sus progenitores.

En esta investigación se espera que el alumno:

- Distinga entre rasgos dominantes y recesivos, y comprenda que los rasgos heredados de un individuo están contenidos en el material genético.

Para preparar la investigación

Se pueden utilizar hojas para rotafolios de tamaño similar en lugar de la cartulina.

Para presentar la investigación

1. Explique los nuevos términos científicos:

   alelo dominante: forma de gen que cuando está presente determina un rasgo dado.

   alelo recesivo: forma de gen que no determina un rasgo cuando está presente un alelo dominante.

   cigoto: célula formada por la unión de un espermatozoide y un óvulo.

   fecundación: la unión de dos células sexuales, un óvulo y un espermatozoide, provenientes de dos progenitores.

   fenotipo: características observables de un organismo, determinadas por el genotipo; la expresión de rasgos específicos.

   genotipo: constitución genética de un organismo o de un grupo de organismos, determinada por los alelos.

   reproducción sexual: reproducción por medio de la fecundación.

2. Explore los nuevos términos científicos:

   - En los seres humanos, la fecundación da como resultado la unión de un óvulo con 23 cromosomas y un espermatozoide con 23 cromosomas, produciendo un cigoto con 23 pares de cromosomas.
   - Cada cigoto tiene un alelo de cada progenitor, para cada tipo de rasgo, de tal manera que hay dos alelos para cada rasgo. Cuando están presentes un alelo dominante y uno recesivo, el alelo dominante determina el rasgo.
   - Para el alelo dominante se utiliza una letra mayúscula, por ejemplo B para barba partida.
   - Para el alelo recesivo se utiliza una letra minúscula, por ejemplo b para barba no partida. Se puede usar cualquier letra, pero solamente se usa una letra para cada rasgo. La letra del alelo dominante siempre se escribe primero.
   - Debido a que algunos alelos son dominantes, el aspecto de un organismo no refleja su constitución genética. Es por ello que los científicos hacen una diferencia entre las características visibles de un organismo, llamadas fenotipo, y su constitución genética, su genotipo.

¡Qué interesante!

Es posible que dos padres con ojos café tengan un hijo con ojos azules con el genotipo Aa. Esto se debe a que la presencia de otros genes enmascaran el alelo dominante A, y el pigmento café no se produce. Aproximadamente una de cada 50 personas con el genotipo Aa tendrá ojos azules.

UN POQUITO MÁS

1. Si lo desea, haga conjuntos de tarjetas para plantas y animales. Una forma para distinguir las tarjetas de los animales de las tarjetas de las plantas podría ser utilizar tarjetas rayadas para las plantas y tarjetas blancas para los animales.
2. Del cigoto se forman muchas células por medio de un proceso llamado *mitosis*. Se puede investigar este tipo de división celular. Los perros, gatos y seres humanos comienzan siendo cigotos.

¡Qué combinaciones!

OBJETIVO

Utilizar pares de alelos para determinar los rasgos de una persona.

Materiales

marcador
14 tarjetas para ficha bibliográfica de dos
   colores diferentes: 7 de cada uno
cartulina de 55 por 70 cm (22 por 28 pulgadas)

Procedimiento

1. Con el marcador, dibuja el símbolo de femenino en uno de los lados de todas las tarjetas de un color y el símbolo de masculino en uno de los lados de todas las tarjetas del otro color.

Femenino   Masculino

2. Con base en la lista, selecciona al azar un alelo dominante o recesivo de cada uno de los rasgos y escribe la letra correspondiente en la parte de atrás de las tarjetas de un color. Repite el procedimiento con las tarjetas del otro color. Puedes usar un alelo dominante dos veces y no usar el alelo recesivo para ese rasgo, o viceversa. Cada tarjeta representa un elemento de un par de genes.
3. Con el marcador, dibuja en la cartulina un círculo lo más grande que sea posible.
4. Coloca todas las tarjetas con el símbolo de femenino y el símbolo de masculino dentro del círculo, con el alelo hacia arriba, de manera que no se encimen.
5. Forma pares con las tarjetas de femenino y masculino por rasgos, de manera que tengas siete pares de tarjetas. Coloca una tarjeta sobre la otra de manera que cada par de cromosomas esté formado por dos tarjetas que se relacionen con el mismo rasgo. Por ejemplo, si la tarjeta con el símbolo de femenino tiene una B o una b, entonces la tarjeta con el símbolo masculino también deberá tener una B o una b.

ALELOS DOMINANTES Y RECESIVOS DE LOS RASGOS		
Rasgo	Alelo dominante	Alelo recesivo
lóbulo de la oreja pegado	lóbulo despegado (L)	lóbulo pegado (l)
color del cabello	cabello café (R)	pelirrojo (r)
pico en la frente	pico en la frente (P)	sin pico en la frente (p)
habilidad para enrollar la lengua	enrolla la lengua (E)	no enrolla la lengua (e)
uso de las manos	diestro (D)	zurdo (d)
color de ojos	ojos café (C)	ojos azules (c)
barba partida	barba partida (B)	barba no partida (b)

6. Registra la combinación de letras de los alelos de cada par de cromosomas en la columna "Genotipo" de la tabla "Datos de rasgos". Escribe primero la letra mayúscula, en caso de que la hubiera. Por ejemplo, si las tarjetas muestran una B y una b, escribe "Bb".

7. Registra el rasgo expresado de cada genotipo en la columna "Fenotipo" de la tabla. Por ejemplo, si el genotipo es BB o Bb, escribe "barba partida". Si el genotipo es bb, entonces escribe "barba no partida". Recuerda que el rasgo se expresa solamente cuando el genotipo tiene un alelo dominante, indicado por una letra mayúscula.

8. Con base en los datos de la columna "Fenotipo", describe el aspecto de una persona con los pares de alelos de esta investigación.

Resultados

La descripción de la persona varía de acuerdo con la constitución de los genes.

¿Por qué?

La reproducción es el proceso por medio del cual un organismo produce otro de su misma especie. La mayoría de los animales se reproducen por medio de **reproducción sexual**, la cual implica la unión de dos células sexuales, un óvulo y un espermatozoide, cada una proveniente de uno de los progenitores. La unión de estas células se llama **fecundación**. La unión de un espermatozoide y un óvulo produce una sola célula llamada **cigoto**. En esta actividad, el cigoto está representado por el círculo dibujado en el papel. Las tarjetas representan pares de alelos de una célula sexual femenina (óvulo) y de una célula sexual masculina (espermatozoide). Cada rasgo tiene dos posibles alelos: un **alelo dominante**, representado por una letra mayúscula, y un **alelo recesivo**, representado por una letra minúscula. Existen dos alelos para cada rasgo en el cigoto, uno del espermatozoide y otro del óvulo. El par de alelos de cada rasgo se representa con una combinación de letras de cada alelo, poniendo primero la letra mayúscula, en caso de que la haya. Los alelos determinan el **genotipo** (constitución genética) de un organismo o de un grupo de organismos. El genotipo determina los rasgos expresados, o **fenotipo**, de un organismo. Si el genotipo de un rasgo específico tiene uno o dos alelos dominantes, el rasgo del alelo dominante se expresa en el organismo. Por ejemplo, un organismo con el genotipo BB o Bb en la investigación tendrá barba partida. El rasgo recesivo no se expresa cuando está presente el alelo dominante. El rasgo recesivo se expresa cuando solamente están presentes alelos recesivos en el genotipo, por ejemplo bb. Un organismo con el genotipo bb no tendrá barba partida.

DATOS DE RASGOS	
Genotipo	Fenotipo

¡Qué dominante!

Guías para evaluar el progreso

Al término del quinto grado, el alumno ya debe saber que:

- Los hijos se pueden parecer a los abuelos y no a sus padres.

Al término del sexto grado y en primero de secundaria, el alumno ya debe saber que:

- En la reproducción sexual, normalmente la mitad de los genes del hijo proviene de uno de los padres.

En esta investigación se espera que el alumno:

- Distinga los rasgos dominantes de los recesivos, y comprenda que los rasgos heredados de un individuo están contenidos en el material genético.
- Utilice el cuadro de Punnett para determinar los posibles genotipos de la descendencia, tomando como base varias combinaciones de genes.
- Distinga los organismos de raza pura de los híbridos.

Para presentar la investigación

1. Explique los nuevos términos científicos:

   cuadro de Punnett: rejilla utilizada para determinar el porcentaje de posibles genotipos de una descendencia, tomando como base combinaciones de los genes de los padres.

   descendencia de rasgos puros: descendencia cuyos alelos son iguales para un rasgo.

   híbrido: descendencia cuyos alelos son diferentes para un rasgo.

2. Explore los nuevos términos científicos:

   - Se dice que los genotipos BB y bb son de *raza pura* porque ambos alelos son idénticos.
   - El genotipo Bb tiene dos alelos diferentes y se llama *híbrido*. (La letra del alelo dominante siempre se escribe primero.)
   - La figura ilustra el cuadro de Punnett de los padres de un ratón que tiene genotipos Nn y Nn (negro híbrido). El rasgo que se representa es el color del pelaje, siendo el negro (N) el alelo dominante, y el blanco (n) el alelo recesivo. En la figura se muestran los posibles genotipos de la descendencia. El porcentaje de posibilidades de cada genotipo se puede determinar con el número de cuadros en los que aparece el genotipo, de la siguiente manera:

1 de 4 = 25%	3 de 4 = 75%
2 de 4 = 50%	4 de 4 = 100%

   Por lo tanto, 25 por ciento de la descendencia posiblemente será del genotipo NN (negro de raza pura), 25 por ciento nn (blanco de raza pura), y 50 por ciento Nn (negro híbrido).

Explicación técnica

Negro de raza pura — NN
Blanco de raza pura — nn
Negro híbrido
Femenino ♀   Nn
Masculino ♂

¡Qué interesante!

Antes del siglo veinte, se pensaba que los rasgos se transmitían de una generación a otra a través de la sangre. Actualmente se sigue hablando de "parientes de sangre" o "consanguíneos".

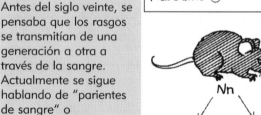

Nn → N   n

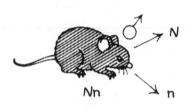

Nn ♂ → N   n

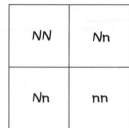

NN	Nn
Nn	nn

UN POQUITO MÁS

Haga que sus alumnos preparen cuadros de Punnett para otras combinaciones de genes de los padres, como los que aparecen en el cuadro "Combinaciones de genes de los padres".

COMBINACIONES DE GENES DE LOS PADRES		
Femenino	**Masculino**	**Características**
Ee	Ee	E = puede enrollar la lengua, e = no puede enrollar la lengua
PP	pp	P = con pico en la frente, p = sin pico en la frente
dd	Dd	D = diestro, d = zurdo
Cc	Cc	C = ojos café, c = ojos azules
BB	BB	B = barba partida, b = barba no partida

Enseña la ciencia de forma divertida

¡Qué dominante!

OBJETIVO

Determinar los posibles genotipos de la descendencia.

Materiales

lápiz
regla
hoja tamaño carta

Procedimiento

1. Con el lápiz y la regla, dibuja en la hoja un cuadro dividido en cuatro recuadros iguales.
2. Selecciona una de estas combinaciones de padres:

- Padre (RR) + Madre (Rr)
- Padre (Rr) + Madre (Rr)

3. Escribe los dos posibles alelos femeninos del óvulo arriba del cuadrado, como se muestra.
4. Escribe los dos posibles alelos masculinos del espermatozoide a la izquierda del cuadrado, como se muestra.

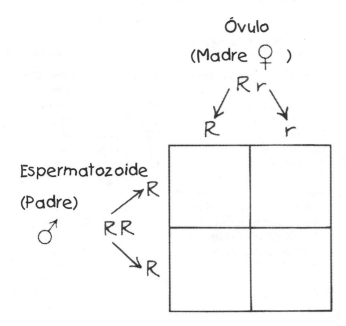

5. Llena los recuadros escribiendo la combinación de letras de cada par de alelos en cada uno de ellos. Primero, anota la letra del alelo dominante. Por ejemplo, la combinación de letras del recuadro superior izquierdo es RR.
6. Con base en los datos del cuadrado, trata de determinar el porcentaje de posibilidad de cada genotipo para la descendencia: rojo de raza pura (RR), café de raza pura (rr), o rojo híbrido (Rr). Para hacerlo cuenta el número de recuadros en los que aparece cada genotipo. El porcentaje de posibilidad es de 25 por ciento cuando el genotipo aparece en un recuadro, 50 por ciento cuando aparece en dos recuadros, 75 por ciento cuando aparece en tres recuadros y 100 por ciento cuando aparece en los cuatro recuadros.

Resultados

Se determinó el genotipo de la descendencia que tiene combinaciones diferentes de genes de los padres. En el caso de la combinación RR + Rr, el porcentaje de posibilidad de cada genotipo es 50 por ciento RR y 50 por ciento Rr. Con la combinación Rr + Rr, el porcentaje de posibilidad de cada genotipo es 25 por ciento RR, 50 por ciento Rr, y 25 por ciento rr.

¿Por qué?

El **cuadro de Punnett** se utiliza para determinar los genotipos de la descendencia de los padres. Mientras más parecido haya en la combinación de los alelos en el cuadro de Punnett, mayor será la probabilidad de que una descendencia tenga ese rasgo. A la descendencia con alelos idénticos de un rasgo se le denomina **descendencia de rasgos puros**, y a la descendencia con alelos diferentes de un rasgo se le denomina **híbrido**.

Planta bebé

Guías para evaluar el progreso

Al término del quinto grado, el alumno ya debe saber que:

- Algunas células de los organismos, como las diversas partes de la semilla de una planta, varían mucho en apariencia y llevan a cabo funciones muy diferentes.

Al término del sexto grado y en primero de secundaria, el alumno ya debe saber que:

- Después de la unión de las células sexuales de la planta, el huevo fecundado se multiplica para formar una semilla multicelular.

En esta investigación se espera que el alumno:

- Observe una semilla e identifique sus partes y funciones.

Para preparar la investigación

Por cada alumno o equipo, remoje en agua durante toda la noche cuatro frijoles pintos u otros frijoles grandes. Conserve los frijoles en el refrigerador para evitar que se pudran. Reserve unos frijoles adicionales que se usarán en caso de que algunos se rompan accidentalmente durante la disección.

Para presentar la investigación

1. Explique los nuevos términos científicos:

   cotiledón: hoja sencilla que se encuentra abajo de la envoltura (cáscara) de la semilla, que almacena alimento para la planta en desarrollo.

   embrión: organismo en la primera etapa de su desarrollo; por ejemplo, la planta inmadura dentro de una semilla.

   epicótilo: estructura del embrión de una planta, que se encuentra arriba del punto de unión del cotiledón y se desarrolla para formar el tallo, hojas, flores y fruto de la planta.

   hipocótilo: parte del embrión de una planta, que se encuentra por abajo del punto de unión del cotiledón.

   plúmula: las hojas pequeñas e inmaduras ubicadas en la punta de un epicótilo que en la madurez forman las primeras hojas verdaderas de la planta.

   radícula: parte inferior de un hipocótilo que se desarrolla para formar el sistema de raíces de la planta.

   semilla: producto de la reproducción sexual de las plantas, que contiene material genético de ambos progenitores y que se puede desarrollar hasta convertirse en una planta madura.

   sistema de raíces: parte de una planta que crece hacia abajo en la tierra, de la cual toma agua y nutrientes.

   tallo: estructura central de soporte de una planta.

   testa de la semilla: cubierta protectora de una semilla.

2. Explore los nuevos términos científicos:

   - Aunque a un cotiledón también se le llama *hoja de la semilla*, su apariencia no es la de una hoja. Conforme la planta crece y utiliza el alimento del cotiledón, éste se hace pequeño y finalmente se seca y se desprende.
   - El embrión de una planta tiene la apariencia de una diminuta planta "bebé". La planta inmadura que está dentro de la semilla se desarrolla para crear una planta madura.
   - El hipocótilo se conecta con el epicótilo y la radícula.
   - Durante la germinación (crecimiento) de los frijoles, el hipocótilo forma un doblez o gancho que se introduce a la tierra. Cuando el gancho se endereza, levanta el epicótilo hacia afuera de la tierra.
   - El tallo de la planta sirve como soporte para las hojas y flores y transporta agua, minerales y alimento por toda la planta.

¡Qué interesante!

Un tipo de palmera (el cocotero de mar) que crece en las Seychelles (isla de las costas de África) produce la semilla más grande de todas las plantas. La semilla puede pesar hasta 23 kilogramos (50 libras).

UN POQUITO MÁS

1. La investigación puede llevarse a cabo utilizando también cacahuates (maní) sin pelar. Los estudiantes pueden sacar el cacahuate de su cáscara y quitar la testa de la semilla. Se pueden separar los dos cotiledones para encontrar un embrión dentro. Pida a sus alumnos que comparen el embrión del cacahuate con el del frijol.
2. Algunas plantas como el frijol tienen dos cotiledones y se les denomina *dicotiledóneas*. Otras plantas como el maíz tienen un solo cotiledón y se les denomina *monocotiledóneas*. Pida a sus alumnos que investiguen más acerca de las dicotiledóneas y monocotiledóneas. ¿En qué difieren sus hojas y flores? (Las hojas típicas de las monocotiledóneas tienen nervadura paralela y las partes de la flor son en múltiplos de tres. Las hojas típicas de las dicotiledóneas tienen nervadura en red y las partes de la flor son en múltiplos de cuatro o cinco).

Planta bebé

OBJETIVO

Identificar las partes de una semilla.

Materiales

2 frijoles pintos (u otros frijoles grandes)
   remojados en agua durante toda la noche
toalla de papel
lupa

Procedimiento

1. Coloca los frijoles sobre la toalla de papel para que se sequen.
2. Con la uña, despega el recubrimiento de uno de los frijoles.
3. Con los dedos, abre con suavidad este frijol y usa la lupa para ver la parte interna del mismo.
4. Con base en el diagrama, identifica las siguientes partes del frijol: cotiledón, embrión, epicótilo, hipocótilo, radícula y plúmula.
5. Repite los pasos del 2 al 4 con el otro frijol. Compara la parte interna de cada frijol.

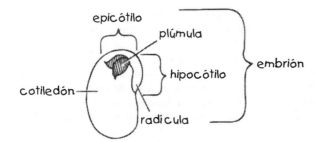

Resultados

Se disecó un frijol pinto y se identificaron sus partes. Ambos frijoles son iguales en su parte interna.

¿Por qué?

Una **semilla** es el producto de la reproducción sexual en las plantas. La semilla contiene material genético de los dos progenitores y se puede desarrollar hasta convertirse en una planta madura. Un frijol es una semilla. Bajo la cubierta protectora externa de la semilla, llamada **testa de la semilla,** hay dos estructuras sencillas unidas perfectamente, llamadas **cotiledones**. Estas partes contienen el alimento para la planta en desarrollo. Dentro y unida a los cotiledones hay una planta inmadura denominada **embrión** (un organismo en la primera etapa de su desarrollo). La parte del embrión bajo el punto de unión de los cotiledones es el **hipocótilo**. En el extremo inferior del hipocótilo está la **radícula**, la cual se desarrolla para formar un **sistema de raíces** (parte de la planta que crece hacia abajo en la tierra, y de la cual toma agua y nutrientes). La parte del embrión que se encuentra encima del punto de unión de los cotiledones se llama **epicótilo**. Esta parte es la que se desarrolla para formar el **tallo** de la planta (estructura de soporte central de la planta), hojas, flores y fruto. Las hojas pequeñas inmaduras ubicadas en la punta del epicótilo forman la **plúmula**. En la madurez, estas hojas forman las primeras hojas verdaderas de la planta.

Guías para evaluar el progreso

Al término del quinto grado, el alumno ya debe saber que:

- Para que los hijos se parezcan a sus padres, debe existir una forma en la cual se pase información de una generación a la siguiente.

Al término del sexto grado y en primero de secundaria, el alumno ya debe saber que:

- Las plantas poseen varias estructuras que contribuyen a que se puedan reproducir.

En esta investigación se espera que el alumno:

- Identifique una forma de reproducción asexual.
- Comprenda que la reproducción asexual es un tipo de reproducción en la que hay un solo progenitor.

Para preparar la investigación

Si lo desea, puede encargarle a sus alumnos que realicen esta investigación como tarea en casa. Cada alumno deberá utilizar esquejes (rama que se corta para plantarla) de plantas distintas. Entre las plantas que crecen bien a partir de esquejes se incluyen la hiedra, los geranios y el rabo de tigre o *Sanseveiria trifasciata* (una agaveácea muy común para adornar el cuarto de baño), así como la planta araña o cinta (*Chlorophytum comosum*), que se cuelga en canastas.

Para presentar la investigación

1. Explique los nuevos términos científicos:

   propagación vegetativa: producción de una planta nueva a partir de una parte de la planta diferente de la semilla.

   esqueje: rama que se corta a una planta y que crece y forma una planta nueva. También le llaman rampollo.

   reproducción asexual: reproducción en la cual solamente hay un progenitor y la descendencia es idéntica a éste.

2. Explore los nuevos términos científicos:

   - Se considera que el crecimiento de una planta a partir de un esqueje es un tipo artificial de propagación vegetativa.
   - Ejemplos de propagación vegetativa natural son el crecimiento de una planta a partir de un *bulbo* (tallo corto subterráneo con hojas gruesas carnosas que contienen el alimento almacenado) o de un *tubérculo* (tallo subterráneo carnoso con brotes de los cuales se desarrollan plantas nuevas).
   - La propagación vegetativa artificial y natural requiere solamente una planta, y por ello constituye un ejemplo de reproducción asexual.
   - La propagación vegetativa se puede utilizar para hacer que las plantas crezcan más rápido, y a veces con más éxito que con las semillas.
   - Las plantas que crecen por medio de propagación vegetativa son exactamente iguales a la planta madre, por lo que se les podría llamar *clones*.

¡Qué interesante!

Las frutas sin semilla, como la naranja y las uvas, se reproducen mediante propagación vegetativa.

UN POQUITO MÁS

Pida a sus alumnos que investiguen la propagación vegetativa natural utilizando bulbos, como las cebollas, y tubérculos, como las papas. Unas y otras desarrollarán raíces al ponerlas en un recipiente con agua. Coloque el extremo con raíz de la cebolla justo debajo de la superficie del agua. La papa tendrá que ponerla de manera que la mitad quede dentro del agua. En caso necesario, ponga palillos en la cebolla o en la papa para sostenerlas en el recipiente.

Copia fiel

OBJETIVO

Hacer crecer una planta a partir de un esqueje.

Materiales

frasco de 500 ml (1 pinta) de capacidad
agua de la llave
tijeras
tallo de hiedra con hojas

Procedimiento

1. Llena el frasco con agua.
2. Con las tijeras, corta la punta del tallo de la planta.
3. Coloca el extremo cortado del tallo en el frasco con agua.
4. Observa el extremo cortado del tallo durante 2 semanas o más.

Resultados

Comienzan a crecer pequeñas raíces en el tallo.

¿Por qué?

Muchas plantas, como la hiedra de esta investigación, forman raíces con facilidad a partir de un **esqueje** (rama cortada a una planta para que crezca una planta nueva). Con las raíces nuevas, el tallo se puede desarrollar hasta formar una planta nueva. Este tipo de reproducción de una planta nueva se llama **reproducción vegetativa** (la producción de una planta nueva a partir de una parte de la planta diferente de la semilla). La reproducción vegetativa es un ejemplo de **reproducción asexual,** reproducción en la cual solamente hay un progenitor y la descendencia es idéntica a éste.

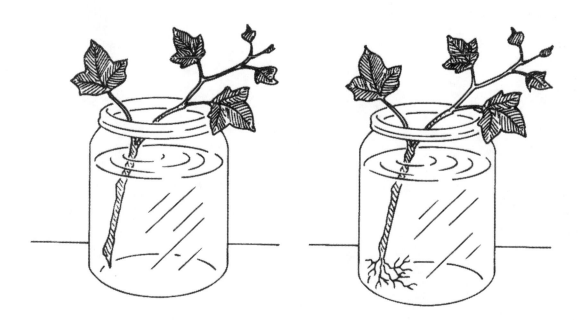

C

Comportamiento

El *comportamiento* es una característica fundamental de la vida animal. La *etología* es el estudio biológico del comportamiento animal. Todo comportamiento es una reacción observable frente a un *estímulo*, simple o complejo. La respuesta al estímulo puede ser *innata*, esto es, no susceptible al cambio y predecible, o *aprendida*, esto es, modificada. La mayor parte del comportamiento no se considera estrictamente innato o aprendido, sino una combinación de ambos. En esta sección, los alumnos investigarán estos dos tipos de comportamiento.

A mayor desarrollo del sistema nervioso de un organismo, mayor variedad en el comportamiento. Los organismos que no tienen sistema nervioso, como las plantas, tienen un comportamiento limitado. La respuesta de las plantas no proviene de mensajes nerviosos, sino que es originada por cambios físicos, como cambios en el tamaño de la célula. Asimismo, los alumnos investigarán diferentes tipos de comportamiento en las plantas.

Snif, snif

Guías para evaluar el progreso

Al término del quinto grado, el alumno ya debe saber que:

- La memoria de experiencias pasadas influye en el comportamiento humano.

Al término del sexto grado y en primero de secundaria, el alumno ya debe saber que:

- Por lo general, tanto la herencia como la experiencia afectan el comportamiento.
- Los seres humanos pueden detectar una gama muy amplia de estímulos olfatorios (olor).

En esta investigación se espera que el estudiante:

- Identifique respuestas de los organismos a estímulos externos, como los olores.
- Distinga el comportamiento innato del comportamiento aprendido.

Para preparar la investigación

Prepare un conjunto de cuatro bolsas con olores diferentes para cada equipo o pareja de alumnos. Asegúrese de que cada uno de los equipos o parejas tenga una combinación de olores agradables y desagradables, etiquetando los conjuntos como "A", "B", "C", y así sucesivamente. Numere cada bolsa de cada conjunto del 1 al 4. Las sustancias aromáticas que se pueden utilizar son perfume, extracto de limón, extracto de menta, extracto de vainilla, alcohol para uso externo, vinagre o cualquier aceite aromático. Prepare cada bolsa vertiendo unas cuantas gotas de las muestras aromáticas en dos bolitas de algodón. Coloque éstas en una bolsa de plástico y séllela.

Para presentar la investigación

1. Explique los nuevos términos científicos:

   comportamiento: una respuesta (conducta) observable en un organismo.
   comportamiento aprendido: respuesta (conducta) adquirida a través de la experiencia de un organismo.
   comportamiento innato: respuesta (conducta) heredada; no aprendida.
   estímulo: algo que causa una respuesta en un organismo.
   respuesta: reacción de un organismo frente a un estímulo.

2. Explore los nuevos términos científicos:

   - Los *etólogos* son los científicos que estudian el comportamiento de los animales en su estado natural. Los etólogos han encontrado pruebas de que los sistemas nerviosos de muchos animales tienen partes diseñadas para detectar y responder a claves o estímulos simples en su *ambiente* (todo lo que se encuentra en el entorno).
   - El comportamiento innato es *congénito* (se trae desde el nacimiento y está controlado por los genes recibidos de los padres).
   - En el comportamiento innato a ciertos estímulos siempre se presenta la misma respuesta, y ésta se presenta desde la primera vez que aparece el estímulo. Por ejemplo, parpadear en respuesta a la resequedad del ojo ocurre cada vez que los ojos se secan y se presenta desde la primera vez que se secan.
   - Otros ejemplos de comportamiento innato son: el cambio del tamaño de la pupila en respuesta a la luz; la acción refleja de retirar rápidamente la mano de la estufa caliente; las lombrices de tierra responden a la luz moviéndose hacia la oscuridad; y la dionea, la planta carnívora, se cierra en respuesta al tacto.
   - El *instinto* es un comportamiento innato, que no se limita a una sola respuesta sino a una secuencia ordenada de respuestas, como en el caso de la araña que teje su telaraña. Existen muchos pasos ordenados para llevar a cabo este proceso que la araña no aprendió por observación ni por ensayo y error. Una araña teje su telaraña desde la primera vez que lo intenta, por lo tanto se trata de un comportamiento *congénito*, lo cual significa que lo heredó de sus padres. Además cada especie teje un tipo específico de telaraña.
   - El comportamiento aprendido es una respuesta que ha cambiado debido a la experiencia. Un perro se sienta en respuesta a una orden. El perro lo aprende después de muchas órdenes y muchos errores.
   - Los seres humanos pueden detectar muchos estímulos olfativos (olores) que son innatos.
   - Voltear la cabeza hacia el lado contrario de un olor irritante es instintivo, y la *salivación* (secreción de saliva dentro de la boca) después de oler su comida favorita es aprendido. Sin embargo, cada uno de estos comportamientos depende de la capacidad innata para oler y de otras capacidades físicas de movimiento.

¡Qué interesante!

Algunos ingredientes de los perfumes tienen un olor desagradable por sí solos. Por ejemplo el civeto, una sustancia proveniente de las glándulas olorosas anales de un mamífero de la familia de los gatos, huele sumamente mal por sí solo, pero es un ingrediente vital de muchos perfumes caros.

UN POQUITO MÁS

Pida a sus alumnos que describan qué sucede cuando piensan en comer un pepinillo agrio o un limón. Si alguna vez han comido un pepinillo agrio o un limón, notarán que con sólo pensar en estos productos su boca comienza a producir saliva. Se trata de un comportamiento aprendido, pero la capacidad para producir saliva es innata. Si se les pide que piensen en comer algo que no conocen, no habrá una respuesta igual.

33

Snif, snif

OBJETIVO

Determinar el comportamiento de la persona en respuesta a los olores.

Materiales

4 bolsas para prueba de olores
gotero
8 bolitas de algodón

Procedimiento

1. Abre la bolsa número 1 y sostenla frente a tu cara, sin que esté directamente debajo de tu nariz.
2. Con tu mano libre, abanica el aire que está sobre la bolsa hacia tu nariz.
3. Pide a un ayudante que describa tu respuesta frente al olor; por ejemplo, voltear la cabeza para alejarla del olor desagradable o sonreír si el olor es agradable. Registra tu comportamiento en la tabla "Datos de respuesta".
4. Repite los pasos del 1 al 3 con las otras tres bolsas.

Resultados

La respuesta a los olores varía con cada individuo, pero todas las personas tienden a responder de manera negativa frente a los olores desagradables que irritan la nariz.

¿Por qué?

Un **estímulo** es algo que provoca una reacción en un organismo, y una **respuesta** es todo aquello que un organismo hace en reacción a un estímulo. En esta investigación, los estímulos son las diferentes sustancias aromáticas. Existen células

especiales en tu nariz que responden al olor de cada bolsa enviando mensajes a tu cerebro. Es una respuesta, pero no es un comportamiento. Un **comportamiento** es una respuesta que se puede observar. Las expresiones faciales, como arrugar la nariz o abrir más los ojos, o cualquier otro movimiento corporal, como voltear la cabeza para alejarse en reacción a un olor, son ejemplos del comportamiento.

La reacción a los olores es una combinación de **comportamiento innato** (respuestas heredadas) y **comportamiento aprendido** (respuestas adquiridas a través de la experiencia). Si el olor irrita la nariz, la respuesta innata de cualquier persona consiste en mover la cabeza para alejarse del estímulo desagradable. La respuesta positiva o negativa a los olores también puede ser un comportamiento aprendido. El olor de alimentos que son usuales para una cultura puede resultar desagradable para aquellos que no están acostumbrados a él. Por ejemplo, el aroma de un tazón de grasa de ballena fermentada puede abrirle el apetito a los inuits (miembros de una tribu nativa de Alaska), ¡pero a los mexicanos no se les hará agua la boca!

DATOS DE RESPUESTA	
Bolsa para oler	**Comportamiento**
1.	
2.	
3.	
4.	

Siempre fresca

Guías para evaluar el progreso

Al término del quinto grado, el alumno ya debe saber que:

- Los organismos se adaptan al calor y al frío para sobrevivir.

Al término del sexto grado y en primero de secundaria, el alumno ya debe saber que:

- Algunos animales limitan su comportamiento a lo determinado por la herencia, mientras que otros tienen cerebros más complejos que les permiten aprender muchos comportamientos.

En esta investigación se espera que el alumno:

- Identifique un comportamiento que permite sobrevivir a los animales de sangre fría.
- Identifique la diferencia entre animales de sangre fría y animales de sangre caliente.
- Identifique la respuesta de un organismo frente a los estímulos externos, como el calor.
- Describa cómo los organismos mantienen condiciones internas estables aun cuando viven en un entorno cambiante.

Para preparar la investigación

Con anticipación, prepare tarjetas para ficha bibliográfica dobladas a la mitad a lo largo. A continuación, haga dos cortes en cada tarjeta como se muestra en la figura correspondiente en la página opuesta. Los cortes deben tener el largo suficiente para deslizar por ahí el termómetro. Se recomienda tener los termómetros de los alumnos en estuches de plástico para evitar que se rompan.

Para presentar la investigación

1. Explique los nuevos términos científicos:

    animal de sangre fría: animal cuya temperatura corporal interna cambia con la temperatura del exterior.

2. Explore los nuevos términos científicos:

    - *Ectotérmico* es otro término para designar a los animales de sangre fría.
    - Algunos ejemplos de animales de sangre fría son: los anfibios, como sapos, ranas y salamandras; los reptiles, incluyendo serpientes, lagartos, tortugas y cocodrilos; y los peces.

- La temperatura es uno de los factores ambientales que más afectan a los organismos de sangre fría. Estos organismos dependen principalmente de una fuente de calor externa y controlan su temperatura por medio de varios comportamientos innatos, como quedarse directamente bajo el sol si están fríos o moverse hasta estar lejos de los rayos solares si están calientes. El comportamiento aprendido se daría cuando el organismo busca rocas calientes para estar junto a ellas o áreas soleadas cuando están fríos, o zonas sombreadas o lugares más fríos cuando están calientes.
- Los animales que generan calor para conservar una temperatura corporal interna constante se denominan de *sangre caliente.*
- *Endotérmicos* es otro término para los animales de sangre caliente.
- Algunos ejemplos de animales de sangre caliente son: mamíferos, incluyendo al ser humano, perro, gato, oso polar y ballenas; las aves, incluyendo al pingüino, cardenal, halcón, águila y buitre.

¡Qué interesante!

En el desierto, el camello suda tanto para enfriarse que, cuando tiene oportunidad, puede tomar hasta 187 litros (50 galones) de agua de un gran bebedero. El camello no almacena esta agua en las gibas; ahí almacena grasa.

UN POQUITO MÁS

Para enfriar su cuerpo, el ser humano suda y el perro jadea. Este comportamiento innato se presenta en respuesta a un factor ambiental, la temperatura. Sudar o jadear enfría el cuerpo porque para que el agua se evapore de la piel, ésta debe captar energía. Parte de esta energía es calor que el agua toma de la piel. Para investigar el efecto de enfriamiento que la evaporación ejerce en la piel, los estudiantes pueden frotar agua en el reverso de la palma de la mano y soplar sobre el área mojada. Hágales notar que su aliento está a la temperatura corporal y, por lo tanto, no contribuye al enfriamiento, pero ayuda a la evaporación de agua y a alejar el vapor de agua caliente sobre la piel.

34

Siempre fresca

OBJETIVO

Determinar la manera en que el comportamiento de una lagartija puede cambiar su temperatura corporal.

Materiales

tarjeta para ficha bibliográfica sin rayas y con
    dos cortes
lápiz
termómetro
reloj

Procedimiento

1. Dobla la tarjeta a la mitad a lo largo.
2. Dibuja una lagartija en el lado sin ranuras de la tarjeta doblada.
3. Inserta el termómetro por los cortes de la tarjeta, como se ilustra.
4. Lleva la tarjeta al exterior y colócala en un lugar de modo que el termómetro quede expuesto a la luz directa del sol.
5. Después de tres minutos, lee el termómetro y registra la temperatura en el renglón 1 de la tabla "Datos de temperatura".
6. Lleva la tarjeta ahora a un área sombreada, también en el exterior, durante 3 minutos. Nuevamente y lee y registra la temperatura.

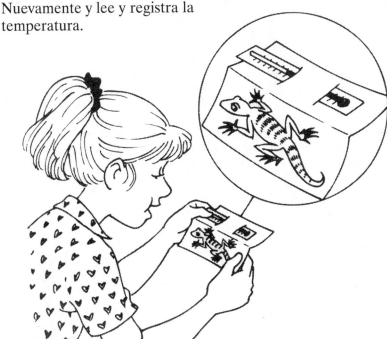

DATOS DE TEMPERATURA	
Ubicación de la lagartija	Temperatura de la lagartija
en el sol	
en la sombra	

Resultados

La temperatura es menor en la sombra que en el sol.

¿Por qué?

Los **animales de sangre fría** son aquellos cuya temperatura corporal interna cambia con la temperatura del exterior. El comportamiento de las lagartijas y otros animales de sangre fría afecta su temperatura corporal. Exponerse a la luz solar y a la sombra calienta y enfría sus cuerpos respectivamente. La lectura más alta del termómetro, que se obtuvo cuando éste se encontraba expuesto a la luz del sol, indica que la piel de la lagartija recibe más calor cuando el animal está en un área soleada. La sangre que corre por los vasos sanguíneos que están debajo de su piel, se calienta y circula por el cuerpo del animal elevando su temperatura. La lagartija se mueve en respuesta a la luz del sol (estímulo) cuando se calienta y se detiene cuando se quita el estímulo (área de sombra).

Éste es un comportamiento innato y es una respuesta de supervivencia que trae desde su nacimiento. Los organismos que son capaces de aprender, aprenden a distinguir entre la luz del sol y la sombra, buscando áreas sombreadas cuando están calientes.

¡Atínale!

Guías para evaluar el progreso

Al término del quinto grado, el alumno ya debe saber que:

- El cerebro recibe señales de todas partes del cuerpo, que le indican lo que está sucediendo en ellas.
- A su vez, el cerebro envía señales a todas las partes del cuerpo para influir en lo que éstas hacen.

Al término del sexto grado y en primero de secundaria, el alumno ya debe saber que:

- El nivel de habilidad que una persona puede alcanzar en cualquier actividad específica depende de sus capacidades innatas y de la práctica.

En esta investigación se espera que el alumno:

- Identifique una respuesta de los organismos frente a un estímulo externo.
- Comprenda el proceso que ocurre durante el tiempo de la reacción.
- Identifique el comportamiento innato y el comportamiento aprendido.

Para presentar la investigación

1. Explique los nuevos términos científicos:

   cerebelo: parte del encéfalo que controla la actividad muscular.

   cerebro: la parte más grande del encéfalo que controla los pensamientos.

   coordinación mano-ojo: habilidad de la persona para mover su mano en respuesta a lo que ven sus ojos.

   tiempo de reacción: tiempo que un organismo requiere para responder a un estímulo.

2. Explore los nuevos términos científicos:

   - El tiempo de reacción no depende de lo listo que sea el individuo.
   - La capacidad física necesaria para la coordinación mano-ojo es innata; por lo tanto, en esta investigación la respuesta física para atrapar una bola de algodón es un comportamiento innato. Debido a que atrapar bolas de algodón que caen por un tubo no es algo que se realice de manera natural y requiere instrucciones, la respuesta a la caída de las bolas de algodón es un

comportamiento aprendido que se puede mejorar con la práctica.
   - Hacer algo una y otra vez es un tipo de aprendizaje denominado de ensayo y error, y es la forma más simple de aprendizaje. Por lo general el acto mejora con la práctica.
   - El tiempo de reacción puede mejorar con la práctica.
   - En la coordinación mano-ojo, los nervios del ojo inician la siguiente secuencia de mensajes:

   a. El mensaje viaja desde el ojo hacia el cerebro.
   b. El cerebro interpreta el mensaje y envía un mensaje al cerebelo.
   c. El cerebelo interpreta el mensaje y envía un mensaje a todos los músculos necesarios para responder.
   d. Los músculos responden.

¡Qué interesante!

El aprendizaje ocurre cuando se crean caminos entre las neuronas (células nerviosas presentes en todo el cuerpo). Con la práctica, los mensajes toman "atajos" por el laberinto de neuronas y se desarrolla un nuevo camino más rápido.

UN POQUITO MÁS

1. Pida a sus alumnos que formen parejas para elaborar una lista de ejemplos de cómo el tiempo de reacción puede afectar la supervivencia de algunos animales (por ejemplo la respuesta de correr que requiere un venado cuando ve a un depredador). Comenten las listas y combinen las ideas en una sola lista.
2. Pida a sus alumnos que formulen ejemplos de cómo el tiempo de reacción ayuda a los atletas en diferentes deportes. Por ejemplo, para que los jugadores de beisbol puedan atrapar una pelota en vuelo tienen que correr en la dirección correcta, mover sus manos en la dirección correcta y cerrar sus manos alrededor de la bola justo en el tiempo correcto.

¡Atínale!

OBJETIVO

Determinar cómo la práctica mejora el tiempo de reacción.

Materiales

tubo de cartón (por ejemplo un tubo vacío de
    toallas de papel)
regla
bolas de algodón
lápiz

Procedimiento

1. Sostén un extremo del tubo de cartón aproximadamente 10 cm (4 pulgadas) por arriba de una mesa.
2. Sostén la bola de algodón en la parte superior del tubo.
3. Deja caer la bola de algodón dentro del tubo.
4. Tu ayudante deberá vigilar la parte inferior del tubo para golpear la bola de algodón con la regla cuando salga.
5. Repite los pasos del 1 al 4 nueve veces, registrando en la tabla "Datos del tiempo de reacción" si logras pegarle a la bola de algodón en cada intento.
6. Cambia de lugar con tu ayudante y repitan los pasos 1 al 4.

Resultados

El número de veces que se le pega a la bola varía de acuerdo con cada individuo, pero normalmente aumenta con la práctica.

¿Por qué?

El **tiempo de reacción** es el tiempo que requiere un organismo para responder a un estímulo. Cuando ves la bola de algodón (el estímulo) salir del tubo, tus ojos envían un mensaje a la parte del encéfalo llamada **cerebro** (la parte más grande del encéfalo que controla los pensamientos). Al igual que una computadora, el encéfalo de una persona capta esta entrada de información y en fracción de segundos envía un mensaje al **cerebelo** (la parte del encéfalo que controla la acción muscular). El cerebelo envía un mensaje indicando a los músculos de la mano que se muevan. A menudo el aprendizaje tiene lugar cuando ocurren varios estímulos o acciones al mismo tiempo. A mayor frecuencia de esta combinación, más rápida es la respuesta, de manera que, con la práctica, tu tiempo de reacción mejoró y, por lo tanto, pudiste pegarle a la bola de algodón. La habilidad para mover la mano en respuesta a lo que ven los ojos se llama **coordinación mano-ojo**.

DATOS DEL TIEMPO DE RESPUESTA										
	Pruebas									
Nombre	1	2	3	4	5	6	7	8	9	10

¡Qué flojera caminar!

Guías para evaluar el progreso

Al término del quinto grado, el alumno ya debe saber que:

- A diferencia del comportamiento del ser humano, el comportamiento de algunas otras especies, como las arañas, está determinado genéticamente casi en su totalidad.

Al término del sexto grado y en primero de secundaria, el alumno ya debe saber que:

- Algunas especies de animales están limitadas a cierto rango de comportamientos determinados genéticamente.

En esta investigación se espera que el alumno:

- Identifique un comportamiento innato.
- Elabore un modelo del comportamiento innato de las arañas que consiste en dejarse arrastrar por el aire como un globo.

Para preparar la investigación

Puede usar otro tipo de etiquetas, sin embargo las etiquetas de 2 cm (³/₄ de pulgada), redondas y de colores, funcionan bien para esta investigación. Si lo desea, puede utilizar colores diferentes para cada equipo.

Para presentar la investigación

1. Explique los nuevos términos científicos:

   cría de araña: araña recién salida del huevecillo.
   flotación: técnica que las crías de araña usan para desplazarse a diferentes lugares.

2. Explore los nuevos términos científicos:

   - Flotar en el aire como un globo es un comportamiento innato, lo que significa que las arañas heredan el instinto para hacerlo.
   - La mayoría de las crías de araña flotan en el aire.

¡Qué interesante!

- Las arañas tienen unos vellos muy finos en las patas que les sirven para detectar las corrientes de aire.
- Cuando una araña trepa por su hilo de rastreo ayudándose con sus patas, forma una pelota con el hilo de seda y generalmente traga el ovillo de seda cuando llega a la superficie. Digiere la seda.

UN POQUITO MÁS

Las arañas tienen un cable de seguridad llamado *hilo de rastreo*. Ellas fabrican este cable uniendo un hilo de seda a los materiales sobre los cuales caminan. La fabricación de este hilo de rastreo es ejemplo de un comportamiento innato. Los estudiantes pueden hacer una demostración del hilo de rastreo haciendo un modelo de araña de papel o de otro material y uniendo un extremo de un hilo a la araña y el otro extremo a la mesa. Luego, la araña se hace caer de la mesa para demostrar que el hilo la sostiene.

OBJETIVO

Elaborar un modelo que demuestre cómo las crías de araña flotan en el aire.

Materiales

tijeras
regla
hilo para coser
seis etiquetas redondas de 2 cm ($^3/_4$ de
   pulgada) para clasificar, de cualquier color

Procedimiento

1. Corta tres tramos de hilo, cada uno de aproximadamente 15 cm (6 pulgadas) de largo.
2. Adhiere uno de los extremos de cada hilo al lado con pegamento de una de las etiquetas.
3. Dobla la etiqueta, uniendo los lados con pegamento.
4. Repite los pasos 1 al 3 con las etiquetas restantes. Éstas son tus seis crías de araña.
5. Coloca las crías de araña juntas sobre una mesa.
6. Inclínate hacia la mesa de manera que tu boca quede cerca, pero sin tocar a las crías de araña. Después sopla lo más fuerte que puedas. Observa el movimiento de las arañitas.

Resultados

El aliento mueve a las crías de araña hacia otra área. Algunas se desplazan más que otras.

¿Por qué?

Las arañas ponen sus huevos en un saco. Algunas **crías de araña** (arañas jóvenes) se alejan unas de otras trepando a las ramas, y otras hacia superficies en el exterior, en donde secretan hilos de seda de su cuerpo. El viento levanta estos hilos y las crías de araña unidas a ellos, llevándoselas a otras áreas. Este comportamiento denominado **flotación** es innato en la mayoría de las arañas. En esta actividad, las etiquetas y los hilos representan a las arañitas unidas a sus hilos de seda. Al igual que con las arañitas reales, el viento mueve con facilidad los modelos de arañita.

Sí me muevo

Guías para evaluar el progreso

Al término del quinto grado, el alumno ya debe saber que:

- Las plantas pueden crecer más en una dirección que en otra.

Al término del sexto grado y en primero de secundaria, el alumno ya debe saber que:

- Las hormonas de las plantas son sustancias químicas que controlan su crecimiento.

En esta investigación se espera que el alumno:

- Identifique el tropismo, un comportamiento de la planta.

Para preparar la investigación

Para trabajar, basta con dos colores de papel de su elección.

Para presentar la investigación

1. Explique los nuevos términos científicos:

   auxina: hormona de la planta que origina cambios en el crecimiento de las células.
   hormonas de la planta: sustancias químicas de la planta que controlan el crecimiento celular.
   tropismo: movimiento de inclinación de una planta en respuesta a estímulos como la luz, el calor, el agua o la gravedad.

2. Explore los nuevos términos científicos:

   - Todo comportamiento de las plantas es innato.
   - La mayoría de las plantas son estacionarias, pero esto no quiere decir que no tengan movimiento.
   - El tropismo se considera un comportamiento.
   - El tropismo ocurre debido a que una parte de la planta crece más rápido que otra.
   - La presencia de auxina ocasiona que algunas células crezcan más, como las de los tallos, pero inhibe el crecimiento de las células de la raíz.

¡Qué interesante!

- Algunas plantas se mueven debido a un aumento en la presión del agua dentro de sus células. A esta presión se le denomina *presión de turgencia*, y al movimiento se le denomina *respuesta nástica*. La campanilla o dondiego de día se abre debido a una respuesta nástica.

UN POQUITO MÁS

1. El comportamiento de la planta le ayuda a ésta a sobrevivir. Pida a sus alumnos que investiguen los principales tipos de tropismo, fototropismo, geotropismo, tigmotropismo e hidrotropismo. Pueden preparar un cuadro que muestre los tipos de tropismo, el estímulo, y un ejemplo de la respuesta de la planta.

TROPISMO		
Tipo de tropismo	**Estímulo**	**Ejemplo de respuesta**
Fototropismo	luz	El tallo se inclina hacia la luz para permitir que las hojas la reciban.
Geotropismo	gravedad	Las raíces crecen hacia abajo y el tallo hacia arriba.
Tigmotropismo	tacto	Las enredaderas crecen alrededor de la superficie de las cosas (por ejemplo palos), lo que les permite que reciban más luz.
Hidrotropismo	agua	Las raíces crecen hacia el agua.

2. El movimiento de las plantas ocasionado por el tropismo es tan lento que no se puede ver. Sin embargo, algunas plantas, como la diónea (planta carnívora atrapamoscas) y la mimosa se mueven con la rapidez suficiente como para permitir ver tal movimiento. Pida a sus alumnos que investiguen el movimiento de estas plantas para determinar por qué se mueven. (Las respuestas de estas plantas se deben a cambios en la presión del agua. En la mimosa, algunas partes de las hojas contienen células sensibles que pierden agua cuando se les toca. La turgencia de las hojas disminuye y las hojas se doblan muy rápido. Un cambio similar ocurre con la dionea, ya que las células sensibles pierden agua cuando se les toca, ocasionando que la hoja se cierre con rapidez.)

Sí me muevo

OBJETIVO

Determinar la manera en que se inclinan las plantas en respuesta a un estímulo.

Materiales

tijeras
regla
2 tiras de cartulina, de 5 x 35 cm (2 x 14 pulgadas), una blanca y una verde
cinta adhesiva transparente

Procedimiento

1. Recorta 5 mm ($^1/_4$ de pulgada) de un extremo de la tira de cartulina blanca.
2. Coloca la tira verde encima de la blanca y pega las puntas de las tiras de manera que formen un bucle o circuito liso, tal como se muestra.

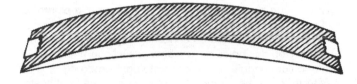

3. Sujeta las puntas de las tiras, una con cada mano, dejando arriba la verde. Observa qué tan cerca están las superficies de las tiras.
4. Dobla la tira blanca hacia el lado más largo de la verde. Observa qué tan cerca están ahora las superficies de las tiras
5. Trata de doblar la tira verde en dirección a la blanca, que es más corta.

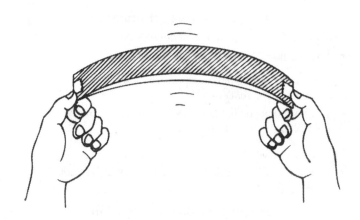

Resultados

Las tiras se doblan con más facilidad y están más cerca cuando la blanca, que es más corta, se dobla hacia la verde, que es más larga.

¿Por qué?

La longitud de las células de las plantas aumenta en respuesta a sustancias químicas llamadas **hormonas de la planta**, una de ellas es la **auxina**. En respuesta a diferentes estímulos, como la luz, el calor, el agua y la gravedad, la auxina ocasiona cambios en el crecimiento de las células. En los tallos, la presencia de auxina hace que las células se hagan más largas, por lo que cuando hay un refuerzo de auxina en un lado del tallo, las células de ese lado (tira verde) crecen más en longitud que las del otro lado (tira blanca). Cuando esto sucede, al igual que con las tiras de papel, el lado más largo del tallo se inclina hacia el lado más corto. Este movimiento de inclinación de una planta en respuesta a un estímulo es un comportamiento de la planta llamado **tropismo**.

Buscadoras de luz

Guías para evaluar el progreso

Al término del quinto grado, el alumno ya debe saber que:
- Las plantas crecen en dirección a la luz.

Al término del sexto grado y en primero de secundaria, el alumno ya debe saber que:
- Las hormonas de la planta son sustancias químicas que controlan su crecimiento.

En esta investigación se espera que el alumno:
- Identifique el comportamiento de las plantas llamado fototropismo.

Para preparar la investigación

Se necesitarán algunas macetas pequeñas con plantas para el experimento. Usted puede proporcionarlas o pedir a sus alumnos que traigan sus propias plantas. Si se usan diferentes clases de plantas, los alumnos podrán comparar los diferentes comportamientos. Otra alternativa consiste en que lleven a cabo el experimento en su casa de manera individual.

Para presentar la investigación

1. Explique los nuevos términos científicos:

   fototropismo: crecimiento o movimiento de una planta en respuesta a la luz.
   fototropismo positivo: crecimiento o movimiento de una planta hacia la luz.

2. Explore los nuevos términos científicos:

   - Entre los estímulos que afectan el crecimiento de las plantas están la luz, el calor, la gravedad y el agua.
   - Las plantas se inclinan hacia un estímulo cuando las células del lado del tallo opuesto al estímulo crecen más. Este movimiento se llama *tropismo positivo*.
   - El movimiento por medio del cual la planta se aleja de un estímulo se llama *tropismo negativo*.
   - El movimiento de una planta hacia la luz se llama *fototropismo positivo*.

¡Qué interesante!

- *Tigmotropismo* es el crecimiento o movimiento de una planta estimulado por el contacto con otro objeto, como en el caso de las enredaderas y otras plantas trepadoras o que cuelgan de objetos. La mayoría de las trepadoras son de tallos y ramas débiles que no pueden soportar su propio peso.

UN POQUITO MÁS

Se puede diseñar un proyecto con el siguiente problema: "si una planta está cerca de una ventana, hacia la que se inclinan la mayoría de sus hojas, ¿qué podrías hacer para que las hojas se proyecten hacia arriba?" Primero, pida a sus alumnos que formulen hipótesis basadas en hechos conocidos. En conjunto, seleccionen una de las hipótesis y diseñen un experimento para someterla a prueba. Por ejemplo, una hipótesis podría ser: "las hojas de la planta se voltearán hacia arriba si la movemos 180° con respecto a la ventana. Esto se basa en el hecho de que según la investigación, las hojas de la planta se inclinan hacia la ventana iluminada". Un experimento para probar la hipótesis consistiría en mover la planta para que la etiqueta de su recipiente quedase hacia la ventana, por lo que el recipiente se habría movido 180°. Repita, en esta nueva posición, la investigación original.

Enseña la ciencia de forma divertida

Buscadoras de luz

OBJETIVO

Determinar cómo responden las plantas a la luz.

Materiales

cinta adhesiva (masking tape)
marcador
planta para interiores en maceta
    pequeña

Procedimiento

1. Con la cinta y el marcador, etiqueta con tu nombre uno de los lados de la maceta.
2. Coloca la maceta cerca de una ventana que reciba luz solar por lo menos durante parte del día. Hazlo de manera que la etiqueta quede en el lado opuesto a la ventana.
3. Registra la fecha en la columna "Día de inicio" de la tabla "Datos de la planta".
4. Observa en qué dirección crecen los tallos y las hojas. Haz un dibujo de la planta en el renglón 1 de la columna "Día de inicio" de la tabla. Incluye la ventana en el dibujo.
5. Observa la planta todos los días. Cuando la mayor parte de las hojas se haya inclinado hacia la ventana iluminada, registra la fecha en la columna "Último día" de la tabla.
6. Repite el paso 2 y elabora el dibujo correspondiente en la columna "Último día" de la tabla.
7. Determina el número de días que la mayoría de las hojas tardó en volverse hacia la luz.

Resultados

Las hojas de la planta se mueven hacia la ventana donde hay luz. El número de días varía según el tipo de planta y su cantidad de hojas. La planta de la autora tardó 5 días.

¿Por qué?

El crecimiento o movimiento de una planta en respuesta a la luz se llama **fototropismo**. El comportamiento de la planta en esta investigación es un ejemplo de **fototropismo positivo**, que es el crecimiento o movimiento hacia la luz. Las células del lado de la planta alejado de la luz crecieron más haciendo que la planta se inclinara hacia el lado más corto que recibía la luz del sol.

DATOS DE LA PLANTA		
Posición de la etiqueta	**Día de inicio**_____	**Último día**_____
alejada de la ventana		

¿En qué dirección?

Guías para evaluar el progreso

Al término del quinto grado, el alumno ya debe saber que:

- Todo lo que está sobre la Tierra o cerca de ella, es atraído por la gravedad de ésta.

Al término del sexto grado y en primero de secundaria, el alumno ya debe saber que:

- Las hormonas de la planta son sustancias químicas que controlan su crecimiento.

En esta investigación se espera que el alumno:

- Identifique el comportamiento de la planta llamado gravitropismo.

Para preparar la investigación

Remoje en agua cuatro frijoles pintos por alumno. Guarde los frijoles en el refrigerador para que no se pudran.

Para presentar la investigación

1. Explique los nuevos términos científicos:

   geotropismo: véase gravitropismo.
   germinación: proceso por el cual comienza a crecer una semilla.
   gravitropismo: crecimiento o movimiento de una planta en respuesta a la gravedad de la Tierra. También se le denomina **geotropismo**.
   gravitropismo negativo: crecimiento o movimiento de una planta hacia arriba en dirección opuesta a la fuerza de gravedad.
   gravitropismo positivo: crecimiento o movimiento de una planta hacia abajo, en dirección de la fuerza de gravedad.

2. Explore los nuevos términos científicos:

   - Durante la germinación, las raíces crecen hacia abajo y los tallos hacia arriba.
   - Las partes de la planta que crecen hacia arriba en dirección opuesta a la fuerza de gravedad muestran un gravitropismo negativo.
   - Las partes de la planta que crecen hacia abajo, en la dirección de la fuerza de gravedad, muestran un gravitropismo positivo.

- Las células de las plantas responden de manera diferente a la auxina. Esta hormona hace que las células de los tallos crezcan con más rapidez y las de las raíces crezcan más despacio.

¡Qué interesante!

El árbol del baniano (higuera de Bengala) que crece en la India es suficientemente grande como para dar sombra a 20 mil o más personas bajo sus ramas. Desde sus ramas crecen unas raíces hacia abajo que penetran en el suelo formando los "pilares" que sostienen el árbol. Gracias al soporte de sus raíces, éste es el árbol más grande del mundo.

UN POQUITO MÁS

1. Use el modelo de la investigación número 37, "Sí me muevo", para demostrar cómo el tallo y las raíces se doblan o inclinan hacia el lado que tiene células más pequeñas debido a su crecimiento desigual. Modele la inclinación de las células del tallo hacia arriba sujetando el modelo de manera que la tira blanca más corta quede hacia arriba. Modele la inclinación de las células de la raíz hacia abajo sujetando el modelo de manera que la tira más corta quede abajo.

2. Se puede usar una planta para interiores pequeña para demostrar el gravitropismo. Asiente la maceta de costado en una bandeja o charola para hornear. Use pedazos de plastilina para evitar que la maceta ruede. Puede voltear la maceta hacia arriba para regarla, pero vuelva a ponerla en su lugar lo más pronto posible. Observe la posición de los tallos durante una semana o más. Los tallos crecerán hacia arriba. Cuando esto ocurra, ponga la maceta hacia arriba y llénela de agua para mojar bien la tierra que hay en ella. Deje quieta la planta durante unos 5 minutos, después sáquela con cuidado de la maceta. Enjuague las raíces con agua. Observe en qué dirección crecen las raíces y compare con el crecimiento de los tallos.

¿En qué dirección?

OBJETIVO

Determinar si la dirección en que se plantan las semillas afecta su manera de responder a la gravedad.

Materiales

3 toallas de papel
vaso de plástico transparente de 300 ml
    (10 onzas) de capacidad
cinta adhesiva (masking tape)
lápiz
4 frijoles pintos que se hayan dejado
    remojando toda la noche
agua de la llave
hoja de cartulina tamaño carta

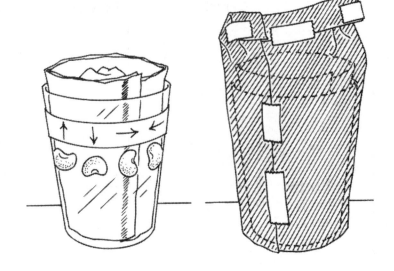

Procedimiento

1. Dobla a la mitad una toalla de papel y forra con ella la parte interna del vaso.
2. Arruga las otras dos toallas de papel y mételas en el vaso para mantener el forro contra los lados del mismo.
3. Coloca una tira de masking tape alrededor de la parte externa del vaso y con el lápiz marca la cinta con flechas que apunten arriba, abajo, izquierda y derecha.
4. Desliza los frijoles pintos entre el vaso y la toalla de papel doblada; uno debajo de cada flecha. Cerciórate de que el lado curvo del frijol apunte en la dirección que indica la flecha.
5. Humedece las toallas de papel con agua y mantenlas húmedas pero sin gotear, mientras dure el experimento.
6. Cubre el vaso con la hoja de cartulina, envolviéndolo y pegando con cinta las orillas de la hoja. Dobla hacia abajo la parte alta de la hoja y pega las orillas con cinta. Esta cubierta de papel evita que entre luz al vaso.
7. Levanta la tapa de papel y observa los frijoles todos los días o tan frecuentemente como te sea posible durante 7 días o más.
8. Para las observaciones de cada día, elabora un dibujo de cada frijol en la tabla "Datos del crecimiento de los frijoles".

Resultados

Independientemente de la manera en que se sembraron las semillas, las raíces crecieron hacia abajo y los tallos hacia arriba.

¿Por qué?

La **germinación** es el proceso por el cual comienza a crecer una semilla. Durante la germinación, la gravedad atrae la auxina hacia abajo para que se concentre en la parte más baja del embrión de la planta. Algunas células del embrión, como las que se desarrollan dentro del tallo, crecen más rápido con el aumento de la auxina. Otras células, como las que se desarrollan en las raíces, crecen más despacio con el aumento de auxina. El crecimiento o movimiento de una planta en respuesta a la gravedad se llama **gravitropismo** o **geotropismo**.

El crecimiento o movimiento de una planta hacia arriba en dirección opuesta a la fuerza de gravedad se llama **gravitropismo negativo**. El crecimiento de los tallos es ejemplo de gravitropismo negativo. El **gravitropismo positivo** es el crecimiento o movimiento hacia abajo de una planta en dirección de la fuerza de gravedad. Las raíces presentan gravitropismo positivo.

DATOS DE CRECIMIENTO DE LOS FRIJOLES

Fecha	Derecha →	Izquierda ←	Arriba ↑	Abajo ↓

Enseña la ciencia de forma divertida

D

Ecosistemas y poblaciones

La *ecología* es el estudio de los seres vivos y de la manera como interactúan entre ellos y con su *ambiente*, que es todo lo que los rodea. Las plantas y los animales viven juntos en grupos llamados *comunidades*. El tamaño de éstas puede variar, desde el grupo de organismos que viven en un árbol que se pudre en el bosque hasta todos los organismos que hay en el bosque. *Ecosistema* es una comunidad de organismos que interactúan con su ambiente o *hábitat*, el cual incluye otros organismos *bióticos* (vivos) y *abióticos* (que no tienen vida), como las rocas, el suelo, el agua, la luz solar y el aire. Son ejemplos de ecosistemas las lagunas, los litorales, las praderas y los campos.

Los ecosistemas más grandes en los que puede dividirse la Tierra son los *biomas*, cada una de las grandes regiones geográficas identificadas principalmente por las plantas que predominan en ellas. Los biomas son: tundra, bosque de coníferas (o taiga o bosque boreal), bosque deciduo (también conocido como bosque templado o bosque caducifolio), pastizal (o sabana), desierto, selva tropical, océano y depósitos de agua dulce. Los animales y las plantas se pueden utilizar para identificar un bioma. Por ejemplo, las ballenas sólo se encuentran en los océanos. Otras características que identifican a los biomas son su promedio de temperatura y humedad. Los diferentes biomas que investigarán los alumnos en esta sección son: tundra, bosques y desiertos.

En cada comunidad del mundo natural existe un equilibrio frágil en las *poblaciones* de plantas y animales (todos los organismos que están presentes en un hábitat específico o que pertenecen a la misma clase o especie). En esta sección los alumnos examinarán varias formas para conservar de manera natural un equilibrio en el número de miembros de una población.

Sin árboles

Guías para evaluar el progreso

Al término del quinto grado, el alumno ya debe saber que:

- Las plantas y los animales tienen características que les ayudan a vivir en diferentes ambientes.

Al término del sexto grado y en primero de secundaria, el alumno ya debe saber que:

- En cualquier ambiente, el crecimiento y la supervivencia las plantas depende de las condiciones físicas del mismo.

En esta investigación se espera que el alumno:

- Identifique una característica frente a la cual respondan los organismos en el bioma de la tundra.

Para preparar la investigación

Use espaguetis o palitos de aproximadamente 22.5 cm (9 pulgadas) de longitud. La pasta es más fácil de separar en mitades que los palitos pero puede romperse inesperadamente si no se maneja con cuidado, por lo que hay que tener piezas extra. La tarjeta de cartulina no sólo sirve para representar el permafrost (también llamado pergelisol o permagel), sino que también evita que la plastilina se pegue y manche la mesa.

Para presentar la investigación

1. Explique los nuevos términos científicos:

   ambiente: condiciones que rodean a los organismos e influyen en su vida: clima, terreno y alimentos.
   Ártico: región de la Tierra cercana al Polo Norte.
   bioma: ecosistema que cubre una región geográfica grande, donde viven plantas de un tipo debido a las condiciones del clima de la región.
   capa activa: capa delgada de tierra que está arriba del permafrost; se congela en invierno y se derrite en verano.
   comunidad: donde viven juntos plantas y animales.
   ecosistema: comunidad de organismos que interactúan con su ambiente.
   permafrost: capa congelada del subsuelo que se mantiene en esas condiciones durante dos años o más.
   tundra: bioma plano, sin árboles, cuya temperatura ambiente se mantiene por debajo del punto de congelación durante la mayor parte del año.
   tundra ártica: la tundra de la región del Ártico.

2. Explore los nuevos términos científicos:

   - La palabra *tundra* proviene del finlandés *tunturi*, que significa "tierra sin vegetación", aunque en general las tundras no están desprovistas de vegetación todo el año.
   - La mayoría de las plantas de la tundra crecen solamente algunos centímetros (pocas pulgadas) de altura y son *perennes* (plantas cuyas raíces o partes debajo de la tierra crecen durante 2 años o más).
   - Los biomas tienen un clima especial debido a su ubicación en la Tierra. La temperatura baja a medida que se avanza desde el ecuador (parte media de la Tierra) hacia los polos (extremos de la Tierra). El clima es mucho más cálido en el ecuador que en los polos. Lo mismo sucede cuando se pasa del nivel del mar (altitud baja) a la cima de una montaña (altitud elevada).

¡Qué interesante!

- En la tundra ártica, solamente de 45 a 60 cm (18 a 24 pulgadas) de la superficie del permafrost se descongela cada año. Más abajo, la tierra permanece congelada.
- Algunas plantas perennes de la tundra ártica viven durante décadas. Se encontró un rododendro (planta ornamental siempre verde) cuyos anillos indican una edad de 300 años.
- Los edificios en el Ártico se erigen sobre soportes de manera que el calor del edificio no funda el permafrost por debajo del edificio. Si el permafrost se derrite, la casa se hunde.

UN POQUITO MÁS

Las tundras se ubican en latitudes altas o en altitudes elevadas por toda la Tierra. Los alumnos podrán investigar la diferencia entre estos tipos de tundras. [A las *tundras de latitud alta* también se les denomina *tundras de tierras bajas* debido a que están en una *altitud* baja (altura por debajo del nivel del mar), o *tundras árticas* porque están en *latitudes* elevadas (líneas imaginarias que dividen la Tierra en secciones de polo a polo) de la región del Ártico. La tundra en la Antártida no está bien desarrollada y está principalmente cubierta con hielo. Las *tundras de altitud elevada* también se denominan *tundras alpinas*. Estas tundras no tienen por lo general permafrost.]

Sin árboles

OBJETIVO

Descubrir por qué no hay árboles en la tundra.

Materiales

tarjeta para ficha bibliográfica
bola de plastilina del tamaño de una uva
pieza de espagueti

Procedimiento

1. Coloca la tarjeta sobre una mesa.
2. Divide la plastilina en dos partes, una de ellas deberá tener el tamaño de un chícharo. Haz una bola con cada pieza de plastilina.
3. Extiende la bola de plastilina del tamaño de un chícharo sobre el centro de la tarjeta. Haz que la capa de plastilina quede casi del tamaño de una moneda de 20 centavos.
4. Pega la pelota más grande en uno de los extremos del espagueti. Sostén el extremo libre del espagueti en el centro de la plastilina que está sobre la tarjeta, empujando el espagueti tanto como sea posible dentro de la plastilina. Ten cuidado de no quebrar la pasta.
5. Suelta el espagueti y observa cualquier movimiento.
6. Repite los pasos 4 y 5 rompiendo el espagueti a la mitad.
7. Repite el paso 6 hasta que el espagueti esté lo suficientemente corto como para permanecer vertical en la plastilina.

Resultados

La pieza de espagueti se cayó al colocarla en posición vertical sobre la plastilina. Un trozo de espagueti que mide alrededor de 5 cm (2 pulgadas) o menos sí se queda en posición vertical.

¿Por qué?

Una **comunidad** es donde habitan personas y animales. Un **ecosistema** es una comunidad de organismos que interactúan entre sí y con su ambiente. El **ambiente** son las condiciones que rodean a los organismos y que influyen en su vida; estas condiciones son el clima, la tierra, el alimento y los seres inanimados. Un **bioma** es un ecosistema en un área geográfica grande que se caracteriza por las plantas que viven en él debido al clima de la región. El bioma de la **tundra** es frío, con plantas bajas, y carece de árboles. La tundra de la región del **Ártico** (cerca del Polo Norte) se llama **tundra ártica**. Una de las razones por las que no hay árboles en la región del Ártico es la presencia de **permafrost**, una capa congelada del subsuelo que permanece en ese estado durante dos años o más. El permafrost impide que los árboles desarrollen raíces profundas. Sin el debido anclaje, cualquier árbol que pudiera crecer caería debido al peso acumulado en su parte alta o a los vientos de la tundra.

En este experimento, la tarjeta de cartulina representa el permafrost y la capa delgada de plastilina representa la **capa activa** (capa delgada de suelo que está arriba del permafrost que se congela en invierno y se derrite en verano). La pieza larga de espagueti con la bola de plastilina representa un árbol, y la parte del espagueti enterrada en la plastilina representa la raíz del árbol. Como dicha raíz es poco profunda no puede sostener al árbol. Como no hay plantas altas en la tundra, las plantas bajas, representadas por las piezas chicas de espagueti, crecen durante la breve temporada de crecimiento.

Piñas

Guías para evaluar el progreso

Al término del quinto grado, el alumno ya debe saber que:

- Las plantas y los animales tienen características que los ayudan a vivir en diferentes ambientes.

Al término del sexto grado y en primero de secundaria, el alumno ya debe saber que:

- En cualquier ambiente, el crecimiento y la supervivencia de las plantas dependen de las condiciones físicas del mismo.

En esta investigación se espera que el alumno:

- Localice las semillas de las piñas.

Para preparar la investigación

El experimento funcionará mejor si se consiguen piñas (conos de pino) pequeñas con escamas bien desarrolladas y cerradas. Muchas de las piñas grandes y con escamas abiertas han perdido sus semillas. Revise las piñas con anticipación. Si son difíciles de torcer para abrirlas, suavícelas remojándolas en agua de 2 a 3 horas. Los alumnos más pequeños necesitarán ayuda aun con las piñas remojadas.

Para presentar la investigación

1. Explique los nuevos términos científicos:

   bosque: bioma que contiene una enorme cantidad de árboles que crecen juntos con diversas clases de plantas más pequeñas.

   bosque de coníferas: bosque formado principalmente por coníferas, que se encuentra debajo del límite de la vegetación arbórea.

   conífera: árbol o arbusto cuyas semillas se almacenan en conos y que generalmente tienen hojas en forma de agujas.

   cono: la estructura reproductiva de una conífera.

   cono de semillas: cono que contiene semillas.

   de hoja perenne: que tiene hojas que no se caen y permanecen verdes todo el año.

   límite de la vegetación arbórea: frontera entre un bosque y una tundra.

   tundra alpina: la tundra de una región que se encuentra arriba del límite de la vegetación arbórea a grandes altitudes.

2. Explore los nuevos términos científicos:

   - Los bosques de coníferas se ubican justo al sur de la tundra ártica o inmediatamente después del límite de la vegetación arbórea en una tundra alpina [región cuya altitud es de aproximadamente 3350 m (11 mil pies)].

   - *Bosque boreal* y *taiga* son otros nombres con los que se conoce al bosque de coníferas.

   - Entre las coníferas se incluyen: pinos, cedros, juníperos y secoyas.

   - La mayor parte de las coníferas son perennes (siempre verdes).

   - Las coníferas tienen dos clases de conos: 1) *conos de polen,* que contienen las células sexuales masculinas que se forman en grupos en la punta de las ramas, y 2) *conos de semillas*, que contienen células sexuales femeninas que forman un cono sencillo o un grupo de conos alejados de la punta de las ramas.

   - Generalmente los vientos primaverales transportan granos de polen provenientes de los conos de polen a los conos de semillas. Los granos de polen fecundan los óvulos en la base de las escamas del cono de semillas. Cada árbol es *bisexual*, lo que significa que contiene ambos tipos de conos, masculino y femenino.

   - Algunos conos de semillas pueden tardar dos años o más para desarrollarse en forma completa.

¡Qué interesante!

El pino erizo o bristlecone es el árbol más viejo del mundo. Algunos ejemplares aún vivos tienen más de 4 mil años.

UN POQUITO MÁS

El límite de la vegetación arbórea es la frontera entre un bosque y una tundra. Los alumnos pueden investigar la ubicación de diversos límites de la vegetación arbórea. El clima no es el único factor que determina dicho límite, pero en el hemisferio norte sigue de manera precisa una línea donde el promedio de la temperatura en verano es de 10°C (50°F). Esto es cerca del Círculo Ártico, a 66.5°N de latitud. Aunque no hay una altitud específica que marque el límite de la vegetación arbórea para todas las alturas, generalmente está alrededor de 3350 m (11 mil pies), pero puede ser a altitudes menores.

Piñas

OBJETIVO

Localizar las semillas de un cono de pino.

Materiales

varias hojas de papel periódico
una toallita vieja para lavar la cara
2 o 3 piñas de pino no maduras

Procedimiento

1. Extiende el papel periódico sobre una mesa.
2. Envuelve con la toallita los extremos de una de las piñas.
3. Sostén cada uno de los extremos cubiertos con una mano; tuerce la piña de un lado a otro varias veces para aflojar sus escamas.
4. Mientras sostienes la base de la piña con la toalla, con los dedos de tu otra mano saca varias de las escamas que estén cerca de la punta.
5. Busca dos semillas en el interior de cada escama, como se ve en la figura. Si no encuentras semillas, repite los pasos 2 al 4 con otras piñas.

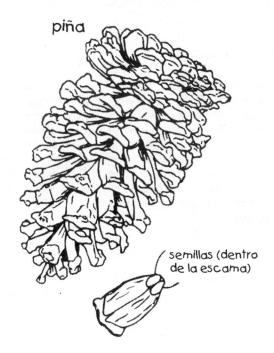

piña

semillas (dentro de la escama)

Resultados

Se encontraron dos semillas adheridas a un ala como de papel dentro de cada escama de la piña.

¿Por qué?

Un **bosque** es un bioma que contiene una gran cantidad de árboles que crecen cerca unos de otros junto con varias clases de plantas más pequeñas. Algunos árboles y arbustos de los bosques, llamados **coníferas**, almacenan sus semillas en estructuras reproductoras llamados **conos**; y generalmente sus hojas tienen forma de agujas. Los pinos son coníferas con hojas verdes en forma de aguja. Los pinos y otras coníferas se encuentran en diferentes áreas, pero los **bosques de coníferas**, que se encuentran justo al sur de la tundra ártica o justo debajo del **límite de la vegetación arbórea** (límite entre un bosque y una tundra) en una **tundra alpina**, están formados principalmente por coníferas. Normalmente un bosque de coníferas debe resistir veranos secos e inviernos muy fríos.

Las coníferas deben su nombre a que sus semillas están dentro de conos en vez de flores. La mayor parte de las coníferas son **perennes,** lo que significa que sus hojas no se caen y permanecen verdes todo el año. Una piña es un **cono de semillas** (cono que contiene semillas de pino). Los conos de las semillas pueden proteger a éstas no habiendo cambios de temperatura. Cuando las semillas se han desarrollado completamente, las escamas de los conos de pino se abren ligeramente y las semillas caen al suelo o se las lleva el viento.

Las estaciones del año

Guías para evaluar el progreso

Al término del quinto grado, el alumno ya debe saber que:

- Algunos acontecimientos naturales, como las estaciones del año, ocurren siguiendo un patrón que se repite.

Al término del sexto grado y en primero de secundaria, el alumno ya debe saber que:

- Las diferencias en el calentamiento de la superficie de la Tierra ocasionan las estaciones del año.

En esta investigación se espera que el alumno:

- Identifique las cuatro estaciones del año: primavera, verano, otoño e invierno.
- Identifique los cambios que ocurren en un árbol durante cada una de las cuatro estaciones del año.

Para preparar la investigación

Reúna suficientes tubos de cartón del papel sanitario de manera que tenga dos por cada alumno o equipo. Elabore con anticipación copias de los dibujos del árbol y de las hojas. Utilice papel blanco y grueso para hacer una copia de los tres diseños de árbol para cada alumno o equipo. Utilice papel verde, rojo, anaranjado y amarillo para hacer copias de los diseños de hojas en cada color. Si no es posible hacer salir a los chicos para tomar la impresión de un tronco de árbol frotando el papel con el crayón como se indica en el paso 1, utilice en su lugar una lija gruesa. Los muchachos pueden poner el papel encima de la lija para sacar la impresión.

Para presentar la investigación

1. Explique los nuevos términos científicos:

bosque caducifolio (bosque deciduo): véase bosque templado.

bosque templado: bosque que se encuentra en una zona templada; también se le llama bosque deciduo o bosque caducifolio.

caducifolio (deciduo): que tiene hojas que generalmente se caen, se marchitan, en otoño.

ecuador: línea imaginaria que rodea la Tierra en la latitud 0°, la divide en Hemisferio Norte y Hemisferio Sur.

estaciones del año: periodos regulares, recurrentes cada año, caracterizados por un tipo específico de condiciones meteorológicas.

latitud: distancia en grados norte o grados sur con respecto al ecuador.

zona templada: cualquiera de las dos regiones que se encuentran entre las latitudes 23.5° y 66.5° norte y sur con respecto al ecuador.

2. Explore los nuevos términos científicos:

- Los paralelos o líneas de latitud son líneas imaginarias que circundan la Tierra desde el ecuador hasta los polos. La altitud se mide en grados, correspondiéndole el 0 al ecuador y el 90 a cada uno de los polos.
- Los robles y los arces son dos tipos de árboles caducifolios.
- Los bosques templados experimentan generalmente las cuatro estaciones.
- Los árboles se dividen en tres tipos principales: *árboles de hoja ancha, coníferas* y *palmeras.*
- La mayoría de los árboles de hoja ancha son también de hoja caduca o caducifolios.
- Todos los árboles de hoja ancha tienen flores, en donde se producen las semillas para que crezcan árboles nuevos.

¡Qué interesante!

Lo que hace que los árboles de hoja caduca (caducifolios) pierdan sus hojas en otoño es la disminución de las horas con luz solar y no el clima frío.

UN POQUITO MÁS

1. Los alumnos pueden investigar la ubicación de las zonas templadas. Tal vez sea preferible que lo hagan sobre un mapa o globo terráqueo. (Hay dos zonas templadas, una entre el Trópico de Cáncer y el Círculo Ártico y la otra entre el Trópico de Capricornio y el Círculo Antártico.)

2. Asimismo, pueden hacer una investigación acerca de las estaciones y aprender más del nombre y fecha en que comienza cada una de ellas. (Los solsticios de verano e invierno y los equinoccios de otoño y primavera.)

Las estaciones del año

OBJETIVO

Demostrar los cambios en un árbol de hoja caduca durante las cuatro estaciones del año.

Materiales

hoja tamaño carta
crayón café
regla
lápiz
tijeras
2 tubos de cartón
cinta adhesiva transparente
copia de los diseños de árbol
4 copias del diseño de las hojas de árbol, en
    papel de colores: 1 verde, 1 rojo,
    1 anaranjado y 1 amarillo
pegamento escolar
tira de papel de China de 5 x 50 cm (2 x 20
    pulgadas)

Procedimiento

1. Coloca la hoja tamaño carta contra la corteza de un árbol y pasa el crayón café de un lado a otro a través de toda la hoja para copiar el diseño de la corteza.

2. Dobla a la mitad el papel juntando los dos extremos más cortos.

3. Con la regla y el lápiz, dibuja una línea a 2.5 cm (1 pulgada) de la orilla doblada del papel. Corta esta tira y deséchala. Quedarán dos piezas de papel frotado.

4. Envuelve con un trozo del diseño de corteza cada uno de los tubos (el lado coloreado debe quedar por fuera) y pega con la cinta adhesiva. Éstos son los troncos de árbol.

5. Corta dos ranuras, cada una de aproximadamente 2.5 cm (1 pulgada) de largo, en posición opuesta en un extremo de cada uno de los tubos de papel (cuatro ranuras en total).

6. Recorta el diseño de árbol primavera/verano.

7. Recorta las hojas verdes y pégalas a ambos lados del diseño de árbol primavera/verano (aparta de 4 a 6 hojas verdes para el paso 12 cuando hagas el árbol de otoño).

8. En uno de los lados del diseño de árbol del paso 6, usa el papel de China para agregar flores. Hazlo recortando el papel rosa en cuadrados de 2.5 cm (1 pulgada). Con la goma del lápiz, oprime el centro de uno de los cuadrados de papel de China y apretuja el papel alrededor del lápiz. Cubre con pegamento la punta del lápiz envuelta en el papel rosa. Oprime entonces la punta engomada contra la forma del árbol. Agrega unas 10 de esas flores de papel de China rosa.

9. Una vez seco el pegamento, inserta cada diseño de árbol en las ranuras de uno de los troncos.

10. Para la primavera, mueve el árbol de modo que se vean las flores. En verano, muévelo de manera que se vean sólo las hojas verdes.

11. Recorta el diseño de árbol otoño/invierno. Con el crayón café, ilumina las ramas de uno de los lados del diseño (árbol de invierno).

12. Para el otoño, recorta las hojas rojas, amarillas y anaranjadas y pégalas en el lado correspondiente. Agrega las hojas verdes que quedaron del paso 7.

13. Repite el paso 9 con los árboles de otoño e invierno.

14. Para el otoño, mueve el árbol de manera que puedan verse las hojas de colores. Para el invierno, mueve el árbol de manera que se vean las hojas café.

Resultados

Se obtuvieron modelos de árboles de hoja caduca (caducifolios) para las cuatro estaciones del año.

¿Por qué?

La **latitud** es la distancia en grados al norte o al sur del **ecuador**, que es una línea imaginaria alrededor de la Tierra en la latitud 0°. Esta línea divide a la Tierra en Hemisferio Norte y Hemisferio Sur. Las **zonas templadas** son las dos regiones que se encuentran entre las latitudes 23.5° y 66.5° al norte y al sur del ecuador. Los bosques que se encuentran en las zonas templadas se llaman **bosques templados**. Éstos también se conocen como **bosques deciduos** o **bosques caducifolios** porque están hechos de árboles de hoja caduca que tienen hojas que se les caen, generalmente en otoño. Las hojas de estos árboles cambian de color durante las diferentes **estaciones del año** (periodos que se repiten con regularidad cada año caracterizados por tipos específicos de clima). Durante la primavera y el verano, la mayor parte de los árboles de hoja caduca tienen sus hojas verdes; y algunos de ellos también tienen flores de primavera. Las hojas cambian de color, generalmente a amarillo, anaranjado y/o rojo en otoño y se caen dejando expuestas las ramas desnudas en invierno.

DISEÑOS DE ÁRBOLES

Primavera/verano

Otoño/invierno

Sombrillas

Guías para evaluar el progreso

Al término del quinto grado, el alumno ya debe saber que:

- Los organismos influyen en su ambiente.

Al término del sexto grado y en primero de secundaria, el alumno ya debe saber que:

- Los organismos dependen unos de otros.

En esta investigación se espera que el alumno:

- Identifique de qué manera el tamaño físico de las hojas de los árboles puede influir en el ambiente.
- Identifique de qué manera puede un organismo influir en la supervivencia de otros organismos.

Para preparar la investigación

Reúna una cantidad suficiente de tubos de cartón de papel sanitario o de toallas de papel, a fin de poder tener uno para cada alumno o equipo. Por cada alumno o equipo, elabore cuatro copias del diseño de hoja de árbol en papel verde.

Para presentar la investigación

1. Explique los nuevos términos científicos:

   dosel: capa superior, en forma de sombrilla, de una selva tropical, formada por las copas de árboles altos de hojas perennes (siempre verdes) y anchas.

   humedad: agua vaporizada o pequeñas gotas de agua en el aire.

   selva tropical: bosque que se encuentra en la zona tropical, formado por árboles perennes (siempre verdes) y de hojas anchas, que forman un dosel; también se le llama **bosque lluvioso**.

   zona tropical: región de la Tierra que se encuentra entre las latitudes 23.5° norte y 23.5° sur, que se caracteriza por tener un clima cálido y húmedo durante todo el año.

2. Explore los nuevos términos científicos:

   - La temperatura promedio en una selva tropical es de 21 a 29 °C (70 a 85 °F).
   - La temperatura de una selva tropical permanece casi igual todo el año, con muy poco cambio entre las temperaturas del día y la noche.
   - *Humedad* es un término general que se utiliza para designar el contenido de agua vaporizada o de pequeñas gotas de agua en el aire, expresado en porcentaje.
   - La humedad promedio de una selva tropical es aproximadamente de 70% durante el día y 95% en la noche.
   - Los árboles que forman el dosel tienen una altura de 20 a 30 m (65 a 100 pies).
   - El dosel se ve como una alfombra verde y gruesa

¡Qué interesante!

Las selvas tropicales cubren sólo aproximadamente 7 por ciento de la superficie de la Tierra, pero casi 50 por ciento de todas las especies del planeta se encuentran en estos bosques.

suspendida por encima del bosque.

UN POQUITO MÁS

1. Los alumnos pueden investigar la ubicación de la zona tropical. Tal vez prefiera que localicen dicha zona en un mapa y/o globo terráqueo.
2. Los alumnos pueden hacer una investigación sobre la selva tropical. ¿Qué cantidad de lluvia recibe una selva tropical? [Para calificar como selva tropical, un bosque debe recibir más de 200 cm (80 pulgadas) al año; aunque lo normal es 375 cm (150 pulgadas), y algunas selvas rebasan los 1000 cm (400 pulgadas)].

Sombrillas

OBJETIVO

Elaborar un modelo de las hojas de los árboles que forman el dosel de una selva tropical.

Materiales

tijeras
4 copias del diseño de hoja de árbol elaboradas en papel verde
cinta adhesiva transparente
tubo de cartón

Procedimiento

1. Recorta las 4 copias del diseño de hoja de árbol.
2. Con la cinta adhesiva, pega el pecíolo (rabillo) de cada hoja en el borde superior del tubo; un pecíolo a cada lado del tubo. Las hojas deben salir del tubo.
3. Cierra el fondo del tubo apretando los lados y pegándolos con cinta adhesiva.
4. Párate debajo de una lámpara encendida.
5. Sujetando la parte baja del tubo, levántalo por encima de tu cabeza, como si fuera una sombrilla.
6. Mira hacia arriba y observa qué cantidad de luz pasa por la sombrilla, alrededor de las orillas de las hojas.

Resultados

Elaboraste un modelo de árbol de la selva tropical.

¿Por qué?

La **selva tropical** es un bosque que se encuentra en la **zona tropical**, que es la región que se encuentra en o cerca del ecuador de la Tierra entre las latitudes 23.5 °N y 23.5 °S. También se le llama **bosque lluvioso** y se caracteriza por tener un clima cálido y húmedo a lo largo de todo el año. En una selva tropical, la parte más alta de los árboles perennes, de hojas anchas, forman una capa que parece una sombrilla y que se llama **dosel**. Las grandes y numerosas hojas de los árboles que están en esta capa actúan como gigantescas sombrillas que bloquean la mayor parte de la luz solar. El piso de la selva tropical recibe muy poca luz solar.

Muchas de las hojas son puntiagudas, lo que hace que las gotas de lluvia que las golpean se resbalen fácilmente. A las puntas se les llama "puntas goteadoras". Debido a que hay mucha lluvia y a que el dosel actúa como una tapadera encima de la selva, el aire está muy húmedo. A la cantidad de agua en el aire se le denomina **humedad**. Las plantas que necesitan suelo y aire húmedos crecen muy bien aquí.

Las hojas que se diseñaron para el árbol de selva tropical son de forma parecida a las hojas de los árboles tropicales verdaderos. Al sostener el árbol entre tú y la luz, pudiste ver qué cantidad de ésta podía bloquear el árbol.

HOJA

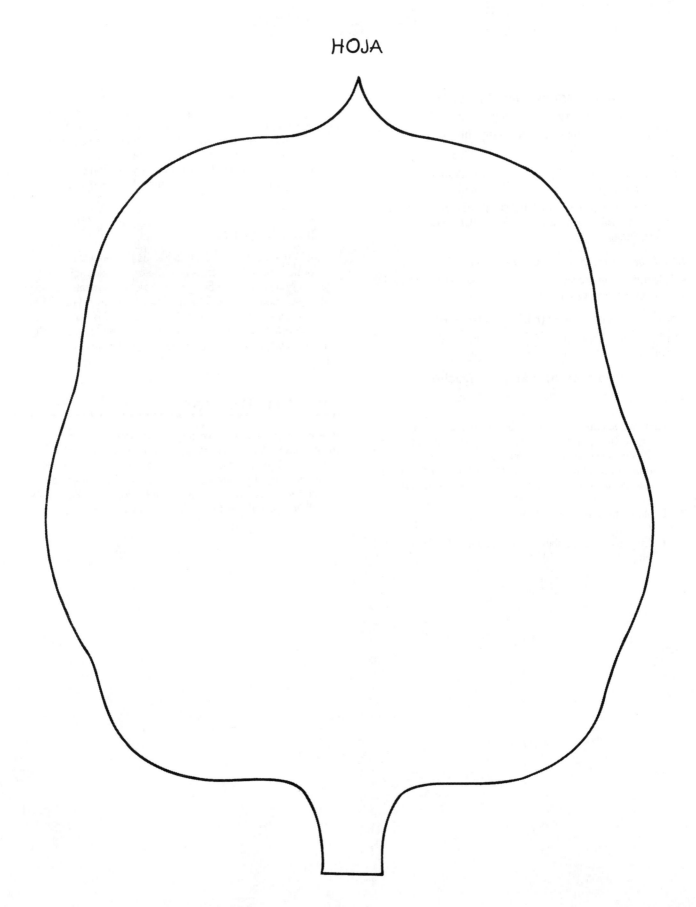

Pacedores

Guías para evaluar el progreso

Al término del quinto grado, el alumno ya debe saber que:

- En cualquier ambiente, algunos organismos comparten la misma fuente de alimento.

Al término del sexto grado y en primero de secundaria, el alumno ya debe saber que:

- Los animales tienen características de alimentación que dan por resultado su nicho particular dentro de un ecosistema.

En esta investigación se espera que el alumno:

- Identifique una característica del ecosistema del pastizal a la cual puedan responder los organismos.

Para preparar la investigación

- Elabore una copia de la "Guía de animales africanos que comen pasto" por cada alumno o equipo.

Para presentar la investigación

1. Explique los nuevos términos científicos:

    pastizal (**sabana o pradera**): bioma semiárido cuya vegetación está formada en su mayor parte por pasto y muy pocos árboles o arbustos.

    semiárido: palabra que sirve para describir un clima seco, con pocas lluvias, pero no tan seco como un desierto.

2. Explique los nuevos términos científicos:

    - Los pastizales reciben de 20 a 50 cm (10 a 20 pulgadas) de lluvia al año.

- Un clima semiárido es demasiado seco para el crecimiento de la mayoría de los árboles, pero los pastos y la hierba crecen bien allí. En las orillas de los arroyos o en las áreas bajas donde hay más humedad se pueden encontrar árboles y arbustos.
- Un *nicho* es la ubicación física y función de un organismo o población dentro de un ecosistema.

¡Qué interesante!

Hasta fines del siglo diecinueve, los bisontes (búfalos) vagaban por los pastizales (praderas) de Estados Unidos. Estos animales contribuyeron a que los pastizales de ese país se quedaran sin árboles. Cuando se frotaban contra los árboles que estaban en los límites de los pastizales, en un esfuerzo por deshacerse de sus abrigos invernales, los descortezaban provocando que murieran.

UN POQUITO MÁS

Los alumnos pueden investigar la ubicación de los pastizales. Tal vez prefiera que lo hagan en un mapa o globo terráqueo. Descubrirán que se ubican en la zona tropical (entre las latitudes 23.5° N y 23.5° S) y en las zonas templadas norte y sur (entre las latitudes 23.5° N y 66.5° N, y 23.5° S y 66.5° S, respectivamente).

Pacedores

OBJETIVO

Elaborar un modelo del pastoreo de los animales africanos.

Materiales

tijeras
copia de la "Guía de animales
   africanos que comen pasto"
cinta adhesiva transparente

Procedimiento

1. Recorta la "Guía de animales africanos que comen pasto" siguiendo el contorno de la misma.
2. Dobla la sección A siguiendo la línea A. Fija la sección A a la parte reversa de la sección B.
3. Recorta las líneas horizontales que atraviesan las secciones A y B
4. Dobla la sección C siguiendo la línea B, de manera que las secciones A y B queden una frente a la otra.
5. Sostén la guía de manera que los animales queden en la parte de enfrente y que al abrir una de las secciones se pueda ver la parte de la hierba que cada animal come.

Resultados

La cebra come la parte más alta de la hierba, el ñu come la parte de en medio y la gacela de Thomson come la parte de abajo de la hierba.

Punta

Ñu

Gacela de Thomson

¿Por qué?

El **pastizal** o **sabana** es un bioma semiárido cuya vegetación es pasto en su mayor parte con pocos árboles o arbustos. La palabra **semiárido** se usa para describir un clima seco, con pocas lluvias, pero no tan seco como un desierto. Tres de los animales que se encuentran comúnmente en los pastizales de África son: la gacela de Thomson, la cebra y el ñú. En esta investigación se describen los hábitos de alimentación de estos animales. Si una gacela de Thomson encuentra pasto entero que no han tocado otros animales, no se comerá la parte de abajo y dejará las secciones de arriba y en medio; tampoco el ñu comerá sólo la parte de en medio del pasto nuevo. Estos animales sobreviven bien en los pastizales porque las cebras, primero, se alimentan de la parte más alta del pasto y se trasladan a otro pastizal. Así, el ñu come en un área de pastos ya tocada por las cebras; se come la parte media de la hierba y se traslada a otras tierras. Finalmente, queda la parte de abajo para que se la coma la gacela de Thomson.

GUÍA DE ANIMALES AFRICANOS QUE COMEN PASTO

Sección A	Línea A ↓ Sección B	Línea B ↓ Sección C
ANIMALES AFRICANOS QUE COMEN PASTO		
Cebra	**Arriba**	
Ñu	**En medio**	
Gacela de Thomson	**Abajo**	

Rechonchos

Guías para evaluar el progreso

Al término del quinto grado, el alumno ya debe saber que:

- Hay seres vivos en todas partes del mundo y presentan algunas diferencias según el lugar donde se encuentren.
- Las diferencias en su estructura física dan a los organismos una ventaja para sobrevivir en un hábitat específico.

Al término del sexto grado y en primero de secundaria, el alumno ya debe saber que:

- Los organismos que poseen determinadas características tienen mayores probabilidades que otros de sobrevivir en un hábitat específico.

En esta investigación se espera que el alumno:

- Identifique un componente del ecosistema de desierto frío al que un organismo pueda responder.
- Identifique una característica de los pingüinos que les permite sobrevivir en un desierto frío.

Para preparar la investigación

Se puede usar cualquier charola grande en lugar de la charola para horno.

Para presentar la investigación

1. Explique los nuevos términos científicos:

   desierto: bioma que recibe menos de 25 cm (10 pulgadas) de lluvia al año.
   desierto frío: desierto que presenta temperaturas menores que la temperatura de congelación durante parte del año.
   población: todos los organismos que existen en un hábitat específico o que son de la misma clase o especie.

2. Explore los nuevos términos científicos:

   - El bioma del desierto es una de las áreas más difíciles para la supervivencia de los organismos.
   - La Antártida es uno de los biomas más inclementes: es un desierto frío.
   - El Polo Sur recibe un promedio aproximado de 5 cm (2 pulgadas) de precipitación pluvial al año. Otras regiones del continente reciben un poco más, mientras que otras no han recibido en muchos años una precipitación que valga la pena medir.
   - Algunas partes de la Antártida son los lugares más fríos de la Tierra, pero hay plantas y animales que viven en la línea costera, donde hay menos frío durante parte del año.
   - No todos los pingüinos viven en lugares muy fríos, pero todos habitan en el Hemisferio Sur. Existen 18 especies diferentes de pingüinos en el mundo.

¡Qué interesante!

- El pingüino más grande es el pingüino emperador, que mide aproximadamente 107 cm (42 pulgadas) de altura y pesa más de 41 kg (90 libras).
- La población del pingüino emperador puede alcanzar varias decenas de miles de miembros.
- Una de las maneras en que el pingüino emperador se mantiene caliente es incorporándose a un grupo grande que se llama *tortuga*.

UN POQUITO MÁS

1. Tal vez conviene que los alumnos repitan la investigación empleando un termómetro para medir la diferencia de temperatura.
2. Todos los desiertos reciben una pequeña cantidad de humedad durante el año, pero algunos como el Sahara en el norte de África y el Mojave en la parte sur de California al oeste de Estados Unidos, se consideran *desiertos cálidos* debido a su elevada temperatura durante todo el año. Otros desiertos, como el del Gobi en el norte de China o el de Atacama en las costas de Perú y Chile, tienen temperaturas de congelación durante parte del año. La mayor parte de la Antártida tiene temperaturas de congelación todo el año. Los alumnos pueden hacer una investigación de los desiertos y hacer comparaciones entre los tipos de animales y plantas que existen en un desierto frío y otro caliente. Podrán identificar las diferentes características físicas, como el cuerpo rechoncho del pingüino, que ayuda a que estos organismos sobrevivan en su ambiente.

Rechonchos

OBJETIVO

Determinar por qué la figura rechoncha de un pingüino lo mantiene caliente.

Materiales

2 recipientes pequeños con agua caliente
charola para horno
reloj

Procedimiento

1. Compara la temperatura del agua en ambos recipientes tocándola con un dedo.
2. Vacía el agua de uno de los recipientes en la charola para horno.
3. Pídele a un ayudante que sople en el agua del recipiente para enfriarla mientras tú soplas en el agua de la charola para horno. Pídele a otro ayudante que les indique a los dos cuándo comenzar a soplar y cuándo detenerse después de haber contado un minuto.
4. Vuelve a vaciar el agua de la charola para horno en el recipiente vacío.
5. Repite el paso 1.

Resultados

El agua de los dos recipientes se siente igual al principio del experimento, pero después de verter el agua del recipiente en la charola para horno y soplar en ambos contenedores, el agua que se extendió se enfría más rápido.

¿Por qué?

Para que un material pueda enfriarse debe perder calor. Mientras más expuesta esté el área superficial de una sustancia, perderá calor con mayor rapidez. Si dos organismos tienen la misma cantidad de masa, pero uno de ellos tiene un cuerpo alto y delgado como el de una persona, y el otro tiene un cuerpo pequeño y rechoncho como el de un pingüino, la persona, al ser más alta y delgada, tendrá una superficie más grande y, por consiguiente, perderá más calor corporal que el pingüino pequeño y rechoncho. En esta investigación se usaron cantidades iguales de agua para representar la misma cantidad de masa de un cuerpo. Al igual que la masa de una persona alta y delgada, el agua vertida en la charola para horno se extendió y se enfrió más pronto. Al igual que la masa del cuerpo de un pingüino bajito y rechoncho, el agua del recipiente se extendió menos y se enfrió más despacio. Por lo tanto, la forma del cuerpo del pingüino, bajito y rechoncho, le ayuda a sobrevivir en las bajas temperaturas de la Antártida.

En la costa de la Antártida vive una **población** (todos los organismos que existen en un hábitat específico o que son de la misma clase o especie) grande de pingüinos emperadores. La Antártida es un tipo de **desierto** [un bioma que recibe menos de 25 cm (10 pulgadas) de lluvia al año] llamado **desierto frío**, que tiene temperaturas inferiores a las de congelación la mayor parte del año.

Supervivencia

Guías para evaluar el progreso

Al término del quinto grado, el alumno ya debe saber que:

- Algunos animales dependen de otros para alimentarse.

Al término del sexto grado y en primero de secundaria, el alumno ya debe saber que:

- Los organismos pueden interactuar en una relación depredador/presa.

En esta investigación se espera que el alumno:

- Observe y describa la influencia de los depredadores y las presas para mantener un equilibrio en su población.

Para preparar la investigación

Usted puede preparar los cuadros de cartón con anticipación. Por cada alumno o equipo recorte cinco cuadros de 10 por 10 cm (4 por 4 pulgadas) de cajas de cartón.

Para presentar la investigación

1. Explique los nuevos términos científicos:

   depredador: animal que caza a otros animales para alimentarse.
   presa: animal del que se alimenta el depredador.

2. Explore los nuevos términos científicos:

   - Una población puede estar formada por las plantas en un campo o por las personas que viven en una ciudad o en el mundo.

- En condiciones normales, las poblaciones de depredadores y presas se controlan de manera natural.
- Algunas veces los seres humanos dañan este equilibrio introduciendo especies en un área donde no tienen depredadores naturales, y como resultado disminuye la cantidad de sus presas. O bien, matando insectos con pesticidas, lo que da por resultado la disminución de los depredadores que dependen de estos insectos para sobrevivir.

¡Qué interesante!

Los depredadores que cazan en grupo hacen gestos físicos para coordinar sus actividades durante una cacería, por ejemplo expresiones faciales o movimientos de la cola. Los perros y los gatos, aunque estén domesticados, utilizan estos comportamientos heredados.

UN POQUITO MÁS

Pida a sus alumnos que investiguen y elaboren una lista de depredadores y sus presas. La investigación puede repetirse usando tarjetas con diferentes ejemplos de depredadores y sus presas. También pueden hacer dibujos o usar estampas de éstos.

Supervivencia

OBJETIVO

Demostrar un método del control natural de una población.

Materiales

cartulina blanca de 55 *x* 70 cm (22 *x* 28 pulgadas)

regla de 1 metro

20 tarjetas para ficha bibliográfica de un color de su elección

5 cuadrados de cartón de 10 *x* 10 cm (4 *x* 4 pulgadas); se cortan de cajas de cartón

Procedimiento

1. Coloca la cartulina en el piso. Pon una silla a 1 m (una yarda) del borde de la cartulina.
2. Al azar, extiende sobre la cartulina la mitad de las tarjetas de color. Éstas representan serpientes y la cartulina el terreno donde viven.
3. Sentado en la silla, lanza uno de los cuadradros de cartón tratando de que caiga sobre una serpiente; el cuadradro de cartón representa un águila.
4. Si el águila cae sobre la serpiente, quita ésta del terreno y deja al águila en su lugar; en caso contrario, retira al águila y agrega dos serpientes más.
5. Repite los pasos 3 y 4 hasta que no queden águilas. Registra el número de águilas y serpientes que hay en el campo en la columna de la prueba # 1 en la tabla "Datos de control de una población".
6. Retira las águilas que están en el terreno y úsalas para repetir los pasos 3 al 5 registrando el número de águilas y serpientes en las siguientes columnas de la tabla.
7. Repite el paso número 6 hasta haber completado 10 pruebas o hasta que ya no queden águilas.

DATOS DE CONTROL DE UNA POBLACIÓN

	Pruebas									
	1	2	3	4	5	6	7	8	9	10
Águilas										
Serpientes										

Resultados

Los resultados variarán, pero cuando haya más águilas habrá menos serpientes. Al disminuir el número de serpientes, disminuye el número de águilas.

¿Por qué?

Una forma de controlar una población de animales es la actividad de los **depredadores** (animales que cazan a otros para alimentarse). En este experimento, el depredador es el águila y la **presa** (animal del que se alimenta el depredador) es la serpiente. Cuando el águila no encuentra alimento, muere, lo que se representó retirando águilas del campo. Cuando una serpiente no es devorada puede vivir y reproducirse, lo que se representó agregando dos serpientes al campo. Cuando hay muchas serpientes en el campo es más fácil para el águila caer sobre una de ellas, cuyo número disminuye. Pero cuando disminuye el número de serpientes, generalmente se le dificulta más al águila caer sobre una de ellas, y así el número de águilas disminuye y el número de serpientes aumenta; y así sucesivamente.

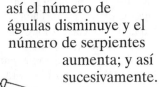

¡A que no me encuentras!

Guías para evaluar el progreso

Al término del quinto grado, el alumno ya debe saber que:

- Las diferencias en su estructura física dan a los organismos una ventaja para sobrevivir en un hábitat específico.

Al término del sexto grado y en primero de secundaria, el alumno ya debe saber que:

- Los organismos que poseen ciertas características tienen más probabilidades de sobrevivir que otros.

En esta investigación se espera que el alumno:

- Identifique las características que permiten a los miembros de una especie sobrevivir y reproducirse.

Para preparar la investigación

Los estudiantes trabajarán individualmente. Busque con anticipación un área grande con pasto. El pasto acabado de cortar no es tan bueno como el que está un poco más grande. Si utiliza terrenos de la escuela, notifique al encargado del área su deseo de trabajar en ella y la fecha, para que no se corte el pasto antes de la investigación. Prepare de antemano el área y los "insectos" elaborados con limpiapipas. Marque el área de pasto. Ponga cuatro lápices en las esquinas de un cuadrado grande dejando un espacio de aproximadamente 6 m (20 pies) entre uno y otro lápiz. Amarre la punta de un cordón de 26 metros (85 pies) de largo al lápiz que esté en la primera esquina del cuadrado. Pase la cuerda alrededor de cada uno de los otros tres lápices y amarre los extremos de la cuerda al primer lápiz. Prepare los insectos con 14 limpiapipas de 30 cm (12 pulgadas) de colores: 2 negros, 2 café, 2 verdes, 2 anaranjados, 2 rojos, 2 blancos y 2 amarillos. Corte cada limpiapipas en 16 piezas de tamaño relativamente igual. El día de la investigación, sin que nadie le vea, disperse los "insectos" de manera uniforme dentro del área marcada. Guarde un insecto de cada color para mostrarlo al grupo. Explique que cada color de limpiapipas representa una clase o especie de insecto, como una garrapata negra, un grillo café, un saltamontes verde, una mariposa anaranjada, etcétera. Usted será el encargado de tomar el tiempo, para lo cual necesitará un reloj o cronómetro que marque los minutos.

Para presentar la investigación

1. Explique los nuevos términos científicos:

   camuflaje: comportamiento que permite a un animal confundirse con, o quedar oculto en, el medio que lo rodea gracias a una coloración protectora.

   coloración protectora: coloración del cuerpo o diseño que ayuda a que algunos animales se sirvan del camuflaje para ocultarse de sus depredadores.
   diseño: arreglo repetitivo de formas o colores.

2. Explore los nuevos términos científicos:

   - Los animales cuyos colores se confunden con los de su entorno están camuflados o mimetizados.
   - La coloración protectora ayuda a los animales a protegerse de sus depredadores. Por ejemplo, un pájaro (depredador) que se alimenta de los saltamontes verdes (presa) tendrá problemas para localizar al saltamontes sobre un terreno de pasto o sobre hojas verdes. La población de animales con coloración protectora suele ser mayor que la de animales que no la tienen.

¡Qué interesante!

- La coloración de casi todos los mamíferos es de tonos café o grises, que son perfectos para confundirse con lo que los rodea.
- La mayor parte de los mamíferos sólo ven los colores como variantes de la intensidad de la luz, pero los mamíferos que tienen colores más vivos generalmente pueden ver por lo menos algunos colores.

UN POQUITO MÁS

1. A fin de que establezcan una relación matemática, haga que sus alumnos determinen el porcentaje de insectos encontrados en comparación con el de insectos no encontrados. Se pueden seguir estos pasos:

   - porcentaje de insectos encontrados = número de insectos encontrados ÷ total de insectos x 100.
   - porcentaje de insectos no encontrados = 100% − porcentaje de insectos encontrados.

2. Para estar seguros de que se recogieron todos los insectos del área y de que ningún animal sufra daño por comerlos accidentalmente, planee una expedición especial de cacería. Los alumnos pueden imaginarse que las piezas de limpiapipas son criaturas magnéticas halladas en otro planeta y que deben idear diferentes formas de capturarlas, por ejemplo colocar un imán en un calcetín para balancearlo sobre el área donde viven los extraños bichos.

¡A que no me encuentras!

OBJETIVO

Determinar de qué manera el camuflaje con colores afecta las poblaciones de insectos.

Materiales

terreno con pasto marcado en el que se habrán
   distribuido "insectos" hechos con
   limpiapipas
bolsas de papel

Procedimiento

1. Párate afuera del área de pasto marcada.
2. Cuando la persona encargada de tomar el tiempo indique el comienzo, entra al terreno marcado y trata de encontrar tantos insectos de colores como te sea posible. Guarda los insectos en tu bolsa.
3. Después de dos minutos, cuando la persona encargada de tomar el tiempo diga "alto", detén inmediatamente la cacería.
4. Vacía la bolsa de insectos y sepáralos por colores.

5. Cuenta los insectos de cada color que encontraste y registra su número en la tabla "Datos de insectos de colores".

Resultados

Dependiendo del color del suelo del área delimitada, se encontrarán diferentes cantidades de insectos de cada color. En general se encontrarán más insectos de los colores más brillantes, como blanco y amarillo.

¿Por qué?

Un depredador es un animal que caza a otros animales para comérselos. El animal que se convierte en la comida del depredador es la presa. Debido a los colores o **diseños** (arreglos repetitivos de formas o colores) especiales, algunos animales se mezclan con el medio que los rodea para evitar convertirse en comida. La **coloración protectora** es una coloración del cuerpo o un diseño que ayuda a los animales a esconderse de sus depredadores. Este comportamiento de ocultarse por una coloración protectora se llama **camuflaje**. En esta investigación tú representaste un pájaro comiendo insectos. Para los insectos que encontraste en menor cantidad, el color es su mejor protección dentro del área delimitada. Es menos probable que un insecto de ese color sea comido por un pájaro. Al contrario, el insecto del color que más encontraste no tendrá tan buena suerte.

DATOS DE INSECTOS DE COLORES							
	Colores						
	Negro	Café	Verde	Anaranjado	Rojo	Blanco	Amarillo
Número encontrado							

Demasiados, demasiado rápido

Guías para evaluar el progreso

Al término del quinto grado, el alumno ya debe saber que:

- La solución de un problema, por ejemplo cómo atrapar más peces, puede crear otros problemas, como el de la extinción por pesca excesiva.

Al término del sexto grado y en primero de secundaria, el alumno ya debe saber que:

- Muchas veces las tecnologías tienen desventajas; algunas de ellas ayudan a un grupo de organismos y lesionan a otro.

En esta investigación se espera que el alumno:

- Identifique los efectos de la pesca excesiva.

Para preparar la investigación

Prepare con anticipación los peces "esponja", cortando esponjas para lavar platos de 7.5 x 10 cm (3 x 4 pulgadas) en tantos cuadritos de 2.5 cm (una pulgada) como sea posible. Cada alumno o equipo necesita una bolsa que contenga por lo menos 40 peces esponja. Elabore algunos más para tenerlos en caso de que algún equipo los necesite.

Para presentar la investigación

1. Explique los nuevos términos científicos:

   extinto: que ya no existe.
   pesca excesiva: la práctica de pescar hasta tal grado, que se agota la población de peces. También se dice **sobrepesca**.

2. Explore los nuevos términos científicos:

   - La pesca excesiva por las numerosas flotas de pescadores ha provocado que las poblaciones de algunas especies de peces lleguen a extremos peligrosamente bajos. El bacalao del Atlántico, el arenque del Mar del Norte y las anchoas de Perú son algunas de las especies que han sufrido los efectos de la pesca excesiva.

¡Qué interesante!

- Desde que el mundo existe, la mayor parte de los animales extintos se acabaron por no poder adaptarse bien a los cambios naturales de su ambiente.
- En los últimos 200 años y a un paso acelerado a partir de 1950, algunos animales y plantas se han extinguido por culpa de los seres humanos. A medida que la población humana aumenta, se necesita más alimento para la gente y más espacio para las construcciones, por lo que cada día se destruyen más plantas y animales, y sus hábitats.

UN POQUITO MÁS

Haga que sus alumnos lleven a cabo una investigación para establecer las diferencias entre las especies en peligro de extinción y las especies extintas. Pueden hacer una lista de especies de cada categoría y determinar por qué cada una de ellas está en peligro o extinta. (Una especie *extinta* es la que ya no existe. Una especie en *peligro de extinción* es aquella cuya población se ha reducido hasta el punto de estar en riesgo de extinguirse. Puede llegar a estar en peligro únicamente en un área; por ejemplo, el puma está en peligro en algunas partes de América porque los ganaderos los matan por atacar al ganado.)

Demasiados, demasiado rápido

OBJETIVO

Determinar el efecto que los diferentes métodos de pesca tienen sobre la población de peces.

Materiales

bolsa de peces "esponja"
recipiente grande con agua de la llave
2 coladores para té, uno pequeño y uno grande
recipiente pequeño
lápiz

Procedimiento

1. Coloca 10 peces "esponja" en el recipiente grande con agua. En la tabla "Datos del método de red pequeña", 10 es la población de peces antes de la pesca.
2. Cierra los ojos y mueve el colador pequeño en el agua para pescar tantos peces "esponja" como sea posible. Saca los peces "esponja" del colador y ponlos en el recipiente pequeño.
3. Cuenta los peces "esponja" que quedaron en el agua y registra el número en la tabla correspondiente a la red pequeña en la columna "Población de peces después de la pesca".
4. Agrega un número igual de peces "esponja" para duplicar la cantidad de peces en el agua.
5. Repite tres veces los pasos 1 al 4. En la última pesca, cuenta los peces que quedaron y duplica este número para registrarlo en la tabla, pero no agregues más peces.
6. Repite los pasos 1 al 5 con el colador grande. Registra los números en la tabla correspondiente al método de red grande.

Resultados

La cantidad de peces "esponja" aumentó en el recipiente cuando se utilizó el colador pequeño y se agregaron peces después de cada pesca. El número de peces descendió mucho y pudo incluso haber llegado a cero después de pescar cuatro veces con el colador grande.

¿Por qué?

Los peces "esponja" representan los peces reales y los coladores representan redes comerciales para pesca. La pesca con el colador pequeño representa la pesca con redes más pequeñas, por lo que se capturan menos peces. La adición de peces "esponja" representa la reproducción de los peces. La pesca con el colador grande representa la pesca con redes grandes. Debido a la necesidad de proveer más pescado para alimentar a la población humana en crecimiento, las embarcaciones comerciales capturan más peces. La captura en gran escala es un problema cuando los peces que quedan no pueden depositar sus huevos y reproducirse con la suficiente rapidez como para mantener la población. La **pesca excesiva** es una práctica que puede llegar al grado de acabar con la población de peces. Algunas especies de peces están en peligro de **extinción** (dejar de existir) debido a la pesca excesiva.

DATOS DEL MÉTODO DE RED PEQUEÑA	
Población de peces antes de la pesca	Población de peces después de la pesca
1. 10	
2.	
3.	
4.	

DATOS DEL MÉTODO DE RED GRANDE	
Población de peces antes de la pesca	Población de peces después de la pesca
1. 10	
2.	
3.	
4.	

E

Diversidad
y adaptación
de los organismos

Todos los seres vivos comparten algunas similitudes, como la estructura básica de la célula. Sin embargo, entre ellos hay *diversidad* o diferencias. Por ejemplo, hay una gran diferencia física entre una rosa y un pingüino, aunque ambos estén hechos de células que tienen algunas similitudes. La diversidad permite que diferentes organismos vivan y se reproduzcan en diferentes entornos. En esta sección, los alumnos descubrirán que la *adaptación* es una forma de ajuste de las especies que les permite sobrevivir en su ambiente natural. Son muchos los factores que influyen en la manera como una especie se adapta a su ambiente, pero la supervivencia de los más aptos es uno de los factores primordiales. La supervivencia de los más aptos no significa que éstos sean los más rudos o los más fuertes, más bien significa que los organismos que están equipados para manejar un cambio particular del medio sobrevivirán mejor que aquellos que no lo están. Las diferencias entre los organismos se deben a variaciones en sus rasgos controlados por sus genes. Si las variaciones particulares que se necesitan están allí, el individuo podrá sobrevivir en las nuevas condiciones el tiempo necesario como para reproducirse y las crías tendrán más probabilidades de presentar la misma variación. Por ejemplo, las polillas que tienen los genes para una coloración negra sobrevivieron en áreas donde las construcciones estaban ennegrecidas por la contaminación ocasionada por la quema de carbón. Las polillas negras lograron camuflarse y fueron menos las que pasaron a ser comida de los depredadores. De esta manera aumentó la población de polillas negras.

Bien arropado

Guías para evaluar el progreso

Al término del quinto grado, el alumno ya debe saber que:

- Las diferencias en su estructura física dan ventaja a los organismos para su supervivencia en un ambiente específico.

Al término del sexto grado y en primero de secundaria, el alumno ya debe saber que:

- Los individuos con ciertas características tienen más posibilidades de sobrevivir y de tener descendencia.

En esta investigación se espera que el alumno:

- Analice cómo las características de adaptación ayudan a los individuos de una especie a sobrevivir en un ambiente frío.
- Utilice modelos para representar los rasgos físicos de adaptación de un animal y reconozca su utilidad para la supervivencia.

Para preparar la investigación

Utilice un papel grueso para elaborar una copia del diseño "Pelo de caribú" para cada alumno o equipo.

Para presentar la investigación

1. Explique los nuevos términos científicos:

   adaptación: característica física o comportamiento que le permite a un organismo o especie ajustarse a las condiciones de su ambiente y sobrevivir.
   aislante: material que es un mal conductor del calor.

2. Explore los nuevos términos científicos:

   - La coloración y/o el diseño es una adaptación que permite a ciertos animales confundirse con su entorno. Este tipo de adaptación se llama camuflaje. El camuflaje ayuda a muchos organismos a sobrevivir al permitirles ocultarse de sus depredadores.

- Los organismos muestran millones de tipos diferentes de adaptación. Unos cuantos ejemplos son: las patas con dedos unidos por una membrana de las ranas y los patos, que les permiten nadar; las garras largas del perezoso, que le ayudan a agarrarse de las ramas; la forma de las hojas, que les ayuda a atrapar la luz del sol para la fotosíntesis; y las telarañas, que le ayudan a la araña a capturar insectos para alimentarse.

¡Qué interesante!

- Los osos polares se ven blancos, pero en realidad su pelo está formado por tubos huecos transparentes. Parte de la luz del sol se refleja en el pelo haciendo que se vea blanco, pero la mayor parte de esa luz pasa por los cabellos huecos y es absorbida por la piel negra del oso para calentarlo.

UN POQUITO MÁS

Algunas especies viven en una *relación simbiótica* (asociación estrecha entre organismos de dos o más especies diferentes que puede ser benéfica para cada miembro de la relación). Pida a sus alumnos que investiguen la relación entre algunas especies que tienen una relación estrecha. ¿Qué es el *mutualismo*? (Una relación entre organismos de dos especies diferentes en la que cada miembro recibe algún beneficio, como la relación entre el pájaro cocodrilo y el cocodrilo del Nilo.) Otro ejemplo es la relación entre la vaca y las bacterias que tiene en el estómago. ¿Qué es el *parasitismo*? (Una relación en la que un organismo llamado *parásito* se nutre viviendo en otro organismo o junto a él. El parásito es el *huésped*; el organismo en el que vive es el *hospedante*. La relación generalmente beneficia al parásito y daña al hospedante. La mayor parte de los parásitos no mata a su hospedante. El piojo y la pulga son parásitos comunes que se alimentan de la sangre de su hospedante.)

Bien arropado

OBJETIVO

Determinar cómo las características de adaptación del pelo pueden ayudarle a un animal a sobrevivir en un ambiente frío.

Materiales

tijeras
copia del diseño "Pelo de caribú"
lápiz
regla
tira de 25 cm (10 pulgadas) de papel para
    sumadora
cinta adhesiva transparente
    cartulina de cualquier color

Procedimiento

1. Recorta los tres pelos de caribú del patrón "Pelo de caribú".

2. Con el lápiz y la regla, dibuja una línea de un extremo al otro del papel para sumadora. La línea debe estar aproximadamente a 1.5 cm (media pulgada) de la orilla de la tira.

3. En el lado izquierdo de la tira, pega la base de uno de los pelos de caribú sobre la línea. Escribe la palabra "Piel".

4. A la derecha del primer pelo, pega un segundo pelo de caribú sobre la línea, de manera que se toquen las puntas de los dos pelos. Repite la operación con el último pelo. Ahora tienes un modelo de corte de piel y pelo de caribú.

5. Coloca el modelo sobre la cartulina de color. Observa la cantidad de espacio de color que hay entre los pelos y dónde se encuentra la mayor cantidad de espacio.

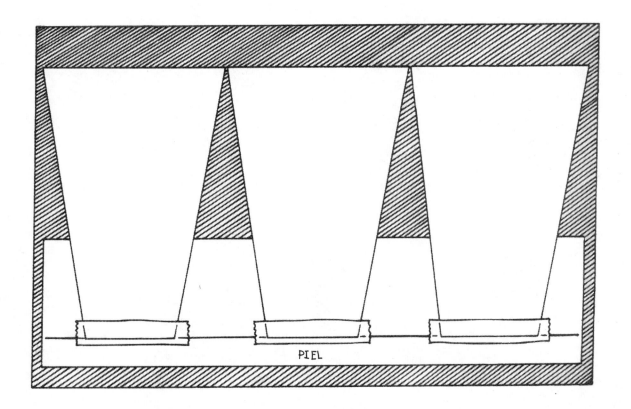

PIEL

Resultados

Hay más espacio entre la parte de los pelos más cercana a la piel.

¿Por qué?

Los renos del norte de Europa y Asia fueron durante mucho tiempo considerados como especies diferentes. Ahora se han clasificado como una misma especie: *Rangifer tarandus,* pero se siguen usando los nombres comunes para distinguir a los dos grupos. Los hábitats de ambos son muy fríos y los animales que viven ahí deben presentar cierta **adaptación** (un ajuste de sus características físicas o de comportamiento que le permite a una especie sobrevivir en las condiciones de su ambiente) al frío. Un tipo de adaptación es la forma del pelo del caribú, que es más ancho en la punta que en la base cerca de la piel. Esta forma ayuda a atrapar aire cerca de la piel de estos animales. El papel de color que se ve en el modelo representa los espacios entre el pelo, que pueden llenarse de aire. El aire es un buen **aislante**, o material que es mal conductor del calor. De esta manera, la capa de aire ayuda a mantener caliente al animal. Otros animales que viven en climas fríos, como el buey almizclero, presentan la misma adaptación del pelo.

Enseña la ciencia de forma divertida

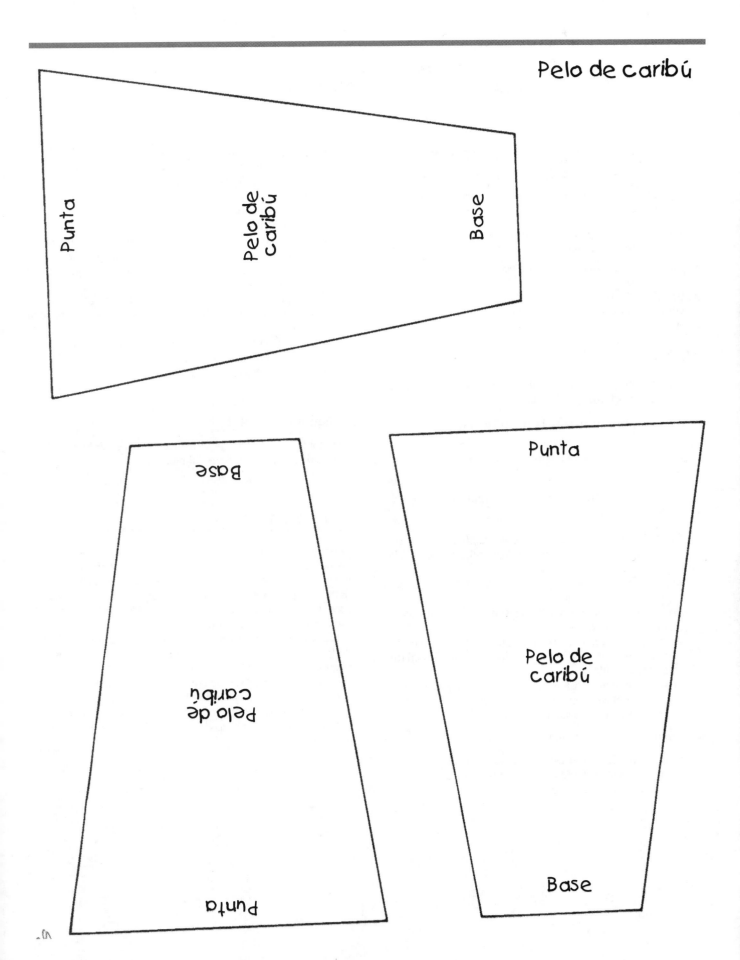

Prensores

Guías para evaluar el progreso

Al término del quinto grado, el alumno ya debe saber que:

- Las características de adaptación de una especie mejoran su capacidad para sobrevivir.

Al término del sexto grado y en primero de secundaria, el alumno ya debe saber que:

- Los rasgos heredados por una especie pueden contribuir a que ésta sobreviva.
- Las estructuras corporales de los animales presentan una gran variedad que contribuye a su capacidad para encontrar alimento.

En esta investigación se espera que el alumno:

- Identifique la manera en que la característica de adaptación que consiste en tener un dedo pulgar influye en el comportamiento de una especie.

Para preparar la investigación

La investigación podrá realizarse de manera adecuada con cualquier frasco grande que se pueda levantar con una sola mano.

Para presentar la investigación

1. Explique los nuevos términos científicos:

   fuerza prensil: acción de prender fuertemente un objeto grande envolviéndolo entre el dedo pulgar y los cuatro dedos restantes.

   mamífero: animal de sangre caliente, tiene pelo y alimenta a sus crías con leche.

   prensión (habilidad prensil): agarrar o apretar algo con fuerza y firmeza.

   prensión de precisión: acción de prender fuertemente un objeto pequeño levantándolo con el pulgar y los cuatro dedos restantes.

   primate: mamífero con habilidad prensil, cuyas manos prenden objetos pues tiene dedo pulgar; son primates el ser humano, los simios y monos.

2. Examine los nuevos términos científicos:

   - Los mamíferos son *animales de sangre caliente*, lo que significa que generan calor para mantener una temperatura interna constante.

- Los primates tienen dedo pulgar, lo que les permite aplicar la prensión de precisión para levantar objetos pequeños, y la fuerza prensil para sostener objetos grandes.
- Al igual que los seres humanos, los simios tienen manos y pies con cinco dedos.
- Los simios y monos utilizan sus pies como si fueran manos. Emplean el dedo grande del pie, parecido a un pulgar, para asir objetos con los pies, por lo que éstos en realidad son como otro par de manos.
- Los perros y los gatos pueden apretar objetos presionando hacia abajo con sus patas, pero no pueden asirlos.
- Algunas aves, como las águilas, utilizan las garras de sus patas para cazar y sujetar sus presas, pero no pueden levantarlas para llevárselas al pico.

¡Qué interesante!

Un loro, a diferencia de otras aves, puede asir la comida con sus garras y llevársela al pico.

UN POQUITO MÁS

El panda no tiene pulgar pero puede asir fuertemente las cosas y llevárselas al hocico. Pida a sus alumnos que lean acerca de los pandas para saber cómo es que sus garras les permiten asir objetos. El panda tiene un hueso especial en la muñeca llamado *sesamoideo radial*, que funciona como un falso pulgar. Cuando aprieta algo, como una vara de bambú, el panda envuelve con sus cinco dedos uno de sus lados, después empuja hacia adelante el sesamoideo radial para oprimir el bambú contra sus dedos. Los estudiantes podrán descubrir el funcionamiento del sesamoideo radial repitiendo el experimento pegando transversalmente un objeto con cinta adhesiva (puede ser un marcador) en el punto donde la palma de la mano se une con la muñeca.

Prensores

OBJETIVO

Determinar el uso del dedo pulgar.

Materiales

moneda
frasco de 1 litro ($^1/_4$ de galón)
curita

Procedimiento

1. Coloca la moneda y el frasco sobre una mesa.
2. Utilizando el pulgar y los otros cuatro dedos de una mano trata de levantar la moneda.
3. Vuelve a colocar la moneda sobre la mesa e intenta levantar el frasco con la mano.
4. Mantén el pulgar pegado a la mano y pídele a un ayudante que lo pegue en esta posición con la curita.
5. Con el pulgar pegado, repite los pasos 2 y 3.

Resultados

Al utilizar el dedo pulgar fue fácil levantar la moneda y el frasco. Sin el pulgar fue más difícil, si no es que imposible.

¿Por qué?

Los objetos pequeños, como las monedas, se pueden levantar porque el pulgar y los cuatro dedos restantes presionan el objeto desde lados opuestos. **Prensión** es la acción de asir con fuerza un objeto. La acción de agarrar un objeto con el pulgar y los demás dedos se llama **prensión de precisión**. Cuando se levanta o sujeta un objeto grande como el frasco, se envuelve el objeto con la mano en lo que se llama **fuerza prensil**. Se necesita el dedo pulgar para detener un lado del frasco. Los **primates** son **mamíferos** (animales que tienen pelo y alimentan con leche a sus crías), que tienen manos que utilizan para asir objetos; incluyen al ser humano, simios y monos. Como tienen dedo pulgar, pueden levantar objetos aplicando una prensión de precisión y sujetarlos aplicando una fuerza prensil. Tener un dedo pulgar es una característica de adaptación para asir objetos y poder manipularlos con más precisión, pero también permite comer con una mano. En contraste, los roedores y otros animales deben sujetar su comida con dos manos.

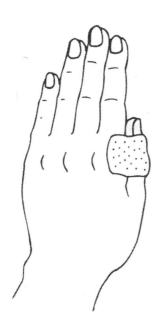

Pies de gato

Guías para evaluar el progreso

Al término del quinto grado, el alumno ya debe saber que:

- Las características físicas hacen que unos animales sean mejores depredadores que otros.

Al término del sexto grado y en primero de secundaria, el alumno ya debe saber que:

- Los rasgos heredados por una especie pueden contribuir a la supervivencia de ésta.

En esta investigación se espera que el alumno:

- Identifique y explique cómo una característica específica de un organismo puede afectar sus habilidades como depredador.

Para preparar la investigación

Si el aula está alfombrada, se pueden elaborar ahí las suelas de cartón, y después llevar los útiles de trabajo a un área con piso de losa para realizar el experimento. Éste funciona mejor con una funda de almohada pequeña, como para bebé. Si se emplean fundas más grandes, cerciórese de que los alumnos las ajusten correctamente para que no se resbalen en el piso, para lo cual se pueden usar ligas.

Para presentar la investigación:

1. Explique el nuevo término científico:

   absorber: recibir sonido sin eco.

2. Explore el nuevo término científico:

   - Los materiales blandos absorben el sonido mejor que los duros. Por ejemplo, se escucha un sonido más suave cuando una pelota golpea una almohada que cuando golpea una pared de concreto.

¡Qué interesante!

De todos los felinos del mundo, los leones son los únicos que viven juntos en grandes grupos familiares. Una familia de leones es una *manada*.

UN POQUITO MÁS

Explique a sus alumnos que los leones tienen otras características de adaptación especiales que los ayudan a capturar a sus presas. Pídales que las investiguen. Algunas de ellas son:

- Dientes grandes y afilados, denominados caninos, que sirven para capturar y sujetar a la presa.
- Garras fuertes que sirven para atrapar y no soltar a la presa.
- Músculos fuertes en las patas delanteras y el pecho para derribar y sujetar animales hasta del triple de su tamaño.

Pies de gato

OBJETIVO

Determinar cómo la característica de adaptación según la cual los leones tienen las patas acojinadas les permite ser mejores cazadores.

Materiales

par de zapatos de suela dura
cuadrado de cartoncillo de 30 cm
    (12 pulgadas)
lápiz
tijeras
3 cordones de 60 cm
    (24 pulgadas)
2 ligas
funda de almohada pequeña

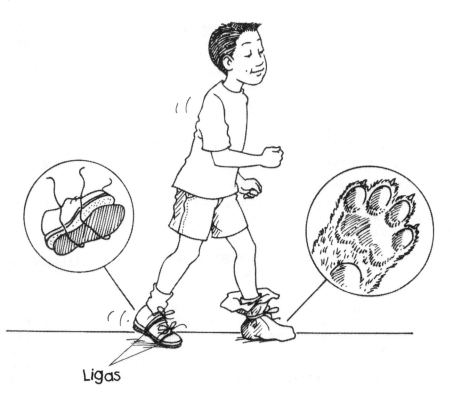

Ligas

Procedimiento

1. Sin quitarte los zapatos, pon un pie sobre el cartoncillo. Dibuja el contorno de la suela del zapato y recorta la suela dibujada.
2. Con los zapatos puestos, pon la suela de cartoncillo por debajo de tu zapato. Fija la suela de cartoncillo atando dos de los cordones alrededor de ella y del zapato. *NOTA*: coloca las ligas alrededor del zapato que tiene la suela de cartoncillo.
3. Mete el otro pie con zapato, el que no tiene suela de cartoncillo, dentro de la funda de almohada y amarra ésta a tu pie con el cordón restante. En caso necesario, dobla las puntas de la funda de manera que queden amarradas con el cordón.
4. Da 4 o 5 pasos sobre un piso con losa. Mientras caminas, fíjate en el ruido que hace tu zapato cubierto con tela y el que hace tu zapato con la suela de cartoncillo.

Resultados

El zapato cubierto con tela hace menos ruido que el que está cubierto con la suela de cartoncillo.

¿Por qué?

Algunos materiales **absorben** el ruido (lo reciben sin eco). Los materiales blandos, como la tela, absorben el ruido mejor que los materiales duros, como el cartoncillo. El acojinado de las patas del león, al igual que el pie cubierto de tela, amortigua o disminuye el ruido en cada paso. El acojinado de las patas le ayuda al león a sorprender a su presa.

52 Sugerencias para el maestro

Orejón

Guías para evaluar el progreso

Al término del quinto grado, el alumno ya debe saber que:

- Las características físicas de algunos animales les permiten ser mejores depredadores que otros.

Al término del sexto grado y en primero de secundaria, el alumno ya debe saber que:

- Los rasgos heredados por una especie pueden ayudar a la supervivencia de ésta.

En esta investigación se espera que el alumno:

- Identifique y explique cómo una característica específica de un organismo puede influir en sus habilidades depredadoras.

Para presentar la investigación

1. Explique los nuevos términos científicos:

 oído externo: parte exterior visible del oído que recoge las ondas sonoras y las dirige hacia el oído interno.
 sonido: energía que se mueve en forma de ondas a través del aire y de otros materiales.

2. Explore los nuevos términos científicos:

 - Las orejas grandes son una característica de adaptación que permite a los animales oír a los depredadores y tener más tiempo para huir.
 - Entre los animales con orejas grandes están los elefantes, venados, cebras y asnos.

- La energía del sonido y la radiación se mueven en forma de ondas. Algunas de las diferencias entre estos dos tipos de ondas son: 1) las ondas sonoras requieren un material para desplazarse a través de él, en tanto que las radiaciones pueden avanzar en el vacío (espacio desocupado); 2) el sonido se oye; 3) la radiación se percibe en forma de calor o luz.

¡Qué interesante!

El venado puede voltear sus orejas de lado a lado para captar ruidos que provienen de todas direcciones.

UN POQUITO MÁS

Una persona no puede indicar la dirección exacta de la fuente de sonido si ésta se encuentra a igual distancia de los dos oídos. Esto es porque el sonido se recibe con igual intensidad en los dos oídos. Pero si uno de los oídos apunta hacia la fuente del sonido, la persona recibe más ondas sonoras en ese lado y el sonido es más fuerte. Los animales que pueden mover sus orejas en diferentes direcciones, pueden detectar mejor la dirección de la fuente de sonido. Los alumnos podrán planear un experimento para determinar cómo el movimiento de las orejas ayuda a detectar la dirección de una fuente de sonido. Pueden hacerlo elaborando dos cucuruchos y colocando uno de ellos en cada oreja.

Enseña la ciencia de forma divertida

Orejón

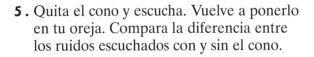

OBJETIVO

Determinar cómo el tamaño de las orejas puede ayudar a un animal a escapar del depredador.

Materiales

hoja tamaño carta
cinta adhesiva transparente
reloj de tictac

Procedimiento

1. Con la hoja de papel forma un cono con un orificio del tamaño del dedo índice en la punta y el otro orificio lo más grande posible. *Precaución*: no hagas el orificio de la punta tan pequeño como para que puedas introducirlo en tu oído.
2. Pega el cono con cinta adhesiva.
3. Pon el reloj sobre una mesa y párate de modo que una de tus orejas apunte hacia él, lo más cerca posible, pero sin oír su tictac.
4. Pon el orificio más pequeño del cono a la altura de la oreja que está del lado del reloj. Apunta la parte más ancha del cono hacia el reloj y escucha.

5. Quita el cono y escucha. Vuelve a ponerlo en tu oreja. Compara la diferencia entre los ruidos escuchados con y sin el cono.

Resultados

Cuando se usa el cono de papel, se puede escuchar el tictac del reloj.

¿Por qué?

El tictac del reloj está enviando **sonido**, que es energía que se mueve en forma de ondas por el aire o a través de otros materiales y que se puede oír. El **oído externo** (la parte exterior visible u oreja) está diseñado para recoger estas ondas sonoras y dirigirlas hacia el oído interno. El cono de papel agrandó tu oído externo aumentando el número de ondas sonoras recibidas. Esto hace que el tictac del reloj sea demasiado fuerte de modo que puedas oírlo. Las orejas grandes de los animales los ayudan a oír cuando los depredadores se acercan, lo que les da más tiempo para escapar.

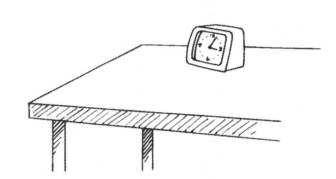

Vista de águila

Guías para evaluar el progreso

Al término del quinto grado, el alumno ya debe saber que:

- Las características físicas hacen que algunos animales sean mejores depredadores que otros.

Al término del sexto grado y en primero de secundaria, el alumno ya debe saber que:

- Los rasgos heredados por una especie pueden ayudar a la supervivencia de ésta.

En esta investigación se espera que el alumno:

- Identifique y explique cómo una característica específica de un organismo puede influir en sus habilidades como depredador.

Para preparar la investigación

Se necesitará un área abierta bastante grande, ya que la distancia entre el alumno y la bola de plastilina puede ser hasta de 12 m (40 pies). Si lo desea, puede hacer una tabla grande para registrar las distancias de todo el grupo.

Para presentar la investigación

1. Explique los nuevos términos científicos:

   poder de resolución: capacidad del ojo para enfocar objetos a distancia.

2. Explore los nuevos términos científicos:

   - El poder de resolución del ojo de un águila es aproximadamente 8 veces mayor que el del ojo humano.

- Algunas águilas pueden ver un conejo hasta a una distancia de 3 km (2 millas).

¡Qué interesante!

Las águilas tienen un párpado interior adicional llamado *membrana nictante* que usan para proteger sus ojos de las heridas accidentales que pudiera provocarles el pico de sus polluelos cuando los están alimentado. Esta membrana les ayuda también a humedecer y limpiar sus ojos.

UN POQUITO MÁS

Explique que las águilas tienen otras características de adaptación especiales que las ayudan a cazar sus presas. Los estudiantes pueden investigar y descubrir las siguientes características:

- Algunas águilas pueden volar en picada a velocidades tan grandes como 320 km (200 millas) por hora.
- Las águilas pescadoras, como el águila calva, tienen unas protuberancias en sus patas que les ayudan a sostener a los resbalosos pescados.

53

Vista de águila

OBJETIVO

Comparar el poder de resolución de tus ojos con el de los ojos de un águila.

Materiales

tarjeta para ficha bibliográfica
bolita de plastilina, del tamaño de un chícharo
2 lápices
regla de 1 metro

Procedimiento

1. Deposita la tarjeta en un terreno plano en un área abierta y grande.
2. Coloca la bolita de plastilina en el centro de la tarjeta.
3. Párate frente a la tarjeta y mira la bolita de plastilina.
4. Aléjate de la bolita de plastilina hasta que ya no puedas verla. Detente y señala ese lugar colocando un lápiz.
5. Con la regla, mide la distancia que hay desde el lápiz hasta la bolita de plastilina. Utiliza el otro lápiz para registrar la medida de esta distancia (d, la distancia de tu poder de resolución) en la tabla "Datos de distancia del poder de resolución". (El poder de resolución es la capacidad del ojo para enfocar objetos a distancia.)

6. Calcula la distancia del poder de resolución de un águila (d_a) usando la siguiente ecuación:

$$d_a = d \times 8$$

Resultados

Los resultados varían de persona a persona y en función del tamaño del objeto utilizado.

¿Por qué?

El **poder de resolución** del ojo de un águila es aproximadamente ocho veces mayor que el del ojo humano. Si pudiste ver la bolita de plastilina desde una distancia de 11.5 m (38 pies), un águila podría verla desde una distancia de 91 m (304 pies), lo que es un poco más que la longitud de una cancha de futbol americano. La vista aguda del águila es una característica de adaptación que le ayuda a localizar a sus presas desde muy alto.

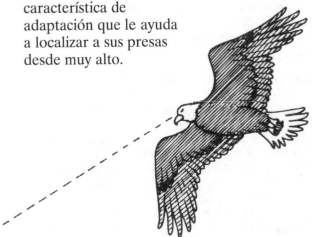

DATOS DE LA DISTANCIA DEL PODER DE RESOLUCIÓN		
Nombre	d (distancia de tu poder de resolución)	d_a (distancia del poder de resolución de un águila), $d_a = d \times 8$

Planeadores

Guías para evaluar el progreso

Al término del quinto grado, el alumno ya debe saber que:

- Los animales que emigran tienen características físicas especiales.

Al término del sexto grado y en primero de secundaria, el alumno ya debe saber que:

- Los individuos que poseen ciertas características tienen más posibilidades de sobrevivir.
- Los animales migratorios de diferentes especies tienen diferentes características de adaptación.

En esta investigación se espera que el alumno:

- Identifique y explique cómo una característica específica de un organismo puede influir en su capacidad migratoria.

Para presentar la investigación

1. Explique los nuevos términos científicos:

   planear: avanzar en el aire suavemente y sin esfuerzo.
   fuerza ascensional: fuerza que eleva un objeto que vuela.
   migración: comportamiento de adaptación por el cual se viaja de una región a otra debido a cambios en las condiciones del ambiente.

2. Explore los nuevos términos científicos:

   - Se dice que una mariposa planea cuando vuela sin batir las alas.
   - El cuerpo liviano de una mariposa y sus alas grandes la convierten en una planeadora perfecta.
   - Las mariposas son animales de sangre fría, lo cual quiere decir que la temperatura de su cuerpo cambia con la temperatura del ambiente. Cuando ésta se vuelve muy fría, algunas mariposas adultas, como las mariposas monarca, emigran a regiones más cálidas.

- El comportamiento de adaptación de migración es un *instinto*, o sea que es un comportamiento innato complejo. Este comportamiento no se limita a una sola respuesta, sino que una actividad dispara la siguiente.
- Los animales migratorios nunca se dicen a sí mismos "Está empezando a hacer frío y mejor me voy al sur". Lo que hacen es responder a muchos estímulos del ambiente, como la cantidad de luz solar. Este cambio puede afectar las sustancias químicas del cuerpo del animal, lo que afecta la actividad de su cuerpo, y así sucesivamente.

¡Qué interesante!

Las mariposas pueden volar cuando la temperatura del aire está entre 16 y 42°C (60 y 108°F), pero lo hacen mejor cuando su temperatura corporal está entre 28 y 38°C (82 y 100°F).

UN POQUITO MÁS

1. Los alumnos pueden cambiar los planeadores (avioncitos) de papel para descubrir la manera en que el tamaño afecta la distancia en que pueden planear o cuánto tiempo podrán permanecer en el aire.
2. Los alumnos pueden investigar la ruta de migración de la mariposa monarca (desde el norte de Estados Unidos hasta el sur de ese país y hasta México cada otoño para regresar nuevamente en primavera) y la cantidad de kilómetros que esta pequeña voladora recorre (algunas vuelan miles de kilómetros).

Planeadores

OBJETIVO

Mostrar cómo ahorra energía la mariposa monarca cuando vuela grandes distancias.

Materiales

hoja tamaño carta
clip

Procedimiento

1. Elabora un planeador (avioncito) de papel siguiendo las instrucciones y plegando cada doblez con el dedo:

   - Dobla la hoja a la mitad a lo largo.
   - Abre la hoja y dobla las esquinas superiores hacia el centro de manera que se toquen (figura A).
   - Lleva las orillas dobladas hacia el centro de manera que se toquen (figura B).
   - Vuelve a llevar las orillas dobladas hacia el centro (figura C).
   - Voltea el planeador y dóblalo a lo largo del centro de manera que las orillas exteriores dobladas (alas) se toquen. El doblez central es la parte de abajo del cuerpo del planeador (figura D).

2. Abre las alas de manera que queden niveladas, sujeta el cuerpo del planeador y lánzalo para hacer que vuele por el aire.

Resultados

El planeador (avioncito) de papel vuela por el aire y después aterriza.

¿Por qué?

La forma del planeador de papel, al igual que la forma de las alas de la mariposa, hace que el aire fluya a mayor velocidad sobre las alas que debajo de ellas. El aire que se mueve más rápido crea un área de presión más baja. El aire que está abajo de las alas tiene una presión más alta y hace que las alas suban más de lo que logra hacerlas bajar el aire que está arriba del ala. Estas fuerzas desiguales forman una fuerza **ascensional**. El planeador de papel disminuye la velocidad y la gravedad lo lleva a la superficie. Sin embargo, la mariposa monarca no es empujada hacia la superficie porque bate sus alas para mantenerse volando. Las monarca adultas son grandes voladoras que se desplazan despacio pero con fuerza. Entre uno y otro aleteo suelen dejar las alas abiertas y **planean** (avanzan en el aire suavemente y sin esfuerzo). Planear es una técnica de vuelo que ahorra energía y le permite a la mariposa monarca volar grandes distancias durante la **migración** (comportamiento de adaptación por el cual se viaja de una región a otra debido a los cambios en las condiciones del ambiente).

doblez central

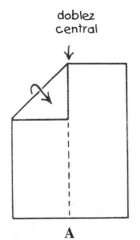

A

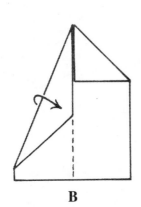

B

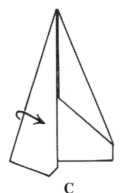

C

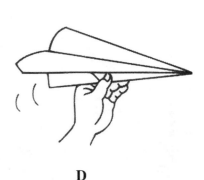

D

Enseña la ciencia de forma divertida

IV

Ciencias de la Tierra y el espacio

Las *ciencias de la Tierra* estudian el planeta especial en el que vivimos: la Tierra. Esta disciplina comprende información proveniente de diferentes ciencias, como astronomía, biología, química, física y geología. En conjunto, estas ciencias nos permiten una mejor comprensión de la Tierra y de su lugar en el espacio.

La *astronomía* es la ciencia del espacio. Es el estudio de los *cuerpos celestes*, los objetos naturales que están en el espacio, como planetas, estrellas, soles y lunas. La astronomía estudia también el planeta en donde vivimos —la Tierra— y el lugar que ocupa entre todos sus vecinos del espacio.

A

Estructura del sistema de la Tierra

El sistema de la Tierra está formado por cuatro partes que interactúan: 1) *geosfera* (corteza, manto y núcleo), 2) *hidrosfera* (agua), 3) *atmósfera* (aire) y 4) *biosfera* (el reino de todos los seres vivos). La biosfera fue el tema de la sección III, "Ciencias de la vida". En esta sección se estudian la geosfera, la hidrosfera y la atmósfera.

Al estudiar la geosfera, los alumnos conocen las capas interiores de la Tierra, los movimientos de la corteza sólida de la Tierra, proceso que se conoce como *tectónica de placas*, y los procesos de erosión mediante los cuales se desbaratan las rocas. Investigan los diferentes métodos por los cuales se forman las rocas, así como los cambios de una a otra forma de roca, proceso que se conoce como *ciclo de las rocas*.

La hidrosfera terrestre o "esfera de agua" contiene toda el agua de la Tierra. Esta parte del planeta está formada por los océanos, ríos, lagos, arroyos, agua subterránea y toda la nieve y hielo, incluyendo icebergs y glaciares. Aunque otros planetas tienen hidrosfera, la Tierra es el único que tiene una hidrosfera que se compone de agua en sus tres estados: líquido, sólido y gaseoso.

Los alumnos amplían su conocimiento acerca del agua de la Tierra; estudian el ciclo de evaporación y condensación conocido como *ciclo del agua*. También modelan un método para medir la profundidad del agua, conocido como *sonar*. Elaboran un modelo de iceberg, estudian el efecto de las olas sobre las playas y analizan el movimiento del agua de los océanos debido a cambios en la temperatura.

El manto de gases que rodea la Tierra se llama *atmósfera*. Los gases que se encuentran en ella son principalmente una mezcla de nitrógeno, oxígeno, bióxido de carbono y vapor de agua. Ningún otro planeta del sistema solar tiene una atmósfera comparable a la de la Tierra.

Los alumnos aprenden cómo influye la orientación de la luz solar en el calentamiento de la atmósfera de la Tierra en el ecuador. Pueden demostrar el efecto de la forma de la Tierra en el calentamiento desigual de la atmósfera. Investigan el *efecto invernadero* y la forma como los materiales de la superficie de la Tierra influyen en el mismo. Aprenden qué son las masas de aire y pueden demostrar cómo las diferencias en su densidad ocasionan *frentes calientes* y *frentes fríos*. También investigan la forma como las nubes pueden servir para identificar estos frentes.

Capas de la Tierra

Guías para evaluar el progreso

Al término del quinto grado, el alumno ya debe saber que:

- Los modelos a escala muestran formas y comparan la ubicación de objetos de tamaño muy diferente.
- La forma de la Tierra es casi esférica.

Al término del sexto grado y en primero de secundaria, el alumno ya debe saber que:

- La escala elegida para un modelo es decisiva para la utilidad del mismo.
- En esencia, la Tierra es un cuerpo esférico formado por capas.

En esta investigación se espera que el alumno:

- Describa los componentes de la geosfera.

Para presentar la investigación

1. Explique los nuevos términos científicos:

   corteza: capa exterior de la geosfera; en ella viven los organismos.
   geosfera: parte sólida de la Tierra sin considerar hidrosfera y atmósfera. La geosfera comprende: corteza, manto y núcleo.
   manto: capa de la geosfera ubicada entre el núcleo y la corteza, formada en su mayor parte de silicatos.
   núcleo terrestre: capa interior de la geosfera, que se encuentra debajo del manto y está formada en su mayor parte por dos metales: el hierro y el níquel.
   silicatos: sustancias químicas del manto de la Tierra, formadas por silicio y oxígeno combinados con otros elementos.

2. Explore los nuevos términos científicos:

   - Básicamente, la corteza está formada por rocas.
   - El centro de un cuerpo celeste se llama núcleo.
   - El núcleo de la Tierra, con un diámetro promedio de 6800 km (4250 millas), se cree que está constituido por dos metales principalmente: hierro y níquel.

- El manto de la Tierra tiene un espesor de aproximadamente 2900 km (4812 millas). Las sustancias químicas más comunes que se encuentran en el manto son silicatos combinados con hierro y magnesio.
- La corteza de la Tierra tiene un espesor de 5 a 50 km (3 a 30 millas) y contiene grandes cantidades de silicatos combinados con aluminio, hierro y magnesio.

¡Qué interesante!

Los límites entre las capas de la geosfera no son rectos. Por ejemplo, debajo del Golfo de Alaska el núcleo terrestre se levanta por lo menos 10 km (6 millas) dentro del manto, y debajo del sureste de Asia hay una hendidura en éste igualmente profunda.

UN POQUITO MÁS

La temperatura y la presión de las capas de la Tierra aumentan con la profundidad. Las temperaturas altas dentro de la Tierra son lo suficientemente altas como para derretir los materiales que forman las capas. Sin embargo, la mayor parte del interior de la Tierra no es líquida porque las grandes presiones aplastan los materiales, formando sólidos y contrarrestando así la temperatura. Haga que sus alumnos investiguen cuáles son las cinco capas de la Tierra con base en su estado (una propiedad física). Estas capas y sus profundidades son: 1) *litosfera* (0 a 100 km), 2) *astenosfera* (100 a 350 km), 3) *mesosfera* (350 a 2883 km), 4) *núcleo exterior* (2883 a 5140 km) y 5) *núcleo interior* (5140 a 6371 km). Repita el experimento haciendo un modelo en el que aparezcan estas cinco capas (litosfera, sólida; astenosfera, semisólida; mesosfera, sólida; núcleo exterior, líquido; núcleo interior, sólido).

Capas de la Tierra

OBJETIVO

Elaborar un modelo de las tres capas interiores de la Tierra con base en su composición química.

Materiales

compás para dibujante
regla
cuadrado de cartón de 15 cm (6 pulgadas)
  por lado
3 bolitas de plastilina del tamaño de un limón:
  1 amarilla, 1 roja y 1 azul

Procedimiento

1. Con el compás y la regla, dibuja un círculo de 6.8 cm (2 $\frac{3}{4}$ pulgadas) de diámetro en el centro del cartón.
2. Alrededor del primero, dibuja un segundo círculo de 12.6 cm (5 pulgadas) de diámetro. La circunferencia de este círculo queda a 2.9 cm (1$\frac{1}{4}$ pulgadas) de la circunferencia del círculo interior.
3. Llena el círculo interior con plastilina amarilla y el anillo exterior con plastilina roja.
4. Usa la plastilina azul para hacer un anillo muy delgado alrededor del anillo de plastilina roja.

Resultados

Ahora tienes un modelo a escala de las capas de la Tierra. La capa interior amarilla del modelo tiene un diámetro de 6.8 cm (2 $\frac{3}{4}$ pulgadas), la capa roja intermedia tiene 2.9 cm (1 $\frac{1}{4}$ pulgadas) de espesor y la capa exterior azul es muy delgada.

¿Por qué?

Las tres capas de plastilina representan las tres capas de la **geosfera** (parte sólida de la Tierra) de acuerdo con su composición química. La capa interior amarilla representa el **núcleo** de la Tierra. Con base en una escala de 1 cm = 1000 km (625 millas), el diámetro de 6.8 cm para la capa amarilla representa 6800 km (4259 millas), que es el diámetro promedio del núcleo de la Tierra. El espesor del núcleo o radio es de 3400 km (2125 millas). Se cree que el núcleo esté formado en su mayor parte por dos metales: hierro y níquel.

Rodeando el núcleo se encuentra el **manto**. Esta capa tiene un espesor de aproximadamente 2900 km (1812 millas); de esta manera el espesor de la plastilina roja que representa esta capa es de 2.9 cm. Las sustancias químicas más comúnmente halladas en esta capa son los **silicatos,** formados por silicio y oxígeno combinados con otro elemento. Los silicatos de esta capa se combinan principalmente con hierro y magnesio.

La capa exterior se llama **corteza**. Es la capa sobre la que viven los seres humanos y otros organismos. Esta capa exterior delgada varía entre 5 y 50 km (3 a 30 millas) de espesor; al igual que el manto, la corteza contiene grandes cantidades de silicatos, pero éstos casi siempre están combinados con aluminio, hierro y magnesio. En la escala esto quiere decir que la banda exterior de plastilina azul que representa la corteza debe ser aproximadamente de 0.005 a 0.05 cm (0.002 a 0.02 pulgadas) de espesor.

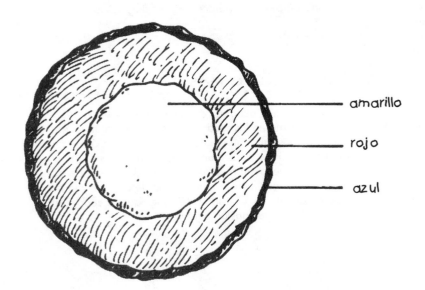

amarillo

rojo

azul

Desgaste

Guías para evaluar el progreso

Al término del quinto grado, el alumno ya debe saber que:

- El agua da forma y reforma la superficie de la Tierra al erosionar rocas y suelos en algunas áreas y depositar los sedimentos en otras.

Al término del sexto grado y en primero de secundaria, el alumno ya debe saber que:

- La superficie de la Tierra ha adquirido su forma debido en parte al movimiento del agua durante periodos muy prolongados.

En esta investigación se espera que el alumno:

- Comprenda que la superficie de la Tierra puede ser modificada por fuerzas como el agua y la gravedad.

Para preparar la investigación

Proceda a elaborar pelotitas de barro mezclando tierra con agua (deben ser del tamaño de una pelota de golf) y déjelas secar al aire u hornéelas a una temperatura aproximada de 135°C (275°F) durante una hora o hasta que estén secas. Se pueden usar charolas para galletas, charolas de unicel para carne o cualquier otro recipiente que contenga el agua que va a correr al secarse las pelotitas.

Para presentar la investigación

1. Explore los nuevos términos científicos:

   agente de erosión: fuerza natural como agua, viento, hielo o gravedad que transporta materiales erosionados.

   erosión: proceso por medio del cual las rocas y otros materiales de la corteza terrestre se desintegran y son arrastrados por agentes de erosión.

   intemperismo: etapa de la erosión que abarca sólo la descomposición de materiales de la corteza.

   intemperismo mecánico: tipo de desgaste que desintegra o descompone los materiales de la corteza terrestre por medios físicos.

   intemperismo químico: tipo de desgaste que modifica las propiedades químicas de los materiales de la corteza terrestre.

   mineral: sólido que se encuentra en la corteza terrestre y del que están formadas las rocas.

   roca: mezcla sólida que generalmente es de dos o más minerales.

   roca madre: roca común de una región.

   sedimentos: fragmentos de un material que han sido transportados desde un lugar y depositados en otro por un agente de erosión.

2. Explore los nuevos términos científicos:

   - Un mineral tiene cuatro características básicas: 1) aparece en forma natural; 2) es inorgánico, lo que quiere decir que no se ha formado de restos de seres vivos; 3) tiene una composición química definida, y 4) tiene una estructura de cristales.
   - Los agentes naturales de erosión son: agua, viento, hielo y gravedad.
   - Hay dos tipos de intemperismo: mecánico y químico.
   - Los procesos de intemperismo mecánico son: el efecto de la congelación, la acción de la humedad y el secado, las acciones de plantas y animales, y la pérdida de rocas y suelo superficiales.
   - Una de las principales causas del intemperismo mecánico es la formación de hielo en las hendiduras de las rocas. El hielo se expande y rompe la roca.
   - El intemperismo químico de las rocas es resultado principalmente de la acción del agua de lluvia, oxígeno, bióxido de carbono y ácidos.
   - Una de las principales causas del intemperismo químico es la acción disolvente del agua.

¡Qué interesante!

El agua que cae en las Cataratas del Niágara está erosionando las rocas y la catarata se está desgastando. Las cataratas desaparecerán aproximadamente en 25 mil años.

UN POQUITO MÁS

La congelación del agua es una de las causas del intemperismo en las rocas. Aquí se presenta un proyecto para demostrarlo, que puede llevarse a cabo como tarea para casa. Pida a sus alumnos que llenen con agua un recipiente pequeño de plástico hasta el máximo de su capacidad, que cierren bien la tapa de plástico y lo pongan en el congelador. Cuando esté congelada la capa, ésta se botará con la expansión del hielo.

Desgaste

OBJETIVO

Demostrar que el agua es un agente de erosión.

Materiales

cinta adhesiva (masking tape)
lápiz
3 vasos desechables de 270 ml (9 onzas)
agua de la llave
3 pelotitas de barro (del tamaño aproximado
    de una pelota de golf), elaboradas con
    arcilla y agua y posteriormente secadas
charola
regla

Procedimiento

1. Con la cinta adhesiva y el lápiz, marca los vasos con las letras "A", "B" y "C". Después prepara los vasos como sigue:

   - Con el lápiz, haz de 8 a 10 orificios alrededor de la base del vaso "A".
   - Con el lápiz, haz 12 orificios en la base del vaso "B".
   - Llena el vaso "C" con agua de la llave.

2. Observa la forma de las pelotitas de barro y anota tus observaciones en la tabla "Datos de erosión".

3. Coloca las pelotitas de barro en el vaso "A" y pon éste en el centro de la charola. Para la regla contra un lado del vaso "A" y pégala al vaso con la cinta adhesiva.

4. Sostén el vaso "B" a 10 cm (4 pulgadas) por encima del vaso "A". Vacía en el vaso "B" el agua del vaso "C" como se ve en la figura.

5. Después de que el agua se haya drenado del vaso "B", observa la forma de las pelotitas de barro en el vaso y registra tus observaciones en la tabla. Observa el contenido de la charola y registra tus observaciones.

DATOS DE EROSIÓN	
Materiales	**Observaciones**
Forma de las pelotitas de barro originales	
Forma de las pelotitas de barro después de verter agua en ellas	
Contenido de la charola después de recoger el agua del vaso	

Resultados

El agua arrastró parte del barro de las pelotitas y lo depositó en la charola.

¿Por qué?

Los **minerales** son sólidos de la corteza terrestre, y las **rocas** están hechas de minerales. La **erosión** es el proceso por el cual las rocas y otros materiales de la corteza terrestre se desbaratan y son arrastrados lejos por fuerzas naturales llamadas **agentes de erosión**. Antes de la erosión, la roca común de una región se llama **roca madre**. La etapa de la erosión en la que se desintegran los materiales de la corteza se llama **intemperismo**.

En esta investigación el agua erosiona las pelotitas de barro mediante los dos procesos de intemperismo. Primero, las pelotitas de barro se ven sometidas al **intemperismo químico** (un cambio en las propiedades químicas de los materiales de la corteza) debido a que el agua disuelve y se mezcla con las sustancias que hay en las pelotitas. Después, las pelotitas se ven sometidas al **intemperismo mecánico** (son separadas por un medio físico) por la fuerza del agua que cae, las impacta y desprende algunos fragmentos. Los agentes de erosión en este experimento son la gravedad y el agua. La gravedad atrae al agua hacia abajo, y el agua arrastra hacia abajo los materiales disueltos y las sustancias mezcladas cuando fluye fuera de los orificios del vaso. Cuando el agua deja de moverse, la gravedad atrae hacia abajo los fragmentos de barro no disueltos en el agua, y los deposita en la charola. Estos fragmentos que han sido llevados de un lugar y depositados en otro por un agente de erosión, se llaman **sedimentos**.

Petrificado

Guías para evaluar el progreso

Al término del quinto grado, el alumno ya debe saber que:

- La roca está formada por combinaciones diferentes de sustancias.
- A lo largo del tiempo se depositan partículas de roca erosionada, que forman capas.

Al término del sexto grado y en primero de secundaria, el alumno ya debe saber que:

- Con el paso del tiempo, los sedimentos van quedando enterrados por la acción de los minerales disueltos para formar nuevamente roca sólida.

En esta investigación se espera que el alumno:

- Comprenda el proceso de cementación en la formación de roca clástica, un tipo de roca sedimentaria.

Para preparar la investigación

Utilice piedras naturales pequeñas o grava para acuario que puede comprar en las tiendas de artículos para jardinería o mascotas.

Para presentar la investigación

1. Explique los nuevos términos científicos:

   cementación: unión de materiales por la acción de un agente cementante (que los pega).
   compactación: presionar (apretar) los materiales para comprimirlos.
   litificación (petrificación): el endurecimiento de sedimentos para formar roca.
   roca clástica: tipo de roca sedimentaria que se forma cuando los sedimentos de rocas preexistentes se compactan y cementan.
   roca sedimentaria: roca que se forma de sedimentos depositados por el agua, viento o hielo.

2. Explore los nuevos términos científicos:

   - El tamaño de la partícula determina el tipo de roca clástica.
   - Los tipos de roca clástica son: 1) *conglomerada* y *brecha* (formadas por fragmentos grandes de roca); 2) *arenisca* (formada por granos de arena), y 3) *esquisto* (formada por partículas diminutas de mineral, como cieno y arcilla).

   - La compactación y la cementación son etapas de la litificación en la formación de roca clástica.
   - Cuando la roca madre se desgasta, los sedimentos son arrastrados por agentes de erosión, como el viento y el agua.
   - Los sedimentos que se depositan en el agua se acumulan con el tiempo y se compactan y cementan, formando roca clástica.
   - Los tres tipos de roca sedimentaria se agrupan de acuerdo con la manera en que se forman y cada uno tiene composición y textura diferentes. Las partículas compactadas y cementadas forman *roca sedimentaria clástica*. Los depósitos de seres vivos forman *roca sedimentaria orgánica*. La *roca sedimentaria química*, llamada *evaporita*, se forma cuando se evapora el agua de soluciones minerales, como agua del mar.

¡Qué interesante!

Cuando la arena se cementa, forma un tipo de roca sedimentaria llamada *arenisca*. Las formaciones de arenisca, como las del Cañón de Bryce, Utah, se pueden extender a lo largo de muchos kilómetros.

UN POQUITO MÁS

1. La roca conglomerada y la brecha están formadas por varios fragmentos grandes de roca. Los fragmentos del conglomerado son lisos con orillas redondeadas, mientras que los fragmentos de la brecha son afilados y angulares. Los alumnos pueden hacer muestras de conglomerado repitiendo la investigación con piedras grandes, redondas y lisas.
2. Ya que los depósitos de sedimentos se forman en tiempos diferentes, su contenido puede variar, formando capas de roca sedimentaria. Para hacer un modelo de las capas de roca sedimentaria, repita la investigación añadiendo dos cucharadas soperas (30 ml) de grava para acuario y una cantidad igual de grava de otro color.

Petrificado

OBJETIVO

Determinar cómo se unen los sedimentos en la roca clástica.

Materiales

4 cucharadas soperas (120 ml) de agua de la llave

dos vasos de plástico transparente de 300 ml (10 onzas)

4 cucharadas soperas de piedras pequeñas

pegamento escolar

Procedimiento

1. Vacía el agua en uno de los vasos.
2. Añade piedras pequeñas al vaso con agua.
3. Sin dejar que las piedras caigan, vacía el agua (tanta como sea posible) al otro vaso.
4. Añade pegamento al vaso con piedras, de manera que una capa delgada de pegamento cubra la capa superior de piedras. Todas las piedras de arriba deberán quedar cubiertas con pegamento.
5. Aprieta el vaso sin romperlo y observa la facilidad con la que se mueven las piedras.
6. Deja reposar el vaso durante toda la noche. Después repite el paso 5.

Resultados

Antes de que el pegamento se secara, las piedras pequeñas se podían mover y, por lo tanto, se podía apretar el vaso. Una vez que el pegamento se seca, las piedras se unen para formar una masa sólida que no se mueve al apretar el vaso.

¿Por qué?

En esta investigación las piedras representan los sedimentos, y el pegamento las sustancias en el agua que cementan los sedimentos. La **roca sedimentaria** se forma con los sedimentos depositados por el agua, viento o hielo. La **litificación** (petrificación) es el endurecimiento de sedimentos para formar una roca. La **roca clástica** es un tipo de roca sedimentaria que se forma cuando los sedimentos de rocas preexistentes se litifican (petrifican) por medio de los procesos de compactación y cementación. Durante la **compactación** (el proceso de comprimir materiales), el agua sale por los espacios entre los sedimentos, pero las sustancias disueltas en el agua se quedan. Durante la **cementación** (la unión y endurecimiento de materiales), estas sustancias forman una capa delgada alrededor de los sedimentos y los pegan, al igual que el pegamento unió las piedras en este experimento.

Roca fundida

Guías para evaluar el progreso

Al término del quinto grado, el alumno ya debe saber que:
- Las sustancias pueden cambiar de un estado a otro.

Al término del sexto grado y en primero de secundaria, el alumno ya debe saber que:
- Un tipo de roca sedimentaria del interior de la Tierra se puede fundir y enfriar para formar otro tipo de roca.

En esta investigación se espera que el alumno:
- Determine cómo se funde la roca.

Para preparar la investigación

Se trabaja mejor con chocolate que se rompe fácilmente en pequeños cuadritos.

Para presentar la investigación

1. Explique los nuevos términos científicos:

   fusión: cambio de sólido a líquido.
   magma: roca fundida debajo de la corteza terrestre.
   punto de fusión: temperatura a la cual un sólido cambia a líquido.
   roca ígnea: roca que se forma cuando el magma se enfría y solidifica.

2. Explore los nuevos términos científicos:

   - La temperatura del magma es normalmente de 550 a 1100 °C (1022 a 2192 °F).

- Cuando el magma llega a la superficie de la Tierra, sigue siendo magma pero se conoce como *lava*.
- El tamaño de los cristales de una roca ígnea depende de la rapidez con que se enfríe la roca fundida. Los cristales pequeños se forman cuando la roca fundida se enfría lentamente, y los cristales grandes cuando se enfría con rapidez.

¡Qué interesante!

Algunas veces se desprenden y caen bloques sólidos de rocas diferentes sobre un yacimiento de magma. Si la temperatura del magma está por debajo del punto de fusión de las rocas que caen, éstas permanecen sólidas. Estos pedazos sólidos de diferentes rocas se mezclan con la roca fundida y se llaman *xenolitos*.

UN POQUITO MÁS

No todas las rocas se funden a la misma temperatura. Los alumnos pueden descubrirlo repitiendo el experimento con dulces de tipos diferentes, como caramelo, chocolate blanco y mentas. Se puede utilizar la velocidad a la que se funden para indicar la diferencia en el punto de fusión. Es conveniente usar una gráfica para registrar y comparar los resultados.

Roca fundida

OBJETIVO

Determinar cómo se puede fundir la roca sólida.

Materiales

vaso
agua tibia de la llave
cuchara
reloj
cuadrito de chocolate de leche de 1.5 cm
    ($\frac{1}{2}$ pulgada)
platito
palillo

Procedimiento

1. Llena el vaso con agua tibia de la llave.
2. Coloca la cuchara en el vaso con agua.
3. Aproximadamente 30 segundos después, saca la cuchara del agua y coloca el chocolate en la cuchara.
4. Pon la cuchara en el platito.
5. Utiliza el palillo para revolver el chocolate en la cuchara.
6. Continúa moviendo el chocolate durante un minuto o hasta que ya no se pueda mover con facilidad.

Resultados

El chocolate se funde y después se vuelve a endurecer.

¿Por qué?

El chocolate está sólido a temperatura ambiente, pero al igual que todos los sólidos, se funde al calentarse, lo que significa que cambia a líquido. La temperatura a la cual un sólido cambia a líquido se denomina su **punto de fusión**. Debido a que el chocolate tiene un punto de **fusión** bajo, el calor de la cuchara es suficiente como para elevar la temperatura del chocolate al punto de fusión. A mayor temperatura, el chocolate se hace más líquido.

El cambio del chocolate de sólido a líquido ocasionado por un aumento en su temperatura es similar al cambio de roca sólida a roca fundida (derretida) llamada **magma** (roca fundida debajo de la corteza terrestre). Las rocas tienen un punto de fusión más alto que el chocolate. El calor tan tremendo en profundidades de 40 a 60 kilómetros (25 a 37 $\frac{1}{2}$ millas) por debajo de la corteza terrestre es lo suficientemente alto como para fundir la roca. Al igual que con el chocolate, a mayor temperatura del magma, éste se hace más líquido. El cambio de líquido a sólido del chocolate es similar al cambio del magma a roca sólida nuevamente. La **roca ígnea** se forma cuando el magma se enfría y se solidifica.

Roca reciclada

Guías para evaluar el progreso

Al término del quinto grado, el alumno ya debe saber que:

- Existen patrones de cambio reconocibles entre los diferentes tipos de roca.

Al término del sexto grado y en primero de secundaria, el alumno ya debe saber que:

- Un tipo de roca del interior de la Tierra puede tomar una nueva forma por presión y calentamiento, convirtiéndose en un tipo de roca diferente.

En esta investigación se espera que el alumno:

- Elabore un modelo de metamorfismo y resuma en qué consiste.

Para presentar la investigación

1. Explique los nuevos términos científicos:

   metamorfismo: proceso por medio del cual el calor y la presión cambian la forma, textura o estructura de las rocas.

   roca metamórfica: roca que se forma a partir de otros tipos de roca por medio de presión y calentamiento dentro de la corteza terrestre.

2. Explore los nuevos términos científicos:

   - La roca ígnea y la roca sedimentaria pueden convertirse en roca metamórfica por calentamiento y presión. El proceso por medio del cual esto se lleva a cabo se llama metamorfismo.
   - La roca que está formando roca metamórfica se puede calentar hasta hacerse suave y flexible, pero nunca se funde.
   - El metamorfismo de las rocas se presenta a grandes profundidades dentro de la corteza terrestre, o en otras áreas con alta presión y temperatura, como en el lugar donde se mueven las placas de la corteza terrestre. También se presenta cerca de los grandes yacimientos de magma.
   - Durante el metamorfismo, la roca madre se puede calentar hasta hacerse suave y flexible, y/o la presión hace que pedazos del material que está formando la roca se presionen y compriman. Esto cambia el tamaño y estructura de los materiales de la roca.

¡Qué interesante!

El jade es una roca ornamental translúcida cuyo tallado se realiza desde tiempos ancestrales. El jade es un producto del metamorfismo. Se encuentra en rocas metamórficas que se forman cuando las fuerzas de las profundidades de la Tierra lanzan a la superficie sedimentos mezclados con agua del mar.

UN POQUITO MÁS

Al proceso sinfín por medio del cual las rocas cambian de un tipo a otro se le denomina *ciclo de la roca*. Pida a sus alumnos que investiguen los pasos del ciclo de la roca y hagan un cuadro sinóptico en donde muestren los cambios de un tipo de roca a otro. (La roca ígnea se forma cuando las rocas sedimentarias o metamórficas se funden y después se enfrían. La roca sedimentaria se forma por sedimentos de roca metamórfica o ígnea. Estos sedimentos se forman como resultado del desgaste y se depositan en capas, las cuales se compactan y cementan. La roca metamórfica se forma cuando la roca ígnea o sedimentaria cambian por calentamiento y/o presión.)

Roca reciclada

59

OBJETIVO

Elaborar un modelo de la formación de roca metamórfica.

Materiales

tres rebanadas de pan: dos de pan integral y
    una de pan blanco
periódico
dos hojas cuadradas de papel encerado de
    30 cm (12 pulgadas)
tijeras

Procedimiento

1. Coloca las tres rebanadas de pan juntas de manera que la de pan blanco quede entre las dos de pan integral. Observa la superficie superior y las orillas del sándwich.
2. Extiende el periódico en el suelo.
3. Coloca una de las hojas de papel encerado sobre el periódico y el sándwich sobre el papel encerado.
4. Coloca la otra hoja de papel encerado sobre el sándwich.
5. Párate sobre el papel de manera que el tacón de tu zapato quede sobre el sándwich. Apoya tu peso sobre el talón y después mueve el pie de adelante hacia atrás varias veces. Debes presionar el tacón lo más fuerte posible sobre el pan.
6. Saca el sándwich y córtalo a la mitad con las tijeras. Observa la superficie superior y las orillas del sándwich.

Resultados

Las tres capas de pan se comprimieron para formar una sola capa delgada en la que están mezcladas las capas originales.

¿Por qué?

Las tres rebanadas originales de pan representan tres capas de roca sedimentaria. Al aplicar presión sobre el modelo de roca sedimentaria moviendo el tacón del zapato sobre él, la presión hizo que el modelo se calentara ligeramente. La presión y el calor sobre el modelo representan las fuerzas que participan cuando la roca sedimentaria se transforma en otro tipo de roca, llamada **roca metamórfica** (roca que se forma de otros tipos de roca por medio de presión y calor dentro de la corteza terrestre). El proceso por medio del cual el calor y la presión cambian la forma, textura o estructura de la roca se llama **metamorfismo**.

Enseña la ciencia de forma divertida

Cristales

Guías para evaluar el progreso

Al término del quinto grado, el alumno ya debe saber que:

- Las rocas están formadas por combinaciones diferentes de minerales.

Al término del sexto grado y en primero de secundaria, el alumno ya debe saber que:

- Las rocas contienen rastros de los minerales de los que se formaron.
- La simetría (o la falta de la misma) puede determinar las propiedades de los cristales.

En esta investigación se espera que el alumno:

- Determine el proceso en la formación de la halita mineral.
- Demuestre que algunas mezclas conservan las propiedades físicas de sus ingredientes.
- Identifique los cambios que pueden sufrir las propiedades físicas de los ingredientes de las soluciones, como la disolución de sal en el agua y la evaporación del agua de una solución.

Para preparar la investigación

Cada pliego de cartulina negra se puede cortar en cuatro partes para que cada alumno o estudiante tenga una parte. Se sugiere utilizar frasquitos de alimento para bebé o vasos para jugo, ya que es menos probable que se volteen, en comparación con los vasos desechables. Prepare de antemano el lugar donde colocarán las cartulinas húmedas. Incluso si parte del agua escurre al levantar las cartulinas, los resultados seguirán siendo buenos. Las cartulinas se secarán independientemente de que se pongan o no al sol, pero de ser posible, elija un lugar soleado para que pueda incluirse el tema de la *energía solar* en la discusión.

Para presentar la investigación

1. Explique los nuevos términos científicos

   cristal: sólido con superficies planas que tiene partículas que están arregladas o dispuestas en diseños repetitivos.
   halita: forma mineral de la sal de mesa, formada por cristales de cloruro de sodio.

2. Explore los nuevos términos científicos:

   - Algunos ejemplos de cristales son sal, azúcar, cuarzo y diamante. (De ser posible, lleve muestras de cristales para que los alumnos las observen.)

- *Sal de mesa* es el nombre común para el compuesto químico llamado cloruro de sodio.
- *Halita, sal de piedra, sal pedrés* y *sal gema* son algunos de los nombres comunes de los cristales de cloruro de sodio.
- Los minerales se pueden expresar con una fórmula química. Por ejemplo, la halita mineral está formada por cristales de cloruro de sodio y su fórmula química es $NaCl$.
- Las rocas son normalmente una combinación de dos o más minerales, pero la halita es una roca de un solo mineral.
- Una roca puede ser una mezcla de un mineral si está formada por capas del mismo mineral. Esto sucede cuando se evapora el agua de mar y se forma capa tras capa de halita.
- Las rocas, como la halita, que se forman a partir de la evaporación del agua en una solución mineral, forman *rocas sedimentarias químicas,* llamadas *evaporitas.*

¡Qué interesante!

Generalmente el hielo se funde tan pronto como su temperatura sube a más de 0°C (32°F), pero es posible formar una clase especial de cristales de hielo llamados *hielo-VII* sometiendo hielo normal a presiones altísimas, de modo que los átomos y moléculas quedan unidos tan estrechamente que no se funden ni siquiera a temperaturas superiores al punto de ebullición del agua, 100°C (212°F).

UN POQUITO MÁS

Los alumnos pueden determinar si la velocidad de evaporación afecta el tamaño de los cristales de halita. Para disminuir la velocidad de evaporación, cubra el fondo de un recipiente con un trozo de cartulina negra, vacíe en el recipiente aproximadamente 2.5 cm (1 pulgada) de solución de sal saturada, y deje reposar sin movimiento el recipiente hasta que la cartulina se seque. Dependiendo de la humedad, esto requerirá uno o más días. Cuando la cartulina esté seca, los alumnos podrán examinarla con una lupa y comparar el tamaño de los cristales con el de las muestras de la investigación original.

Cristales

OBJETIVO

Descubrir cómo se forman los cristales de sal mediante evaporación.

Materiales

2 cucharadas (60 ml) de sal de mesa
trozo de cartulina negra de 10 *x* 15 cm (4 *x* 6 pulgadas)
lupa
lápiz
frasquito de alimento para bebé
pincel

Procedimiento

1. Pon una pizca de sal de mesa sobre la cartulina negra.
2. Con la lupa, observa los cristales de sal individuales. Registra tus observaciones en la tabla "Datos de los cristales de sal".
3. Escribe la primera letra de tu nombre en la cartulina negra.
4. Prepara una solución de sal echándole agua al frasquito hasta la mitad y añadiendo el resto de la sal.
5. Utiliza el pincel para revolver la solución de sal.
6. Pinta con la solución de sal una parte de la letra escrita en el papel. Revuelve nuevamente la solución de sal con el pincel y pinta otra parte de la letra. Continúa haciéndolo hasta que toda la letra esté pintada.
7. Deja secar la cartulina, lo cual requerirá 30 minutos o más.

8. Una vez que la cartulina esté seca, usa la lupa para observar los cristales en ella. Registra tus observaciones en la tabla.

DATOS DE LOS CRISTALES DE SAL	
Cristales	Observaciones
Individualmente	
En la cartulina	

Resultados

Los cristales individuales de sal parecen diminutos cubos blancos. Los cristales de sal en la cartulina también tienen forma de cubo, pero están encimados y pudieran no ser tan grandes como los cristales individuales.

¿Por qué?

Los minerales son sólidos cristalinos uniformes que se encuentran en la Tierra formando rocas. La sal de mesa es un mineral formado por cloruro de sodio químico. Los átomos de sodio y de cloro, que forman el cloruro de sodio, son demasiado pequeños y es difícil verlos incluso con microscopios comunes. Sin embargo, cuando se juntan cientos de miles de estos átomos, se pegan creando un **cristal** con forma de cubo (un sólido con superficies planas que tiene partículas acomodadas siguiendo un patrón repetitivo). El tamaño de los cristales de sal depende del número de átomos unidos. Cuando la sal se mezcla con agua, los átomos de sal se separan. Conforme el agua se evapora, queda una cantidad más pequeña de agua y los átomos separados de la sal se aproximan. Como el agua continúa evaporándose, al final los átomos se vuelven a combinar y a unir para formar cristales visibles llamados sal gema o **halita** (la forma mineral de la sal de mesa, formada por cristales de cloruro de sodio). Debido a que la capa de agua salada sobre la cartulina es delgada, la altura de los cristales que se forman es limitada.

Reciclaje del fondo marino

Guías para evaluar el progreso

Al término del quinto grado, el alumno ya debe saber que:

- Algunos cambios en la corteza terrestre suceden a lo largo de periodos prolongados.

Al término del sexto grado y en primero de secundaria, el alumno ya debe saber que:

- La corteza terrestre está formada por partes separadas.

En esta investigación se espera que el alumno:

- Elabore un modelo para representar el movimiento de las placas tectónicas durante el proceso de expansión del lecho marino.
- Identifique las fuerzas que dan forma al relieve de la Tierra.

Para preparar la investigación

Se puede utilizar una caja cuadrada en lugar del bote redondo. Recorte con anticipación las ranuras en las cajas; utilice un cuchillo afilado. No permita que los niños traten de recortarlas.

Para presentar la investigación

1. Explique los nuevos términos científicos:

    cordillera oceánica: cadena de montañas en el fondo del mar por la cual sube el magma y hace que este fondo se extienda.

    expansión del lecho marino: proceso por medio del cual se forma la nueva corteza oceánica y se aleja lentamente de las cordilleras oceánicas.

    lava: roca fundida que ha llegado a la superficie de la Tierra.

    límite divergente: frontera en donde las placas tectónicas se separan y se añade nuevo material de corteza al lecho marino.

    litosfera: parte de la Tierra formada por la corteza y la parte superior del manto.

    placas tectónicas: planchas de la litosfera que cubren la superficie de la Tierra.

valle de falla: fisura o fractura angosta y profunda en la corteza terrestre, a lo largo de la parte superior de una cordillera oceánica.

2. Explore los nuevos términos científicos:

- El término geosfera se refiere a toda la parte sólida de la Tierra, y el de litosfera se refiere a una capa superior. Las partes gaseosa y acuosa de la Tierra son la atmósfera y la hidrosfera, respectivamente.
- La litosfera se extiende a una profundidad promedio de aproximadamente 100 km (62 millas).
- Existen siete placas tectónicas principales. La placa sobre la que se encuentran Canadá, Estados Unidos y México es la *placa América del Norte*.
- Las placas tectónicas descansan sobre una capa del manto superior conocida como astenosfera. La *astenosfera* está formada por material semisólido que permite a las placas tectónicas moverse más fácilmente.

¡Qué interesante!

Aun cuando el lecho marino se está expandiendo, la cantidad total de corteza sigue siendo la misma. Esto es porque a medida que se forma corteza nueva en las cordilleras oceánicas, la corteza vieja se hunde en los valles de las profundidades del océano, en donde se funde y es absorbida nuevamente por el manto.

UN POQUITO MÁS

El límite en donde dos placas tectónicas se unen se llama *frontera convergente*, y el límite en donde dos placas se deslizan juntas en direcciones opuestas se llama *frontera de transformación*. Los alumnos pueden usar dos libros con cubierta de papel y del mismo tamaño para hacer un modelo del movimiento en fronteras divergentes, convergentes y de transformación.

Límites entre las placas tectónicas

Frontera divergente

Frontera convergente

Frontera de transformación

Reciclaje del fondo marino

OBJETIVO

Demostrar la expansión del lecho marino.

Materiales

hoja tamaño carta
tijeras
lápiz
regla
bote de avena redondo y vacío de
    aproximadamente 1.20 kg (42 onzas), con
    una ranura de 0.5 por 12.5 cm ($^1/_4$ x 5
    pulgadas) en un costado

Procedimiento

1. Dobla la hoja a la mitad a lo largo.
2. Desdobla la hoja y recórtala a la mitad siguiendo el doblez.
3. Utiliza el lápiz y la regla para trazar una línea a lo ancho de cada tira de papel aproximadamente a 5 cm (2 pulgadas) del extremo corto.
4. Coloca las tiras de papel una sobre la otra, con las líneas juntas; después, inserta los extremos no marcados de las tiras en la ranura del bote. Cuando las líneas de las tiras de papel lleguen a la ranura, dóblalas hacia atrás siguiendo las líneas para formar una pestaña con la cual puedas jalar cada tira.
5. Sostén cada pestaña con cada mano; jala lentamente más o menos 15 cm (6 pulgadas) de las tiras en direcciones opuestas, siguiendo la superficie del bote.

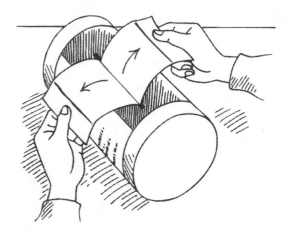

Resultados

Las tiras de papel salen del bote y se mueven siguiendo la superficie del mismo en direcciones opuestas. Las líneas se apartan más a medida que jalas las tiras.

¿Por qué?

El bote representa una **cordillera oceánica** (cadena de montañas en el fondo del mar por la cual sube el magma y hace que este fondo se extienda). En el centro de la cordillera oceánica existe un valle de falla. Un **valle de falla** es una fisura angosta y profunda en la corteza terrestre, a lo largo de la parte superior de una cordillera oceánica, como la ranura en el bote. La roca fundida sube a la superficie por esta abertura. Esta roca fundida, llamada **lava**, es magma que ha llegado a la superficie de la Tierra.

Aproximadamente la mitad de la lava que sale del valle de falla se extiende a cada uno de los lados de la cordillera oceánica.

La corteza terrestre y la parte superior de su manto se llama **litosfera**. Esta área está dividida en planchas rígidas llamadas **placas tectónicas**, que cubren la superficie de la Tierra. Las tiras de papel representan las placas tectónicas en cada lado de la cordillera oceánica. En cada tira, la sección de 5 cm (2 pulgadas) en la orilla representa el lecho marino viejo que bordea la cordillera. El resto de la tira representa material nuevo de la corteza que se ha añadido al lecho marino por medio de lava. La separación de las líneas representa una **frontera divergente**, que es la frontera en donde las placas se separan y se añade nuevo material a la corteza. La lava se endurece y forma lecho marino nuevo. El proceso por medio del cual se crea corteza oceánica nueva, y ésta se mueve lentamente alejándose de las cordilleras oceánicas, se llama **expansión del lecho marino**. En esta investigación se añade una gran cantidad de material nuevo, pero el lecho marino se expande solamente de 2.5 a 12.5 cm (1 a 5 pulgadas) o un poco más al año.

Viaje redondo

Guías para evaluar el progreso

Al término del quinto grado, el alumno ya debe saber que:

- Algunos acontecimientos de la naturaleza se presentan con base en un patrón repetitivo.

Al término del sexto grado y en primero de secundaria, el alumno ya debe saber que:

- El agua entra y sale de la atmósfera de la Tierra a través del ciclo del agua.

En esta investigación se espera que el alumno:

- Elabore un modelo del ciclo del agua.

Para preparar la investigación

Puede servir cualquier recipiente transparente del tamaño de una caja de zapatos; puede ser de plástico.

Para presentar la investigación

1. Explique los nuevos términos científicos:

   ciclo del agua: el ciclo de evaporación y condensación mueve el agua de la Tierra de un lugar a otro.
   condensación: cambio de estado de gas a líquido.
   evaporación: cambio de estado de líquido a gas.
   precipitación: cualquier forma de agua que cae de la atmósfera.
   vapor de agua: agua en estado gaseoso.

2. Explore los nuevos términos científicos:

   - La mayor parte del agua que interviene en el ciclo del agua proviene de los océanos.

- La energía radiante del Sol es el impulso para el ciclo del agua.

¡Qué interesante!

Aproximadamente 97 por ciento de toda el agua de la Tierra está contenida en los mares como agua salada.

UN POQUITO MÁS

Una parte del agua que interviene en el ciclo del agua proviene de las plantas. El proceso mediante el cual las plantas desprenden agua por evaporación, utilizando aberturas similares a poros en la superficie de sus hojas, se llama *transpiración*. Los alumnos podrán hacer una demostración de la transpiración colocando una bolsa de plástico transparente sobre un conjunto de hojas en el extremo del tallo de un árbol o arbusto. (No cortar ni romper el tallo de la planta.) Asegure la bolsa al tallo con cinta adhesiva alrededor del extremo abierto de la bolsa. Con sus alumnos, observe el contenido de la bolsa con tanta frecuencia como le sea posible durante 2 o 3 días. Pida a sus alumnos que describan la serie de cambios de estado en la bolsa.

Viaje redondo

OBJETIVO

Elaborar un modelo del ciclo del agua.

Materiales

$^1/_2$ taza (125 ml) de agua tibia de la llave
2 recipientes de vidrio refractario transparente,
   de 2 litros ($^1/_2$ galón) de capacidad
envoltura plástica para alimentos
regla
cubito de hielo
bolsa de plástico resellable para sándwich
reloj

Procedimiento

1. Vacía el agua en uno de los recipientes.
2. Tapa sin apretar la parte superior del recipiente con la envoltura plástica, de manera que aproximadamente 10 cm (2 pulgadas) del plástico sobrepasen el borde del recipiente.
3. Pon el cubito de hielo en la bolsa y séllala.
4. Coloca la bolsa con el hielo en el centro del plástico que cubre el recipiente.
5. Con suavidad, empuja el hielo hacia abajo aproximadamente 2.5 cm (1 pulgada). A continuación, sella la envoltura plástica oprimiendo sus orillas contra los lados del recipiente.
6. Observa la superficie de la envoltura plástica directamente debajo del cubo de hielo cada 15 minutos durante 1 hora o hasta que se funda el hielo.

Resultados

Al principio, la parte de abajo de la envoltura plástica se tornó brumosa y se formaron gotas de agua debajo del hielo. Con el tiempo, las gotas debajo del hielo se hicieron más grandes y la mayor parte del plástico para envolver se veía transparente. Algunas de estas gotas vuelven a caer en el agua que está dentro del recipiente.

¿Por qué?

El Sol calienta el agua que está en la superficie de los océanos, en los lagos y en cualquier cuerpo de agua; y esta agua entra al aire en forma de gas, al cual se le denomina **vapor de agua**. El cambio de estado, de líquido a gas, se llama **evaporación**, y el proceso requiere energía. En el modelo, la energía necesaria para la evaporación proviene del agua tibia. En la naturaleza el Sol proporciona la energía.

El vapor de agua en el recipiente se eleva y entra en contacto con la superficie fría del plástico, en donde pierde energía y forma gotas de agua. El cambio de estado, de gas a líquido, se llama **condensación**. En la atmósfera de la Tierra el vapor de agua se enfría y se condensa a medida que sube. Las pequeñas gotas de agua forman nubes que pueden avanzar de un lugar a otro por medio del viento. Finalmente, el agua de las nubes cae como **precipitación** (cualquier forma de agua que cae de la atmósfera). Este ciclo de evaporación y condensación que lleva el agua de la Tierra de un lugar a otro se denomina **ciclo del agua**.

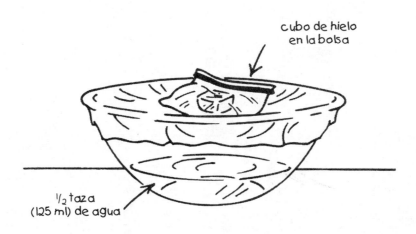

cubo de hielo
en la bolsa

$^1/_2$ taza
(125 ml) de agua

¡No te la lleves!

Guías para evaluar el progreso

Al término del quinto grado, el alumno ya debe saber que:

- El agua da forma a las superficies de tierra del planeta por medio de la erosión de las rocas.

Al término del sexto grado y en primero de secundaria, el alumno ya debe saber que:

- Tres cuartas partes de la superficie de la Tierra están cubiertas por agua, parte de la cual está congelada.
- La forma de la superficie de la Tierra se debe en parte al movimiento del agua durante periodos prolongados.

En esta investigación se espera que el alumno:

- Determine cómo las olas del mar erosionan una playa.

Para preparar la investigación

Puede comprar arenilla donde venden artículos para acuarios.

Para presentar la investigación

1. Explique los nuevos términos científicos:

    costa: tierra en el litoral.
    litoral: límite en donde un cuerpo de agua se junta con la tierra.
    ola: alteración sobre la superficie del agua que se repite.
    playa: costa con una franja uniforme de arena o gravilla.

2. Explore los nuevos términos científicos:

    - El ancho de las playas varía. Las playas angostas pueden ser de menos de un metro (3 pies), mientras que las playas más anchas miden más de 90 m (300 pies) de ancho. No todas las costas tienen playa.
    - El material de una playa varía de granos de arena a rocas grandes.
    - Por lo general las playas jóvenes son más angostas y contienen material grande, mientras que las playas de más antigüedad son más anchas y tienen material más pequeño.

¡Qué interesante!

- Las playas de Cancún son famosas por la blancura y fineza de su arena. Estas playas son de arenas calizas formadas por pedazos de concha y caracol molidos.
- Las playas negras de algunas partes de Hawai se han formado a partir de la erosión de basalto, una roca volcánica oscura.

UN POQUITO MÁS

Un *cabo* es una proyección rocosa de una playa hacia un cuerpo de agua. Pida a sus alumnos que hagan una demostración del efecto de un cabo en la erosión de una playa de arena cercana repitiendo la investigación con un cabo rocoso. Para el modelo del cabo, coloque una roca grande en la arena de manera que llegue hasta el agua. (Cuando hay un cabo llegan menos olas a la playa y se deslava menos arena.)

¡No te la lleves!

OBJETIVO

Simular la erosión de una playa por las olas del mar.

Materiales

charola para pintar con rodillo
4 tazas (1000 ml) de arena
2 litros ($^1/_2$ galón) de agua de la llave
lápiz

Procedimiento

1. Cubre el fondo de la charola con la arena; la capa en el extremo menos profundo de la charola deberá ser más gruesa que la capa en el extremo profundo.
2. Vacía el agua en el extremo profundo de la charola.
3. Haz una imagen mental del aspecto del área de arena expuesta en el extremo menos profundo. Esta área representa una playa.
4. Con el lápiz en posición horizontal, haz olas en el extremo profundo de la charola, moviéndolo rápidamente hacia arriba y hacia abajo con la punta de los dedos.

Resultados

Las olas deslavan una parte de la arena de la playa.

¿Por qué?

El área en donde el agua se junta con la arena representa un **litoral** (límite en donde un cuerpo de agua se junta con la tierra). La **costa** es la porción de tierra en el litoral, y una costa con arena o piedras redondas lisas se llama **playa**. Como en el modelo de esta investigación, si la playa es en su mayoría de arena, se llama playa de arena.

El movimiento del agua con el lápiz ocasiona alteraciones en la superficie del agua. Una alteración en la superficie del agua que se repite se llama **ola**. Las olas que llegan a la playa de arena erosionan la playa. Al igual que en esta investigación, las olas del océano que llegan a la playa de arena arrastran una parte de la arena hacia el agua.

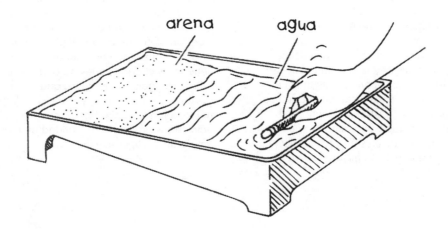

arena   agua

¡Mira lo que hay abajo!

Guías para evaluar el progreso

Al término del quinto grado, el alumno ya debe saber que:

- El agua puede estar en estado líquido o sólido, y puede pasar varias veces de un estado o otro.
- Si el agua se convierte en hielo, la cantidad de agua es igual a la que había antes de congelarse.

Al término del sexto grado y en primero de secundaria, el alumno ya debe saber que:

- El hielo ocupa más lugar que el agua con la que está formado.

En esta investigación se espera que el alumno:

- Elabore el modelo de un iceberg.
- Describa cómo afecta la densidad la posición de un iceberg en el agua del mar.

Para preparar la investigación

Se puede usar el fondo de botellas de plástico (de algún refresco) en lugar de frascos. Corte la parte superior de la botella y cubra los filos con masking tape. Para llevar a cabo esta investigación es necesario tener acceso a un congelador.

Para presentar la investigación

1. Explique los nuevos términos científicos:

   densidad: masa por unidad de volumen de una sustancia.
   glaciar: masa grande de hielo continental que fluye lentamente cuesta abajo.
   iceberg: una porción de glaciar que se desprendió y flota en el océano.

2. Explore los nuevos términos científicos:

   - Los glaciares se forman cuando la cantidad de nieve que cae en un lugar es mayor que la cantidad de nieve que se derrite. A medida que la nieve se acumula año tras año, el peso cada vez mayor crea una presión que comprime las capas de nieve, atrapando aire en el hielo. La nieve de la superficie se funde y se vuelve a congelar. La combinación de presión y recongelación convierte la nieve comprimida en hielo.

   - La parte de abajo de un glaciar se suaviza debido a la presión, lo que permite que el glaciar se mueva lentamente cuesta abajo. Cuando el glaciar llega al mar, la parte que se extiende hacia el mar, llamada *lengua*, se desprende y forma un iceberg. El proceso de formación del iceberg se llama *desprendimiento*.

   - El iceberg flota porque su densidad es menor que la del agua en la cual está.

   - El agua del océano tiene una gran cantidad de sal y se le llama *agua salada*. Las fuentes de agua que tienen una cantidad mucho menor de sal se conocen como *depósitos de agua dulce*. El agua salada tiene una densidad mayor que el agua dulce, por lo que existe una diferencia más grande entre la densidad del hielo y el agua salada, que la diferencia entre el hielo y el agua dulce. Por lo tanto, el hielo flota más alto en el agua salada que en el agua dulce.

¡Qué interesante!

El iceberg que hundió al *Titanic* en abril de 1912 se consideró de tamaño mediano, con un largo aproximado de 18 m (60 pies) y una altura aproximada de 24 m (80 pies) por encima del nivel del agua.

UN POQUITO MÁS

Los icebergs de la Antártida son tabulares (con forma redonda). Pida a sus alumnos que elaboren el modelo de un iceberg tabular dando forma a un molde rectangular de papel aluminio grueso de 30 x 45 cm (12 x 18 pulgadas). Llenen el molde de papel aluminio con agua y pónganlo sobre un plato. Coloquen el plato en el congelador durante 3 horas o hasta que el agua esté totalmente congelada. Llenen tres cuartas partes de un recipiente transparente de 2 litros ($^1/_2$ galón) con agua, añadan 1 cucharada sopera (15 ml) de sal de mesa, y revuelvan. Separen el hielo del molde pelando el aluminio. Coloquen el hielo en el recipiente y observen la cantidad de hielo que hay sobre y debajo de la superficie del agua.

¡Mira lo que hay abajo!

OBJETIVO

Demostrar la posición de un iceberg en el agua.

Materiales

vaso desechable de 90 ml (3 onzas)
agua de la llave
frasco de boca ancha de 1 litro
  ($^1/_4$ de galón)
2 cucharadas soperas (10 ml) de sal
  de mesa
cuchara

Procedimiento

1. Llena el vaso con agua.
2. Pon el vaso en el congelador durante 2 horas o hasta que el agua esté totalmente congelada.
3. Llena tres cuartas partes del frasco con agua.
4. Añade la sal al agua del frasco y revuelve.
5. Saca el hielo del vaso. Para hacerlo, envuelve con tus manos el vaso durante 5 o 6 segundos. El calor de tus manos derretirá una parte del hielo para facilitar su salida.
6. Pon el frasco ligeramente de lado y lentamente desliza el hielo dentro del mismo.
7. Observa la cantidad de hielo que hay arriba y abajo de la superficie del agua.

Resultados

Hay más hielo debajo de la superficie del agua que arriba de ella.

¿Por qué?

Cuando el agua se congela, sus moléculas se expanden, separándose aún más. El hielo tiene la misma masa que el agua líquida, pero debido a que tiene un mayor volumen, la **densidad** (masa por unidad de volumen de una sustancia) del hielo es ligeramente mayor que la del agua, y por lo tanto el hielo flota en el agua. Los **icebergs** son porciones de un **glaciar** (una masa grande de hielo continental que flota lentamente cuesta abajo) que se ha desprendido y flota en el océano. Los icebergs, al igual que el hielo de este experimento, flotan en agua de mar, la cual es salada. Al igual que todo el hielo que flota, la mayor parte del hielo está debajo de la superficie.

Capa de aire

Guías para evaluar el progreso

Al término del quinto grado, el alumno ya debe saber que:

- El aire es una sustancia que rodea a la Tierra.

Al término del sexto grado y en primero de secundaria, el alumno ya debe saber que:

- La Tierra está rodeada por una capa de aire relativamente delgada.

En esta investigación se espera que el alumno:

- Elabore un diagrama de la atmósfera de la Tierra.

Para presentar la investigación

1. Explique los nuevos términos científicos:

    atmósfera: capa de gases que rodea a un cuerpo celeste.
    estratosfera: capa de la atmósfera de la Tierra que se ubica entre la mesosfera y la troposfera.
    exosfera: capa más alta y exterior de la atmósfera que se extiende hacia el espacio.
    mesosfera: capa de la atmósfera de la Tierra que se ubica entre la estratosfera y la termosfera.
    termosfera: capa de la atmósfera de la Tierra que se ubica entre la mesosfera y la exosfera.
    troposfera: capa inferior de la atmósfera de la Tierra; es la que está en contacto con el suelo.

2. Explore los nuevos términos científicos:

    - La atmósfera de la Tierra está formada principalmente por nitrógeno (78 por ciento) y oxígeno (21 por ciento). Los gases del 1 por ciento restante son argón, bióxido de carbono, vapor de agua, y restos de otros gases, entre ellos ozono.
    - Debajo de la exosfera, la atmósfera se divide en cuatro regiones clasificadas por su temperatura. La temperatura disminuye con la altitud en la troposfera y mesosfera, y aumenta con la altitud en la estratosfera y termosfera.
    - La troposfera contiene casi la mitad de todo el aire de la atmósfera.
    - La temperatura en la troposfera disminuye con la altura, y es por eso que el aire es más frío en la cumbre de las montañas.
    - En la troposfera ocurren casi todas las variaciones del estado del tiempo.
    - El *tiempo atmosférico* es el estado de la atmósfera en un tiempo y lugar determinados. Los elementos del tiempo atmosférico son: viento, temperatura, precipitación y presión atmosférica.

- Algunos científicos llaman *ionosfera* a la termosfera. La radiación ultravioleta del Sol hace que los átomos y moléculas en esta región pierdan electrones y se conviertan en partículas con carga llamadas *iones*.
- La *exosfera* está sobre la termosfera, y se extiende aproximadamente 9600 km (6000 millas) por arriba de la Tierra. La *magnetosfera* rodea a la exosfera.
- Las altitudes que se asignan a las capas atmosféricas son promedios. El grosor de las capas atmosféricas es mayor sobre el ecuador de la Tierra y menor sobre los polos.

¡Qué interesante!

La atmósfera actúa como un aislante. Sin la atmósfera, algunos lugares de la Tierra tendrían una temperatura aproximada de 80°C (176°F) en el día y −140°C (−220°F) en la noche.

UN POQUITO MÁS

La troposfera es la capa que nos es más familiar, ya que es la que nos rodea directamente. Si lo desea, pida a sus alumnos que investiguen los fenómenos que suceden en las otras capas atmosféricas. Pueden incluir dibujos en sus diagramas de la atmósfera. Puede hacer preguntas como las siguientes:

1. ¿En qué capa aparecen las auroras? (ionosfera o termosfera, debido a las partículas con carga)
2. ¿En dónde se queman la mayoría de los meteoros? (mesosfera, debido al aumento de la densidad de las moléculas de aire)
3. ¿En dónde está la capa de ozono? (estratosfera superior)
4. ¿Por qué aumenta la temperatura de la termosfera y estratosfera al aumentar la altitud? [Al ser la capa más externa, a esta región llega más radiación solar ultravioleta (UV). Hay más radiación ultravioleta qué absorber en la termosfera superior. La temperatura disminuye a niveles más bajos debido a que hay menos radiación ultravioleta qué absorber, pero en la estratosfera hay *ozono* (moléculas con tres átomos de oxígeno, O_3), que absorbe mucho mejor la radiación ultravioleta que el oxígeno normal (moléculas con dos átomos, O_2).]

Capa de aire

OBJETIVO

Elaborar un diagrama de la atmósfera de la Tierra.

Materiales

pluma
regla
hoja tamaño carta

Procedimiento

1. Con pluma y regla, dibuja en la hoja un rectángulo de 15 x 22.5 cm (6 x 9 pulgadas).
2. Comenzando en la parte superior del rectángulo, dibuja cinco líneas punteadas con una separación de 3.75 cm (1 $\frac{1}{2}$ pulgadas) a lo ancho del rectángulo.
3. Con pluma y regla, dibuja de arriba a abajo una línea de 2.5 cm (1 pulgada) en el lado izquierdo del rectángulo.
4. Escribe la palabra "Atmósfera" sobre la línea superior y la palabra "Tierra" debajo de la línea punteada inferior. Escribe los nombres de las capas atmosféricas en orden ascendente como se ilustra: troposfera, estratosfera, mesosfera, termosfera, exosfera.
5. Añade las mediciones de altitud como se ilustra, y pon una flecha en la parte superior de la línea.
6. Dibuja algunas características del terreno de la Tierra por arriba de 0 km (0 millas) de altitud.

Resultados

Se obtiene un diagrama de la atmósfera de la Tierra.

Atmósfera

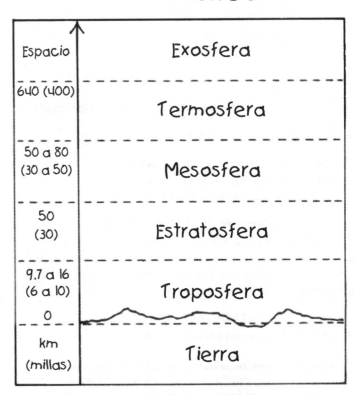

¿Por qué?

La **atmósfera** de la Tierra (la capa de aire que rodea a un cuerpo celeste) se divide en cinco capas principales. Comenzando por la capa más baja y la más interna, éstas son: **troposfera**, **estratosfera**, **mesosfera**, **termosfera** y **exosfera**. Existen diferencias entre las capas, como su distancia a la Tierra, presencia de aire, temperatura y lo que sucede en cada una de ellas. Aunque el diagrama indica un punto de inicio específico para cada capa, en realidad no existen barreras reales que dividan las capas, por lo que su distancia puede variar en puntos diferentes de la Tierra. Por ejemplo, en el ecuador de la Tierra, la troposfera se extiende aproximadamente a 19 km (12 millas), mientras que en los polos se extiende sólo aproximadamente 8 km (5 millas).

Invernadero sin flores

Guías para evaluar el progreso

Al término del quinto grado, el alumno ya debe saber que:

- El aire es una sustancia que rodea a la Tierra.
- El Sol es la principal fuente de energía para la Tierra.

Al término del sexto grado y en primero de secundaria, el alumno ya debe saber que:

- La Tierra está rodeada por una capa relativamente delgada de aire.
- La energía disponible del Sol es ilimitada.

En esta investigación se espera que el alumno:

- Haga una demostración del efecto invernadero.
- Determine las causas del efecto invernadero.

Para preparar la investigación

Las cajas de zapatos se pueden poner en una ventana en donde reciban la luz del sol directa, en lugar de ponerlas en el exterior. Los termómetros deben ser termómetros para estudiante, con soportes de seguridad.

Para presentar la investigación

1. Explique los nuevos términos científicos:

   efecto invernadero: el calentamiento de la Tierra por los gases de la atmósfera que atrapan las radiaciones infrarrojas del Sol y las reflejan hacia la Tierra, igual que el vidrio o plástico de un invernadero, atrapa y refleja la radiación infrarroja dentro del mismo.
   rerradiar: emitir la radiación previamente absorbida.

2. Explore los nuevos términos científicos:

   - La cantidad de bióxido de carbono en el aire proveniente de la quema de *combustibles fósiles* ha aumentado mucho durante los últimos 100 años. Este aumento podría ocasionar un aumento en la temperatura promedio de la Tierra como resultado del efecto invernadero.
   - Los combustibles fósiles (carbón, petróleo y gas natural) son fuentes de energía de restos enterrados de plantas y animales que vivieron hace cientos de millones de años.

¡Qué interesante!

Casi 30 por ciento del total de la energía radiante del Sol que llega a la Tierra es reflejada de nuevo hacia el espacio por la atmósfera, nubes y superficie de la Tierra. Aproximadamente 20 por ciento lo absorbe la atmósfera, y el 50 por ciento restante lo absorbe la superficie de la Tierra.

UN POQUITO MÁS

¿Afectan los materiales de la superficie el efecto invernadero? Los alumnos pueden encontrar la respuesta repitiendo el experimento. Prepare cajas con superficies diferentes cubriendo la tierra con materiales diferentes como arena, rocas y pasto. Podría preparar una superficie de agua recubriendo la caja con plástico y llenándola con aproximadamente 5 cm (2 pulgadas) de agua. (Sí, la superficie afecta el efecto invernadero. Las superficies de color claro, como la arena, reflejan de 15 a 45 por ciento de la radiación solar, mientras que las superficies oscuras, como el pasto, reflejan de 10 a 30 por ciento. A mayor oscuridad en la superficie, menos radiación reflejada.)

Invernadero sin flores

OBJETIVO

Demostrar el efecto invernadero.

Materiales

2 cajas de zapatos
regla
tierra
2 termómetros
envoltura plástica transparente para alimentos
reloj
lápiz

Procedimiento

1. Cubre el fondo de cada caja de zapatos con aproximadamente 5 cm (2 pulgadas) de tierra.
2. Pon un termómetro sobre la superficie de la tierra en cada caja.
3. Cubre una de las cajas con una capa sencilla de envoltura plástica. Deja la otra caja destapada.
4. Toma la lectura de los dos termómetros y regístrala en la tabla "Datos de temperatura".
5. Coloca las dos cajas, una junto a la otra, en un lugar soleado en el exterior.

6. Registra en la tabla las lecturas de los dos termómetros cada 15 minutos, durante una hora.

Resultados

Las lecturas de la temperatura indican que la temperatura dentro de la caja cubierta con plástico es mayor y aumenta más rápido que la temperatura dentro de la caja descubierta.

¿Por qué?

La energía radiante del Sol pasa por la atmósfera de la Tierra y llega a la superficie de la misma. La energía radiante absorbida por la Tierra cambia a radiación infrarroja, una forma invisible de energía radiante que tiene un efecto de calentamiento. Una parte de este calor de la Tierra calienta la atmósfera más fría sobre ella. El calentamiento se transfiere a la atmósfera por medio de tres procesos: conducción, convección y radiación. El bióxido de carbono y el vapor de agua son gases en la atmósfera que ayudan a que no se pierda el calor en el espacio. Éstos y otros gases absorben calor de la Tierra y **rerradian** (emiten la radiación previamente absorbida) el calor hacia la Tierra. Al igual que la envoltura plástica evita que se escape una parte de la radiación infrarroja de la tierra, la atmósfera de la Tierra mantiene caliente a ésta. Debido a que la atmósfera ayuda a mantener caliente la superficie de la Tierra atrapando la radiación infrarroja, la atmósfera es similar a un invernadero, de ahí el término **efecto invernadero**.

DATOS DE TEMPERATURA					
	Tiempo (minutos)				
Recipiente	Al inicio	15	30	45	60
Caja cubierta					
Caja descubierta					

Sugerencias para el maestro

Frentes

Guías para evaluar el progreso

Al término del quinto grado, el alumno ya debe saber que:

- El aire es una sustancia que rodea a la Tierra, cuyo movimiento se siente como viento.

Al término del sexto grado y en primero de secundaria, el alumno ya debe saber que:

- La Tierra está rodeada por una capa de aire relativamente delgada.

En esta investigación se espera que el alumno:

- Elabore el modelo de un frente.
- Identifique las fronteras entre las masas de aire con temperaturas diferentes.

Para preparar la investigación

Se puede usar una botella de plástico de tamaño diferente. Solamente tendrá que ajustar la cantidad de agua y aceite, de manera que la botella tenga líquido hasta la mitad.

Para presentar la investigación

1. Explique los nuevos términos científicos:

   masa de aire: cuerpo grande de aire cuya temperatura es casi igual en toda su extensión.
   frente: frontera entre las masas de aire frío y caliente.

2. Explore los nuevos términos científicos:

   - Las diferencias de temperatura entre regiones adyacentes de la Tierra ocasionan el movimiento de masas de aire y cambios en el estado del tiempo local.

   - Las masas de aire que se quedan en un lugar durante cierto tiempo toman la temperatura de la región que está debajo de ellas.

¡Qué interesante!

Vilhelm Bjerknes (1862–1951), físico y meteorólogo noruego, acuñó el término *frente* para describir la frontera entre masas de aire caliente y frío.

UN POQUITO MÁS

Pida a sus alumnos que realicen una investigación acerca de los frentes. ¿Cuál es la diferencia entre un frente caliente (frente cálido), frío, estacionario y ocluido? ¿Qué efecto ejercen los frentes sobre el estado del tiempo? (La punta de una masa de aire caliente que avanza hacia una región ocupada por una masa de aire frío se llama *frente caliente*. El *frente frío* se presenta cuando una masa de aire frío avanza hacia una región ocupada por una masa de aire caliente. Si la frontera entre la masa de aire frío y la masa de aire caliente no se mueve, entonces se le llama *frente estacionario*. La frontera en donde un frente frío socava un frente caliente, empujando el aire hacia arriba, se llama *frente ocluido*. En un frente el clima es normalmente inestable, presenta tormentas y casi siempre hay precipitación.)

Enseña la ciencia de forma divertida

Frentes

OBJETIVO

Elaborar el modelo de un frente.

Materiales

taza graduada (250 ml)
agua de la llave
colorante vegetal azul
cuchara
botella de plástico transparente de 600 ml
　　(20 onzas)
1 taza (250 ml) de aceite para cocina

Procedimiento

1. Llena la taza graduada con agua.
2. Añade al agua tres gotas de colorante vegetal y revuelve.
3. Vacía el agua en la botella.
4. Llena la taza graduada con aceite.
5. Pon de lado la botella con agua y vacía lentamente el aceite en la botella.
6. Observa el movimiento del aceite en relación con el agua a medida que el aceite va entrando en la botella.

Resultados

El aceite se mueve por la parte superior del agua azul.

¿Por qué?

Una **masa de aire** es un cuerpo grande de aire que tiene aproximadamente la misma temperatura, presión y humedad en toda su extensión. Las masas de aire se forman cuando el aire se queda sobre una región el tiempo suficiente como para asumir la temperatura de la región. Se requiere una semana o más para que se forme una masa de aire.

La temperatura es uno de los factores que afectan la densidad de una masa de aire. Una masa de aire caliente es menos densa que una masa de aire frío. Cuando se juntan masas de aire con densidades diferentes, no se mezclan. Al igual que con el aceite y el agua, se forma una frontera que se distingue muy bien, llamada **frente,** entre las masas de aire. En esta investigación el aceite representa una masa de aire caliente y el agua de color una masa de aire frío. Igual que con el aceite y el agua, el aire caliente menos denso se mueve sobre el aire frío más denso.

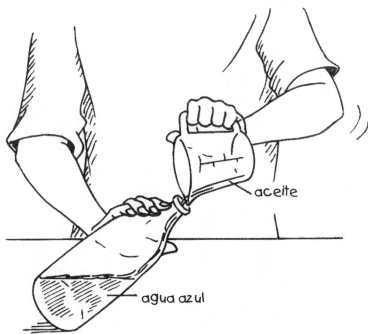

aceite

agua azul

B

La Tierra en el espacio

Los seres humanos somos los pasajeros de una nave espacial gigante llamada *Tierra*. Nuestra nave gira sobre sí como un trompo a medida que avanza por el espacio. Sin embargo, no sentimos este movimiento porque la Tierra es muy grande y todo lo que está en ella da vueltas y se mueve a la misma velocidad.

En esta sección, los alumnos investigan el movimiento de la Tierra y la manera como afecta el movimiento aparente de los cuerpos celestes, incluyendo el Sol, la Luna y las estrellas. Determinan el efecto del movimiento de la Tierra en la forma como reconocemos actualmente los días, años y estaciones. También estudian la ubicación y el tamaño de los grupos de estrellas.

Partes del Sol

Guías para evaluar el progreso

Al término del quinto grado, el alumno ya debe saber que:

- El Sol es la principal fuente de calor para la Tierra.

Al término del sexto grado y en primero de secundaria, el alumno ya debe saber que:

- El Sol tiene unas manchas oscuras.
- El calor del Sol tiene una disponibilidad ilimitada.

En esta investigación se espera que el alumno:

- Elabore un modelo de las capas del Sol y pueda identificarlas.

Para preparar la investigación

Puede utilizar plastilina de diferentes colores en lugar de la pelota de unicel. Por seguridad, corte con anticipación las pelotas de unicel, utilizando un cuchillo con sierra para quitar un cuarto a cada esfera. La sección que quitó debe tener forma de cuña.

Para presentar la investigación

1. Explique los nuevos términos científicos:

   fotosfera: capa más exterior del Sol que está alrededor de la zona de convección y en realidad es la primera capa de la atmósfera del Sol.
   fusión nuclear: unión de los núcleos de los átomos.
   núcleo: el centro de un cuerpo celeste. El núcleo es la parte más caliente del Sol.
   zona de convección: capa del Sol que se encuentra entre la zona de radiación y la fotosfera.
   zona de radiación: capa del Sol que se ubica entre el núcleo y la zona de convección.

2. Explore los nuevos términos científicos:

   - El Sol está formado por gases calientes, en su mayoría hidrógeno con algo de helio y otros elementos.

- El núcleo es la parte más caliente del Sol. La fusión nuclear se lleva a cabo en el núcleo.
- La fusión nuclear produce la energía radiante del Sol, incluyendo calor.
- El calor del núcleo del Sol se transmite por la zona de radiación.
- En la zona de radiación el gas se expande y eleva, después se enfría, se hace más denso y se hunde. Este gas en circulación forma la zona de convección.
- Las capas de la atmósfera del Sol, partiendo de la superficie del Sol hacia afuera son: *fotosfera*, *cromosfera* y *corona*.

¡Qué interesante!

- El Sol está a 149 millones de kilómetros (93 millones de millas) de la Tierra.
- La luz viaja a una velocidad aproximada de 300 mil km (186 mil millas) por segundo.
  Un año luz es una unidad de distancia que describe qué tan lejos viaja la luz a esta velocidad en un año. Un año luz es aproximadamente 9.5 billones de kilómetros (6 billones de millas). Se requieren aproximadamente 8 $1/2$ minutos para que la luz del Sol llegue a la Tierra. La estrella más próxima es Alfa Centauro, y se requieren aproximadamente 4.3 años luz para que su luz llegue a la Tierra.

UN POQUITO MÁS

Los alumnos pueden hacer una leyenda para el modelo que indique el grosor y la temperatura de cada capa en el modelo.

CAPAS DEL SOL		
Capa	**Grosor, km (millas)**	**Temperatura, °C (°F)**
Núcleo	139,200 (87,000)	15,000,000 (27,000,000)
Zona de radiación	382,800 (239,250)	2,500,000 (4,500,000)
Zona de convección	174,000 (108,750)	1,100,000 (1,980,000)
Fotosfera	547 (342)	5500 (9932)

Enseña la ciencia de forma divertida

Partes del Sol

OBJETIVO

Elaborar un modelo de la estructura del Sol.

Materiales

2 marcadores permanentes, de color diferente
pelota de unicel grande de 15 cm (6 pulgadas),
   con el corte previo de un cuarto
4 etiquetas blancas de 2.5 x 10 cm (1 x 4
   pulgadas)
4 palillos redondos
pluma

Procedimiento

1. Con uno de los marcadores, pinta un área en el centro de la sección cortada de la pelota para representar el núcleo del Sol, como se ilustra.

2. Utiliza el otro marcador para dibujar una banda dentro de la sección cortada a fin de representar la zona de convección, tal como se ilustra.

3. Prepara banderitas como las que se ilustran, siguiendo estos pasos:

   - Junta sólo los extremos con pegamento. No oprimas el doblez.
   - Con cuidado, oprime los lados con pegamento de la etiqueta, dejando una abertura cerca del extremo doblado.
   - Inserta un extremo de un palillo por la abertura y pégalo al extremo doblado de la etiqueta.

4. Repite el paso 3 con los otros tres palillos y etiquetas.

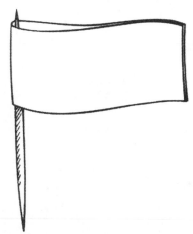

5. Con la pluma, escribe los nombres de las capas del Sol en las banderas: fotosfera, zona de convección, zona de radiación, núcleo.

6. Pega las banderas en el modelo del Sol, como se ilustra.

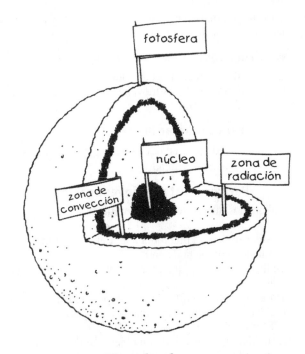

Resultados

Has elaborado un modelo de las capas del Sol.

¿Por qué?

El centro del modelo del Sol es el **núcleo**, que es la parte más caliente del Sol. La **fusión nuclear** (unión de los núcleos de los átomos) se lleva a cabo en el núcleo, produciendo la energía del Sol. La energía del núcleo extremadamente caliente se transmite lentamente por el área que se encuentra sobre el núcleo, llamada la **zona de radiación**. Desde ahí, el gas se expande y se eleva para después enfriarse, hacerse más denso y volver a hundirse. Este gas en circulación forma la **zona de convección**. La siguiente capa, llamada **fotosfera**, es en realidad la primera capa de la atmósfera del Sol. Pero desde la Tierra parece ser la superficie del Sol.

Día sideral

Guías para evaluar el progreso

Al término del quinto grado, el alumno ya debe saber que:

- La Tierra gira sobre su propio eje cada 24 horas.

Al término del sexto grado y en primero de secundaria, el alumno ya debe saber que:

- La Tierra gira diariamente sobre su propio eje y da una vuelta alrededor del Sol una vez cada año.

En esta investigación se espera que el alumno:

- Haga una demostración del día sideral.
- Elabore un modelo de los movimientos de rotación y traslación de la Tierra.

Para preparar la investigación

Para el Sol se puede usar cualquier pelota grande, incluso una bola de papel amarillo arrugado.

Para presentar la investigación

1. Explique los nuevos términos científicos:

   día sideral: tiempo que toma a la Tierra hacer una rotación completa de 360°.
   eje: línea imaginaria que pasa por el centro de un objeto, alrededor de la cual gira éste.
   órbita: trayectoria curva de un cuerpo alrededor de otro.
   rotación: movimiento giratorio de un objeto, como la Tierra, sobre su propio eje.
   traslación: movimiento de un objeto, como la Tierra, alrededor de otro siguiendo una trayectoria curva.

2. Explore los nuevos términos científicos:

   - Un día sideral es el tiempo que le toma a la Tierra dar una vuelta en relación con las estrellas. Esta rotación de 360° tarda aproximadamente 23 horas, 56 minutos.

- La Tierra gira sobre su propio eje a una velocidad aproximada de 1600 km (1000 millas) por hora.
- La Tierra da una vuelta alrededor del Sol a una velocidad aproximada de 109 mil km (68 mil millas) por hora.
- El ecuador de la Tierra presenta una inclinación de 23.50° desde la perpendicular a su órbita alrededor del Sol. En la investigación 71 puede encontrar más información sobre el efecto de esta inclinación.

¡Qué interesante!

- Un día solar es aproximadamente 4 minutos más largo que un día sideral; dura 24 horas.
- Un año terrestre es aproximadamente de 365 $\frac{1}{4}$ días solares. Ya que los calendarios de 1 año tienen solamente 365 días, es necesario añadir un día cada 4 años. El día se añade en febrero y el año se llama *año bisiesto*.

UN POQUITO MÁS

La esfera, al igual que la Tierra, debe dar un poco más de un giro entero antes de que el clip apunte otra vez hacia la pelota de unicel. Un *día solar* es el tiempo que tarda un punto de la Tierra en dar una vuelta en relación con el Sol. El día solar es el tiempo que se utiliza para las actividades cotidianas, y su duración es de 24 horas. Los alumnos pueden demostrar que se requiere una vuelta de más de 360° para completar un día solar. Repitan los pasos 5 al 7 del procedimiento, pero continúen rotando la bola de plastilina hasta que el clip quede enfrente del centro de la pelota de unicel.

OBJETIVO

Hacer la demostración de un día sideral.

Materiales

marcador
hoja tamaño carta
regla
bola de plastilina del tamaño de un limón
clip
lápiz
pelota de unicel (10 cm)

Procedimiento

1. Con el marcador, dibuja una línea horizontal de 15 cm (6 pulgadas) en el centro de la hoja; trabaja por el lado más largo. Escribe una letra "A" en el extremo derecho de la línea. Diez centímetros (4 pulgadas) por arriba de esa línea y centrada sobre ella, traza una segunda línea de 7.5 cm (5 pulgadas) de largo y escribe una letra "B" en el extremo derecho de la línea.

2. Modela la plastilina para formar una esfera.

3. Inserta el lápiz por el centro de la esfera de plastilina, desde la parte superior hasta la inferior, de modo que sólo la punta del lápiz salga por abajo.

4. Inserta el clip en el centro de un lado de la esfera, de manera que quede perpendicular al lápiz.

5. Pon el papel sobre la mesa, de manera que los extremos marcados con letras de las líneas queden a la derecha. Pon la pelota de unicel en el extremo izquierdo de la línea A.

6. Sostén el lápiz y pon la esfera de plastilina en el extremo derecho de la línea A, de manera que el clip quede paralelo a la línea y enfrente del centro de la pelota.

7. Inclina ligeramente el extremo de la goma del lápiz en dirección a la esfera. Sostén el lápiz y haz girar la esfera en sentido contrario a las manecillas del reloj una vuelta completa, 360°, al mismo tiempo que mueves la esfera hacia el lado derecho de la línea B. Coloca la esfera de manera que el clip quede paralelo a la línea B. Observa la dirección del clip en relación con el centro de la pelota.

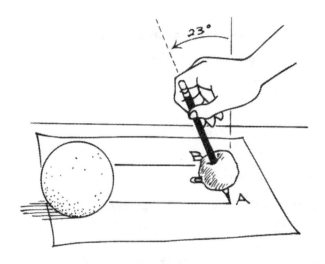

Resultados

Al principio el clip queda enfrente del centro de la pelota de unicel. Después de que la esfera de plastilina ha dado una vuelta y ha avanzado una parte de la trayectoria alrededor de la pelota, el clip ya no está frente al centro de ésta.

¿Por qué?

El lápiz representa el **eje** de la Tierra (línea imaginaria que pasa por el centro de un objeto, alrededor de la cual gira éste), que está inclinado en relación con la perpendicular de su órbita alrededor del Sol. Al igual que la Tierra, la esfera de plastilina realizó un movimiento de **rotación** (giró sobre su eje) y al mismo tiempo realizó un movimiento de **traslación** (se movió en una trayectoria curva alrededor de otro objeto), siguiendo un camino igual al que recorre la Tierra alrededor del Sol. La trayectoria curva de la Tierra alrededor del Sol se llama **órbita**. El tiempo que toma a la Tierra hacer una rotación completa de 360° se llama **día sideral**. Después de un día sideral, un lugar de la Tierra que comenzó su trayectoria enfrente del centro del Sol no termina en la misma posición porque mientras la Tierra estaba realizando su movimiento de rotación, también realizaba su movimiento de traslación, por el cual avanzaba a otro punto de su órbita.

Rotación

Guías para evaluar el progreso

Al término del quinto grado, el alumno ya debe saber que:

- Para la gente en la Tierra, la rotación de ésta parece como si el Sol estuviera orbitando a la Tierra.

Al término del sexto grado y en primero de secundaria, el alumno ya debe saber que:

- El eje de la Tierra está inclinado en relación con su órbita alrededor del Sol. Esta inclinación hace que el Sol aparezca a altitudes diferentes durante el año.

En esta investigación se espera que el alumno:

- Demuestre cómo la rotación de la Tierra hace que parezca que el Sol se mueve por el cielo.

Para presentar la investigación

1. Explique los nuevos términos científicos:

   Hemisferio Norte: región que está encima o al norte del ecuador.
   Hemisferio Sur: región que está abajo o al sur del ecuador.
   horizonte: línea imaginaria en donde parece que el cielo se junta con la superficie de la Tierra.
   Polo Norte: extremo norte del eje de la Tierra.
   Polo Sur: extremo sur del eje de la Tierra.

2. Explore los nuevos términos científicos:

   - El Sol parece moverse por el cielo debido a la rotación de la Tierra.
   - La Tierra rota de oeste (occidente) a este (oriente).
   - El Sol parece moverse del horizonte oriental al horizonte occidental cada día.
   - El Sol "sale" por el horizonte oriental y se "mete" por el horizonte occidental.
   - Según se ve desde el Polo Norte, la Tierra parece rotar en dirección contraria a las manecillas del reloj.
   - Según se ve desde el Polo Sur, la Tierra parece rotar en el sentido de las manecillas del reloj.
   - El ecuador es una línea imaginaria que divide a la Tierra en la mitad norte y la mitad sur; es perpendicular al eje de la Tierra.

- En el Hemisferio Norte, el Sol parece moverse por el cielo sur.
- En el Hemisferio Sur, el Sol parece moverse por el cielo norte.
- El ecuador de la Tierra tiene una inclinación de 23.50° con respecto a perpendicular a su órbita alrededor del Sol. En la investigación 71 encontrará más información acerca del efecto de esta inclinación.

¡Qué interesante!

El Sol emite *luz blanca*, la cual está formada por todos los colores del arco iris. El Sol parece amarillo al observador que se encuentra en la Tierra porque a medida que la luz blanca del Sol pasa por la atmósfera de la Tierra, las partículas de materia y moléculas de aire que están en el cielo hacen que el cielo parezca azul. La luz blanca menos la luz azul produce luz amarilla.

UN POQUITO MÁS

Debido al movimiento de traslación de la Tierra alrededor del Sol, éste realiza aparentemente un viaje anual hacia el este por el cielo. A causa de la inclinación del eje de la Tierra en relación con su órbita alrededor del Sol, la altitud del Sol a medio día varía a lo largo del año, y el Sol no "sale" ni se "pone" día tras día en el mismo lugar. Los alumnos pueden descubrir estos cambios utilizando una sombra en la luz solar. *Advierta a sus alumnos que no volteen a mirar directamente al Sol, ya que podrían dañar permanentemente sus ojos.* Una forma segura para descubrir los cambios aparentes en la posición del Sol es observando el cambio de posición de la sombra de un objeto estacionario, por ejemplo el asta de una bandera, a la misma hora todos los días durante un periodo prolongado.

Rotación

OBJETIVO

Determinar por qué parece que el Sol se mueve por el cielo.

Materiales

lápiz
esfera de plastilina de la investigación
    número 69, "Día sideral", con el clip
crayones
2 tarjetas para ficha bibliográfica
regla
2 pelotas de plastilina del tamaño de
    una uva

Procedimiento

1. Con el lápiz, dibuja una línea perpendicular al lápiz que atraviese el centro de la esfera de plastilina (el modelo de la Tierra).
2. Mueve el clip hacia un lugar de la plastilina ubicado arriba de la línea a fin de representar a un observador en el Hemisferio Norte.
3. Con los crayones, dibuja en una de las tarjetas un símbolo que represente al Sol. Escribe en el lado derecho del Sol la palabra "Oeste" y en el lado izquierdo la palabra "Este".
4. Dibuja seis o más estrellas en la otra tarjeta.
5. Coloca las tarjetas a una distancia de 30 cm (12 pulgadas) sobre las pelotas de plastilina del tamaño de una uva, de manera que el Sol y las estrellas queden frente a frente.
6. Coloca el modelo de la Tierra entre las tarjetas, de manera que el observador representado por el clip esté viendo hacia la tarjeta de las estrellas. Inclina ligeramente el modelo hacia el Sol.
7. Rota lentamente el modelo de la Tierra en sentido contrario a las manecillas del reloj hasta que el clip quede viendo hacia el lado derecho (lado oeste) de la tarjeta con el Sol.
8. Continúa rotando el modelo de la Tierra en sentido contrario a las manecillas del reloj hasta que el clip esté viendo hacia el lado izquierdo (lado este) de la tarjeta con el Sol.

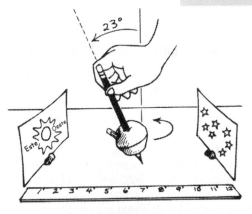

Resultados

A medida que el modelo de la Tierra rota alejándose de las estrellas, el observador en la Tierra representado por el clip queda primero frente al lado oeste del Sol y por último frente al lado este.

¿Por qué?

La línea alrededor del modelo de la Tierra representa al ecuador, una línea imaginaria que divide a la Tierra en la mitad norte y la mitad sur. El ecuador está a la misma distancia entre los polos de la Tierra. Los extremos del eje de la Tierra, representados por el lápiz, son el **Polo Norte** (la punta norte del eje de la Tierra) y el **Polo Sur** (la punta sur del eje de la Tierra). La región que está encima o al norte de la línea se llama **Hemisferio Norte**, y la región que está abajo o al sur de la línea se llama **Hemisferio Sur**.

En el Hemisferio Norte parece que el Sol sale por el **horizonte** oriental (línea imaginaria en donde parece que el cielo se junta con la Tierra), que avanza por el cielo sur y se pone por abajo del horizonte occidental. Si pudieras ver la Tierra desde arriba del Polo Norte, la verías como el modelo, rotando en sentido contrario a las manecillas del reloj. El clip que representa al observador en la esfera de plastilina, primero ve el lado oeste del diagrama del Sol, y después, a medida que la esfera rota, el lado este queda a su vista. Ya que nos estamos moviendo con la Tierra a medida que ésta rota, parece que el Sol se estuviera moviendo por el cielo de este a oeste, pero en realidad es la Tierra la que se está moviendo de oeste a este.

Solsticios

Guías para evaluar el progreso

Al término del quinto grado, el alumno ya debe saber que:

- La Tierra da una vuelta alrededor del Sol cada año.

Al término del sexto grado y en primero de secundaria, el alumno ya debe saber que:

- El eje de la Tierra está inclinado en relación con el plano de la órbita anual de la Tierra alrededor del Sol. A medida que la Tierra da vuelta alrededor del Sol, la luz solar cae con más intensidad en diferentes partes de la Tierra durante el año, dando origen a las estaciones.

En esta investigación se espera que el alumno:

- Identifique la manera como la posición de la Tierra en relación con el Sol da como resultado estaciones contrarias en los Hemisferios Norte y Sur.
- Elabore un modelo de la manera como el movimiento de la Tierra produce las estaciones del año.
- Identifique la posición de la Tierra en relación con el Sol durante las diferentes estaciones del año.

Para presentar la investigación

1. Explique los nuevos términos científicos:

    solsticio de invierno: día cuando el Polo Sur de la Tierra está inclinado más lejos del Sol en o aproximadamente el 22 de diciembre en el Hemisferio Norte.

    solsticio de verano: día cuando el Polo Norte de la Tierra está inclinado más cerca del Sol en o aproximadamente el 21 de junio en el Hemisferio Norte.

2. Explore los nuevos términos científicos:

    - La órbita de la Tierra alrededor del Sol es de aproximadamente 958 millones de kilómetros (599 millones de millas).
    - Durante la vuelta de la Tierra alrededor del Sol, los extremos del eje de la Tierra (Polos Norte y Sur) están inclinados hacia el Sol durante una parte del año, y en la dirección contraria al Sol la otra parte del año.

- La inclinación de la Tierra cambia la concentración de rayos del Sol que llegan a ciertas regiones de la Tierra, así como el número de horas de luz solar cada día.
- Un aumento en la luz solar y en los rayos directos causa un aumento en temperatura.
- En muchas regiones de la Tierra hay cuatro estaciones: invierno, primavera, verano y otoño. Otras regiones, como el ecuador, tienen un cambio muy pequeño durante el curso del año.
- Muchas estaciones se identifican por la temperatura, pero en algunas regiones de la Tierra las estaciones difieren drásticamente en la cantidad de lluvia que cae, por lo que hay una estación seca y una estación lluviosa.
- El eje de un cuerpo celeste sobre el plano de su órbita se llama *polo norte*.

¡Qué interesante!

La distancia de la Tierra al Sol no es la causa de las estaciones. Cuando la Tierra está más alejada del Sol es verano en el Hemisferio Norte e invierno en el Hemisferio Sur.

UN POQUITO MÁS

Pida a sus alumnos que hagan una investigación acerca de la órbita de la Tierra alrededor del Sol. ¿Están todos los puntos de la órbita de la Tierra a igual distancia del Sol? ¿Qué es el perihelio? ¿Qué es el afelio? [La distancia entre la Tierra y el Sol cambia durante la órbita de la Tierra alrededor del Sol. *Perihelio* es el punto de la órbita de la Tierra más cercano al Sol. En el perihelio, la Tierra esta aproximadamente a 147 millones de kilómetros (92 millones de millas) del Sol. *Afelio* es el punto de la órbita de la Tierra más alejado del Sol. En el afelio, la Tierra está aproximadamente a 152 millones de kilómetros (95 millones de millas) del Sol.]

Solsticios

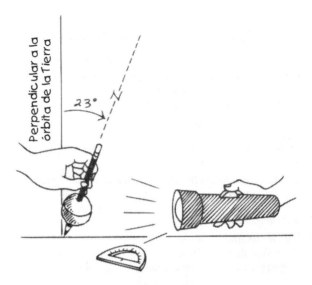

OBJETIVO

Determinar por qué las estaciones del año son contrarias en los Hemisferios Norte y Sur.

Materiales

linterna
modelo de la Tierra de la investigación número 70, "Rotación"
transportador

Procedimiento

1. Sostén la linterna aproximadamente a 15 cm (6 pulgadas) del modelo de la Tierra. La linterna representa al Sol.

2. Utiliza el transportador para hacer mediciones conforme vas inclinando el lápiz aproximadamente 23° hacia el lado contrario de la linterna (la parte de abajo del modelo de la Tierra corresponde al Polo Norte). Observa el área de la esfera que está iluminada por la linterna y haz un diagrama en el renglón 1 de la tabla "Datos de las estaciones". En tu diagrama, sombrea el área de la esfera que no está iluminada por la linterna y deja el área iluminada sin sombrear.

3. Inclina ahora el extremo de arriba del lápiz (correspondiente al Polo Sur en el modelo de la Tierra) aproximadamente 23° hacia la linterna. Observa el área de la esfera que está iluminada y elabora un diagrama en el renglón 2.

Resultados

Cuando la parte superior de la esfera está inclinada hacia la linterna, cae más luz en la mitad superior de la esfera que en la mitad inferior. Cuando la mitad superior de la esfera está inclinada hacia el lado más lejano de la linterna sucede lo contrario.

¿Por qué?

El ecuador de la Tierra tiene una inclinación que forma un ángulo de 23.5° con la perpendicular a su órbita alrededor del Sol. Esto significa que durante parte de su órbita, el Polo Norte está inclinado hacia el Sol, y durante la otra parte el Polo Norte está inclinado alejándose del Sol. El Hemisferio Norte recibe la mayor energía solar cuando el Polo Norte está inclinado hacia el Sol. El día del año cuando el Polo Norte de la Tierra está inclinado más cercano al Sol se llama **solsticio de verano** y se presenta en o aproximadamente el 21 de junio en el Hemisferio Norte. El verano inicia este día. El día cuando el Polo Norte de la Tierra está inclinado hacia el lado más alejado del Sol se llama **solsticio de invierno** y se presenta en o aproximadamente el 22 de diciembre. El invierno inicia este día. Las fechas de los solsticios de verano y de invierno son a la inversa en el Hemisferio Sur.

DATOS DE LAS ESTACIONES	
Posición de la Tierra	**Diagrama**
Polo Norte inclinado hacia el Sol	
Polo Sur inclinado hacia el Sol	

¡A medir el cielo!

Guías para evaluar el progreso

Al término del quinto grado, el alumno ya debe saber que:

- Los patrones de estrellas en el cielo siempre son los mismos, aunque parezca que se mueven en el cielo por la noche y que se pueden observar estrellas diferentes en estaciones diferentes.

Al término del sexto grado y en primero de secundaria, el alumno ya debe saber como:

- Estimar distancias entre las estrellas utilizando varias herramientas de medición, incluyendo sus manos.

En esta investigación se espera que el alumno:

- Utilice sus manos como herramientas de medición.
- Haga una demostración de cómo medir la distancia angular entre las estrellas que se ven desde la Tierra.

Para preparar la investigación

Es conveniente disponer de más de un conjunto de círculos de papel en la pared antes de hacer la investigación, de manera que más de un equipo pueda comparar las mediciones simultáneamente.

Para presentar la investigación

1. Explique los nuevos términos científicos:

   distancia angular:
   distancia aparente entre dos cuerpos celestes, medida en grados.
   grado: unidad para medir ángulos.

2. Explore los nuevos términos científicos:

   - La distancia angular de los cuerpos celestes describe el número de grados de la distancia aparente entre ellos, como se ven desde la Tierra.

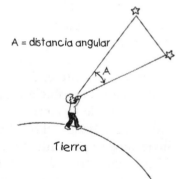

- Distancia angular es el ángulo que forman dos líneas imaginarias, del observador a las estrellas, como se ilustra.
- Cuando se utiliza la medición con las manos para determinar distancias angulares, las diferencias en el largo del brazo no suelen ser un factor importante, ya que generalmente a mayor longitud del brazo mayor tamaño de la mano. Por lo tanto, la proporción del largo del brazo y del tamaño de la mano es básicamente igual para todos.

¡Qué interesante!

La *ballestina* es un instrumento primitivo que utilizaban los primeros navegantes y astrónomos para medir la elevación angular de la altitud y la distancia entre los cuerpos celestes.

UN POQUITO MÁS

Se puede utilizar las dos manos juntas para medir una distancia angular. Proporcione a cada alumno una copia de la "Guía para medir con las manos una distancia angular", como la que aquí se ilustra. Pida que utilicen la guía en una noche clara sin luna para medir la distancia angular desde la última estrella del brazo de la Osa Mayor hasta la estrella más exterior en su cuenco (25°), utilizando las dos manos, como se ilustra.

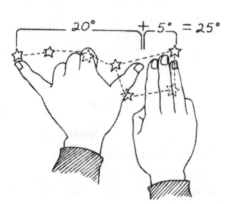

OBJETIVO

Medir una distancia angular con las manos.

Materiales

compás para dibujo
regla
cuadrado de cartulina blanca de 25 cm
   (10 pulgadas) por lado
tijeras
cinta adhesiva (masking tape)
regla de 1 metro

Procedimiento

1. Con el compás y la regla, dibuja en la cartulina dos círculos de 10 cm (4 pulgadas) de diámetro. Recorta los círculos. Éstos representan las estrellas.
2. Con la cinta, pega uno de los círculos de papel en una pared, a nivel de los ojos.
3. Utiliza la regla para medir 4 m (4 yardas) desde la pared. Coloca una tira de cinta adhesiva en el piso para marcar esta distancia.
4. Párate sobre la cinta enfrente del círculo pegado a la pared. Coloca tu mano izquierda con el brazo extendido y los dedos en la posición que se ilustra. Cierra un ojo y coloca tu dedo meñique de manera que parezca que tocas el centro del círculo en la pared.
5. Conservando tu mano en esta posición, pide a un ayudante que sostenga el otro círculo de papel contra la pared y que siga tus instrucciones para mover el círculo hasta que su centro esté en el extremo de tu dedo pulgar; después indícale que fije el círculo a la pared con la cinta adhesiva.
6. Pide a tu ayudante que repita el paso 4 y después determina si el pulgar de tu ayudante parece alcanzar el centro del segundo círculo. ¿Cómo se pueden comparar tus mediciones con las de tu ayudante?

Resultados

Las dos mediciones deben ser iguales o casi iguales.

¿Por qué?

La mano se puede utilizar como herramienta de medición para determinar la distancia angular entre dos cuerpos celestes. **Distancia angular** es la distancia aparente entre dos cuerpos (normalmente estrellas). La distancia angular se mide en **grados** (unidad para medir ángulos). Si mantienes tu mano con el brazo extendido frente a ti, la distancia aparente representada por el espacio entre tu dedo meñique y tu pulgar es aproximadamente de 20°. Los círculos representan estrellas, y la línea con cinta la superficie de la Tierra. Ya que la distancia a las estrellas es tan grande desde cualquier punto de la superficie de la Tierra, todas las personas pueden utilizar sus manos para medir desde la Tierra una distancia angular de 20° entre las mismas estrellas.

¡Siempre la misma cara!

Guías para evaluar el progreso

Al término del quinto grado, el alumno ya debe saber que:

- Las características de la Luna que miran hacia la Tierra parecer ser siempre las mismas.

Al término del sexto grado y en primero de secundaria, el alumno ya debe saber que:

- La Luna orbita la Tierra una vez aproximadamente cada 27 días.

En esta investigación se espera que el alumno:

- Describa el movimiento de la Luna en relación con la Tierra.
- Identifique la gravedad como la fuerza que mantiene a la Luna en su órbita alrededor de la Tierra.
- Elabore un modelo del periodo de rotación y del periodo de traslación de la Luna.

Para preparar la investigación

Se pueden utilizar tapas grandes y pequeñas en lugar de un compás para ayudar a los alumnos a dibujar el círculo grande que representa la órbita de la Luna y el círculo pequeño que representa a la Tierra.

Para presentar la investigación

1. Explique los nuevos términos científicos:

   periodo de rotación: el tiempo que toma a un cuerpo completar una vuelta sobre su propio eje.
   periodo de revolución: el tiempo que toma a un cuerpo dar una vuelta alrededor de otro cuerpo.

2. Explore los nuevos términos científicos:

   - El periodo de revolución de la Luna alrededor de la Tierra es de 27.3 días.

- El periodo de rotación de la Luna es de 27.3 días.
- La fuerza de gravedad no solamente conserva a la Luna en su órbita alrededor de la Tierra, sino que también afecta la velocidad de su rotación, de forma que siempre mantiene la misma cara hacia la Tierra a medida que da vuelta a la misma.

¡Qué interesante!

El 4 de octubre de 1959, la sonda espacial rusa *Lunik 3* envió las primeras imágenes del lado de la Luna que está oculto para la Tierra. Se tomaron fotografías de aproximadamente 70 por ciento de la cara oculta de la Luna. Nunca antes se había visto el lado oculto.

UN POQUITO MÁS

Pida a sus alumnos que investiguen el movimiento orbital de la Luna. ¿Cuál es la velocidad promedio de la Luna? ¿Cuál es su periodo sideral? ¿Cuál es su perigeo? ¿Cuál es su apogeo? [La velocidad promedio de la Luna es 3672 km (2295 millas) por hora. Su periodo sideral es un mes sideral, que es el tiempo que toma a la Luna dar una vuelta completa alrededor de la Tierra (27.3 días). *Perigeo* es el punto en su órbita cuando la Luna está más cerca de la Tierra, 356,400 km (222,750 millas). *Apogeo* es el punto en su órbita cuando la Luna está más lejana a la Tierra, 406,700 km (254,188 millas)]

OBJETIVO

Elaborar un modelo de la relación entre el periodo de revolución y el periodo de rotación de la Luna.

Materiales

compás
lápiz
hoja tamaño carta
etiqueta redonda de 2 cm ($^3/_4$ de pulgada) de
  cualquier color

Procedimiento

1. Con el compás, dibuja sobre la hoja un círculo tan grande como sea posible.
2. En el centro del círculo grande, dibuja un círculo más pequeño y escribe en él la palabra "Tierra".
3. Pega la etiqueta redonda justo sobre el lado con punta del lápiz.
4. Para el lápiz con la punta sobre el círculo exterior y la etiqueta viendo hacia la Tierra, como se ilustra.
5. Mueve el lápiz alrededor del círculo una vez. Durante la traslación, rota el lápiz de manera que la etiqueta vea siempre hacia la Tierra. Cuenta el número de veces que rota el lápiz.

Resultados

El lápiz rota una vez.

¿Por qué?

El lápiz representa la Luna, y la etiqueta representa el lado de la Luna que está frente a la Tierra. La atracción gravitacional de la Tierra sobre la Luna afecta la velocidad de rotación de la Tierra. La Luna rota una vez durante cada vuelta alrededor de la Tierra. Por lo tanto, al igual que la etiqueta en este experimento, siempre mira la misma cara de la Luna hacia la Tierra. El **periodo de rotación** de la Luna (el tiempo que le toma girar una sola vez sobre su eje) y el **periodo de revolución** (el tiempo que le toma dar una vuelta alrededor de la Tierra), los dos, tardan aproximadamente 27.3 días.

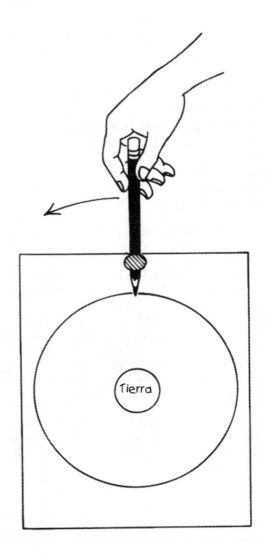

Las caras de la Luna

Guías para evaluar el progreso

Al término del quinto grado, el alumno ya debe saber que:

- La Luna se ve un poco diferente cada día, pero se ve igual otra vez aproximadamente cada 4 semanas.

Al término del sexto grado y en primero de secundaria, el alumno ya debe saber que:

- La órbita de la Luna alrededor de la Tierra determina qué parte de la Luna está iluminada por el Sol, y qué tanto de esa parte se puede ver desde la Tierra, originando lo que se llaman fases de la Luna.

En esta investigación se espera que el alumno:

- Identifique y observe las fases de la Luna.

Para preparar la investigación

Los alumnos harán sus observaciones individualmente, pero pueden trabajar en equipo para preparar su tabla "Datos de las observaciones": un calendario. Proporcione a cada equipo una copia del mes o meses calendario necesarios para el periodo de observación. Advierta a sus alumnos que no observen la Luna dos días antes y dos días después de la luna nueva. Puede marcar estos días en el calendario de observaciones preparado.

Para presentar la investigación

1. Explique los nuevos términos científicos:

   creciente: que se hace más grande.
   cuarto creciente: fase de la Luna que sigue a la luna nueva, en la cual la mitad del lado de la Luna que mira a la Tierra está iluminado.
   cuarto menguante: fase de la Luna en la cual la mitad del lado de la Luna que mira a la Tierra está iluminado por el Sol. Se ve en sentido inverso al cuarto creciente.
   fases de la luna: los cambios aparentes en el tamaño y forma del lado de la Luna que mira a la Tierra y que está iluminado por el Sol.
   luna creciente: fase de la Luna en la cual el área iluminada de la Luna que mira a la Tierra semeja un segmento de un anillo con extremos puntiagudos.
   luna gibosa: fase de la Luna que se presenta antes y después de la luna llena, en la cual más de la mitad de lado de la Luna que mira a la Tierra está iluminado.
   luna llena: también se le llama plenilunio. Fase de la Luna en la cual el lado de la Luna que mira a la Tierra está totalmente iluminado.

   luna nueva: también se le llama novilunio. Fase de la Luna en la cual el lado de la Luna que mira a la Tierra no está iluminado.
   menguante: que se hace más pequeño.

2. Explore los nuevos términos científicos:

   - Aproximadamente la mitad de la superficie de la Luna está iluminada por el Sol. A medida que la Luna da una vuelta alrededor de la Tierra, la cantidad y orientación de la superficie iluminada que es visible desde la Tierra cambia. Esto origina las diferentes fases de la luna.
   - La Luna requiere aproximadamente 27.3 días para dar una vuelta alrededor de la Tierra, pero debido a que la Tierra está dando vueltas alrededor del Sol, a la Luna le toma aproximadamente 29.5 días regresar a la misma forma observada en la primera noche de observación.
   - El tiempo que toma a la Luna completar sus fases de una luna nueva a otra se llama *mes sinódico*.
   - Las fases crecientes son de luna nueva a luna llena. La Luna parece hacerse más grande.
   - Las fases menguantes son de luna llena a luna nueva. (En el Hemisferio Norte la Luna está iluminada en el lado izquierdo cuando está menguando. Puede ver la Luna para determinar si está menguando o creciendo, observando si es el lado derecho o el izquierdo el que está iluminado.)

¡Qué interesante!

Una luna azul no tiene nada que ver con el color. Es la segunda luna llena en un mes, lo que se presenta cada tres años, más o menos.

UN POQUITO MÁS

Se puede utilizar la tabla "Tiempos aproximados de la salida y puesta de la Luna" que se muestra aquí a manera de guía para determinar cuándo observar la Luna. Los alumnos pueden proporcionar las horas exactas de la salida y puesta ocurridas durante el periodo de observación de las fases de la Luna.

Tiempos aproximados de la salida y puesta de la Luna			
Forma	Fase de la Luna	Salida de la Luna	Puesta de la Luna
●	nueva	amanecer	puesta del Sol
◑	cuarto creciente	mediodía	medianoche
○	llena	puesta del Sol	amanecer
◐	cuarto menguante	medianoche	mediodía

Las caras de la Luna

OBJETIVO

Observar las fases de la Luna.

Materiales

hoja tamaño carta
pluma
regla
calendario que señale las fases de la Luna

Procedimiento

1. En la hoja, elabora con la pluma y la regla un calendario de 5 semanas.
2. Pon las fechas en el calendario, comenzando por el día en que lo elaboraste. El calendario puede incluir parte de dos meses.
3. Observa la forma de la Luna durante 29 días. Házlo durante el día y durante la noche. Dibuja la forma de la Luna en cada día del calendario. Escribe "D" en los dibujos del día, y "N" en los dibujos de la noche.
   PRECAUCIÓN: no realices observaciones por lo menos 2 días antes y 2 días después de la luna nueva (cuando el lado de la Luna que mira a la Tierra está oscuro). La luna nueva está cerca del Sol y podrías dañar tus ojos si la miras.
4. Estudia las diferentes fases que aquí se ilustran, y utilízalas para rotular los dibujos en tu calendario.

Resultados

A la Luna le toma aproximadamente 29 días regresar a la misma forma que se observó en la primera noche.

¿Por qué?

La mitad de la Luna siempre está iluminada por el Sol, pero solamente un lado de la Luna mira a la Tierra. Las diferentes formas de las áreas iluminadas se llaman **fases de la Luna**. La **luna nueva** no tiene áreas iluminadas en el lado que mira a la tierra. Después de la luna nueva, el área iluminada de la Luna **crece** (se hace más grande) hasta llegar a la **luna llena**, cuando el lado de la Luna que mira a la Tierra está totalmente iluminado. Entre la luna nueva y la luna llena existen otras fases, incluyendo la **luna creciente** (cuando el área iluminada del lado que mira a la Tierra semeja el segmento de un anillo con puntas aguzadas), el **cuarto creciente** (cuando está iluminada la mitad del lado que mira a la Tierra), y **luna gibosa** (cuando está iluminada más de la mitad del lado que mira a la Tierra). En el Hemisferio Norte estas fases aparecen en el lado derecho de la Luna. Después de la luna llena, el área iluminada de la Luna **mengua** (se hace más pequeño) hasta llegar a la luna nueva. Entre la luna llena y la luna nueva las fases son a la inversa, es decir que está iluminado el lado opuesto de la Luna (lado izquierdo). En lugar del primer cuarto, la fase cuando está iluminada la mitad del lado que mira a la Tierra se llama **cuarto menguante**. Este ciclo de una luna nueva a la siguiente toma aproximadamente 29 días. Las áreas iluminadas de la Luna durante las diferentes fases se invierten en el Hemisferio Sur.

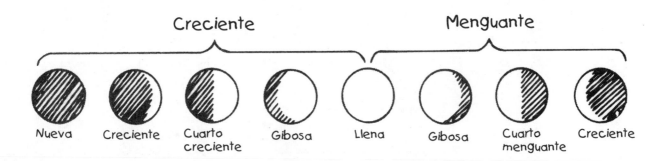

Sombras

Guías para evaluar el progreso

Al término del quinto grado, el alumno ya debe saber que:

- Para un observador en la Tierra, la rotación de la Tierra sobre su propio eje hace parecer que el Sol y la Luna atraviesan el cielo diariamente.

Al término del sexto grado y en primero de secundaria, el alumno ya debe saber que:

- La Luna completa su órbita alrededor de la Tierra una vez cada 27 días. A veces, pero no cada mes, la Luna se interpone entre la Tierra y el Sol bloqueando los rayos solares.

En esta investigación se espera que el alumno:

- Elabore el modelo de un eclipse solar.
- Describa la posición del Sol, la Tierra y la Luna durante un eclipse solar.

Para presentar la investigación

1. Explique los nuevos términos científicos:

   tamaño aparente: tamaño que un objeto distante parece tener.
   eclipse: acontecimiento en el cual un cuerpo celeste pasa frente a otro y obstruye su luz.
   elíptico: de forma oval.
   eclipse de Sol: eclipse en el cual la Luna pasa frente al Sol y bloquea la luz de éste.
   eclipse total de Sol: eclipse solar en el cual la Luna bloquea toda la luz del Sol.

2. Explore los nuevos términos científicos:

   - Una *sombra* es una forma oscura que proyecta un cuerpo sobre una superficie al obstruir la luz. La parte interna oscura de una sombra se llama *umbra*, y la región exterior más iluminada se llama *penumbra*.

- Debido a que la Tierra rota, la sombra de la Luna recorre la superficie de la Tierra durante un eclipse total de Sol. La sombra de la Luna es de aproximadamente 300 km (188 millas) de ancho.
- Ya que el tamaño de la sombra de la Luna durante un eclipse total de Sol es solamente de 300 km (188 millas) de ancho, los eclipses totales de sol se presentan muy rara vez en un lugar de la Tierra.

¡Qué interesante!

Durante un eclipse total de Sol, sólo una parte de la cara de la Tierra que mira al Sol y la Luna está en la sombra de la Luna. Los observadores en la umbra ven un eclipse total, mientras que aquellos que están en la penumbra ven un *eclipse parcial de Sol* (cuando la Luna no está en línea suficientemente directa con el Sol y la Tierra para tapar toda la !uz del Sol al observador en la Tierra). Los observadores que están fuera de la sombra de la Luna no ven el eclipse.

UN POQUITO MÁS

Cuando la Luna está lo suficientemente lejos de la Tierra como para parecer más pequeña que el Sol, la Luna no eclipsa por completo al Sol, y se puede ver un anillo exterior de la *fotosfera* (la capa exterior brillante del Sol). A este hecho se le denomina *eclipse anular*. Pida a sus alumnos que demuestren un eclipse anular repitiendo el experimento, esta vez moviendo lentamente la esfera de plastilina para alejarla de la cara hasta que solamente puedan ver un pequeño anillo exterior de la pelota de unicel alrededor de la esfera de plastilina.

Sombras

OBJETIVO

Elaborar un modelo de la manera en que la Luna puede ocultar al Sol.

Materiales

esfera de plastilina del tamaño de una uva
2 lápices con punta afilada
pelota de unicel de 7.5 cm (3 pulgadas)

Procedimiento

1. Inserta la esfera de plastilina en la punta de uno de los lápices y la pelota de unicel en la punta del otro lápiz.
2. Sostén el lápiz con la pelota de unicel frente a tu cara con el brazo extendido.
3. Cierra un ojo y sostén el lápiz con la esfera de plastilina de manera que quede frente a ti, pero sin tocar tu ojo abierto. Mueve lentamente la esfera de plastilina alejándola de tu cara hacia la pelota de unicel. A medida que mueves la esfera de plastilina observa qué cantidad de la pelota de unicel queda oculta por la esfera de plastilina a distancias diferentes.

Resultados

Mientras más cerca de tu cara está la esfera de plastilina, más oculta a la pelota de unicel.

¿Por qué?

Entre más cercano está un objeto a tu ojo, mayor es su **tamaño aparente** (el tamaño que un objeto distante parece tener). La esfera pequeña de plastilina puede ocultar totalmente a la pelota más grande de unicel, evitando que se pueda ver. De la misma manera, la Luna, con un diámetro de 3476 km (2173 millas), algunas veces puede ocultar y tapar la luz del Sol, que es mucho más grande, ya que tiene un diámetro de 1 millón 392 mil km (870 mil millas).

Cuando la Luna pasa directamente entre el Sol y la Tierra, y los tres están en línea recta, la Luna **eclipsa** (pasa frente y tapa la luz) al Sol. En esta posición, los observadores en la Tierra ven un **eclipse solar.** El Sol es casi 400 veces más grande que la Luna, pero a veces durante la órbita **elíptica** (forma oval) de la Luna, ésta está casi 400 veces más cerca de la Tierra. En esta posición, la Luna y el Sol parecen tener el mismo tamaño. En un eclipse solar en el que la Luna parece ser tan grande como el Sol, la Luna tapa completamente la luz del Sol. Este acontecimiento se llama **eclipse total de sol.**

Apéndice 1
Probeta

OBJETIVO

Elaborar un modelo de probeta.

Materiales

crayón (rojo o de cualquier color oscuro)
diseño de probeta
material para enmicar (opcional)
tijeras
regla
pluma
cinta adhesiva transparente

Procedimiento

1. Ilumina la parte correspondiente a la tira de líquido del dibujo de probeta.

2. Enmica los diseños coloreados. Este paso es opcional.

3. Recorta las cuatro áreas indicadas.

4. Recorta la línea punteada para separar la tira de líquido de las otras secciones.

5. Gradúa cada línea de doblez colocando la regla a lo largo de cada una de ellas y después traza las líneas con la pluma.

6. Dobla el papel a lo largo de la línea de doblez 1, después a lo largo de la línea de doblez 2, y une con cinta adhesiva las secciones dobladas.

7. Inserta el extremo curvo de la tira de líquido en la ranura correspondiente, de manera que el lado coloreado de la tira quede visible a través de las aberturas ubicadas en el frente del modelo.

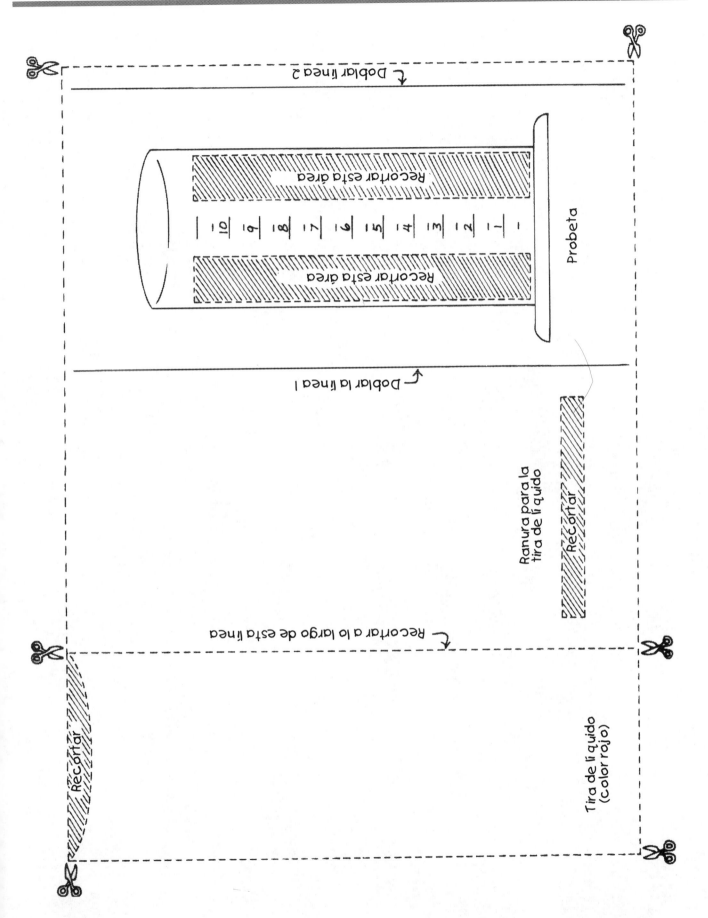

Apéndice 2
Termómetro

OBJETIVO

Elaborar un modelo de termómetro.

Materiales

crayón rojo
diseño de termómetro
material para enmicar (opcional)
tijeras
regla
pluma
cinta adhesiva transparente

Procedimiento

1. Ilumina con el crayón rojo la parte de la tira de líquido y del bulbo del diseño de termómetro.

2. Enmica los dibujos coloreados. Este paso es opcional.

3. Recorta las dos áreas indicadas.

4. Recorta a lo largo de la línea punteada para separar la tira de líquido de las otras secciones.

5. Gradúa cada línea de doblez colocando la regla a lo largo de cada una de ellas y después traza las líneas con la pluma.

6. Dobla el papel a lo largo de la línea de doblez 1, después a lo largo de la línea de doblez 2, y une con cinta adhesiva las secciones dobladas.

7. Inserta la tira de líquido en la ranura correspondiente, de manera que el lado coloreado de la tira quede visible a través de las aberturas en el frente del modelo.

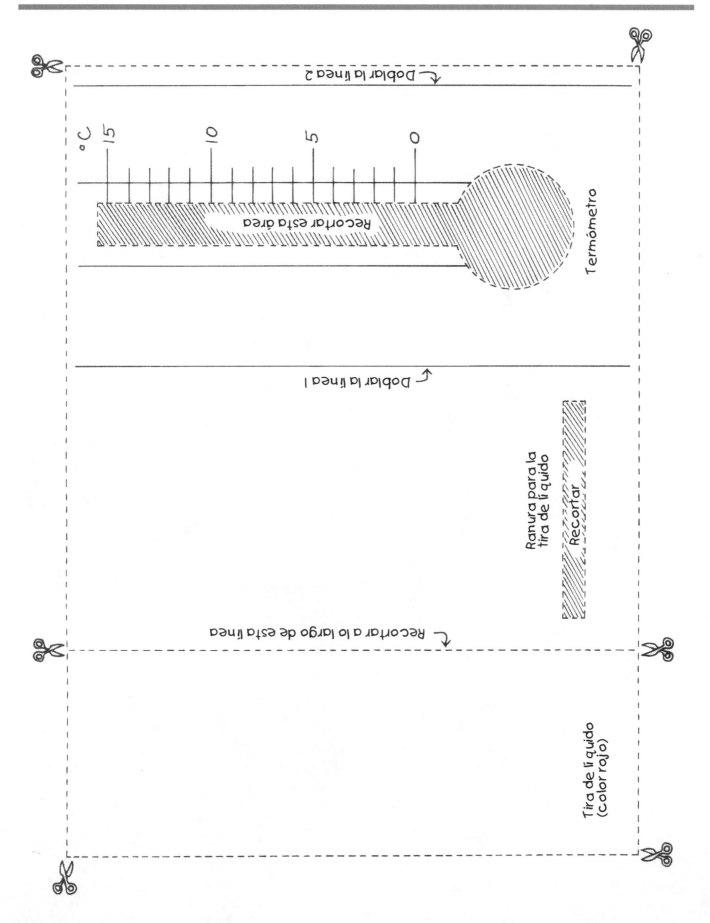

Glosario

absorción 1) Acción de succionar. 2) Captar. 3) Recibir sonido sin eco.

ácido desoxirribonucleico (ADN) Moléculas químicas de los cromosomas que controlan la actividad celular y determinan los rasgos hereditarios.

adaptación Característica física o comportamiento que permite a un organismo o especie ajustarse a las condiciones de su ambiente y sobrevivir.

agente de erosión Fuerza natural como el agua, viento, hielo o la gravedad, que transporta materiales erosionados.

aislante Material que es mal conductor del calor.

alelo Una de las diferentes formas de un gen específico.

alelo dominante Una forma de gen que cuando se encuentra presente determina el rasgo.

alelo recesivo Forma de gen que no determina una característica cuando se encuentra presente un alelo dominante.

ambiente Condiciones que rodean a los organismos y afectan su vida. Incluye clima, terreno y alimentos.

animal de sangre caliente Animal que genera calor para mantener una temperatura corporal interna constante.

animal de sangre fría Animal cuya temperatura corporal interna cambia con la temperatura externa de su cuerpo.

arterias Vasos sanguíneos grandes que transportan la sangre roja oxigenada que sale del corazón.

arteriolas Extremos de las arterias que se conectan a los vasos capilares.

atmósfera Capa de gases que rodea a un cuerpo celeste.

átomo Unidad más pequeña de un elemento; unidad básica de la materia.

atracción Capacidad para atraer o ser atraído por algo.

auxina Hormona de las plantas que origina cambios en el crecimiento de una célula.

bioma Ecosistema grande caracterizado por las plantas que crecen en el mismo debido a las condiciones del clima de la región.

bosque Bioma que contiene una gran cantidad de árboles que crecen muy juntos con varias clases de plantas más pequeñas.

bosque caducifolio (bosque deciduo) *Véase* bosque templado.

bosque de coníferas Bosque formado principalmente por coníferas, y que se encuentra por abajo de la línea de vegetación arbórea.

bosque lluvioso *Véase* selva tropical.

bosque templado Bosque que se encuentra en una zona templada; también llamado *bosque deciduo* o *bosque caducifolio*.

caducifolio (deciduo) Que tiene hojas que generalmente se le caen en otoño.

calor Forma de energía que se relaciona con el total de energía cinética de todas las partículas de un material, y que se transfiere de un material caliente a otro frío debido a las diferencias de temperatura.

campo magnético Espacio alrededor de un imán donde puede detectarse una fuerza magnética.

camuflaje Comportamiento que permite a un animal confundirse con o quedar oculto en el medio que lo rodea gracias a una coloración protectora.

capa activa Capa delgada del suelo que está arriba del permafrost; se congela en invierno y se derrite en verano.

características Rasgos naturales.

célula Componente estructural básico de los seres vivos.

células sexuales Células especializadas, espermatozoides y óvulos, producidas por meiosis.

cementación La unión de materiales por la acción de un agente cementante (que los pega).

cerebelo Parte del encéfalo que controla la actividad muscular.

cerebro Parte más grande del encéfalo que controla los pensamientos.

ciclo del agua El ciclo de evaporación y condensación que mueve el agua de la Tierra de un lugar a otro.

cigoto Célula formada por la unión de un espermatozoide y un óvulo.

cilios Estructuras muy pequeñas parecidas a pelos que algunos organismos unicelulares utilizan para la locomoción.

Círculo Ártico Región de la Tierra que forma una frontera imaginaria con el Polo Norte; el área arriba de la latitud 66.5° N.

citoplasma Material transparente similar a la gelatina que ocupa la región entre el núcleo de la célula y la membrana celular y que contiene sustancias y partículas que juntas contribuyen para conservar la vida.

clasificación Ordenamiento de los organismos en grupos, tomando como base las similitudes de sus características.

clorofila Pigmento verde de las células de las plantas que absorbe la luz necesaria para la fotosíntesis.

coeficiente de gravedad (G.R.) Gravedad de la superficie de un cuerpo celeste dividida entre la gravedad de la Tierra, de modo que el G.R. de la Tierra es 1.

coloración protectora Coloración del cuerpo o un diseño que ayuda a que los animales se sirvan del camuflaje para ocultarse de sus depredadores.

compactación Acción de presionar (apretar) los materiales para comprimirlos.

comportamiento Respuesta observable en un organismo.

comportamiento aprendido Respuesta que se adquiere mediante la experiencia de un organismo.

comportamiento innato Respuesta heredada; no aprendida.

compuesto Sustancia hecha de moléculas semejantes.

condensación Cambio de estado de gas a líquido.

conducción Transferencia de calor de una partícula a otra por colisión.

cono Estructura reproductiva de una conífera.

cono de semillas Cono que contiene semillas.

contraerse Acción de retraerse o encogerse.

convección Transferencia de calor de una región a otra por la circulación de corrientes en un fluido.

conífera Árbol o arbusto cuyas semillas están almacenadas en conos y que generalmente tienen hojas en forma de agujas.

coordinación mano-ojo Capacidad para mover la mano en respuesta a lo que ven los ojos.

cordillera oceánica Una de las muchas cordilleras que forman una cadena continua de montañas submarinas alrededor de la Tierra.

corriente de convección La que se debe al movimiento circular de fluidos de temperatura diferente.

corteza Capa exterior de la geosfera; en ella viven los seres vivos.

costa La tierra en la línea litoral.

cotiledón Hoja sencilla que se encuentra debajo de la envoltura (cáscara) de la semilla, que almacena el alimento para la planta en desarrollo.

creciente Que se hace más grande.

cría de araña Una araña joven.

cristal Sólido con superficies planas que tiene partículas arregladas o dispuestas en diseños repetitivos.

cromatografía Método para separar una mezcla en sus diferentes sustancias.

cromosoma Estructura con forma de bastoncillo

Enseña la ciencia de forma divertida

que se encuentra en el núcleo de una célula que contiene ADN.

cromosoma sexual Cromosoma que contiene el gen del género y se conoce como cromosoma X o Y.

cuadro de Punnett Matriz utilizada para determinar el porcentaje de posibles genotipos de una descendencia, tomando como base combinaciones de los genes de los padres.

cuarto creciente Fase de la Luna que sigue a la luna nueva, en la cual la mitad del lado de la Luna que mira a la Tierra está iluminado.

cuarto menguante Fase de la Luna que sigue a la luna llena, en la cual la mitad del lado de la Luna que mira a la Tierra está iluminado por el Sol.

cuerpos celestes Objetos naturales que están en el cielo, como planetas, lunas, estrellas y soles.

densidad La masa por unidad de volumen de una sustancia.

depredador Animal que caza a otros para alimentarse.

descendencia de rasgos puros Descendencia cuyos alelos son iguales para un rasgo.

desierto Bioma que recibe menos de 25 cm (10 pulgadas) de lluvia al año.

desierto frío Desierto con temperaturas por debajo de la temperatura de congelación durante parte del año.

día sideral El tiempo que toma a la Tierra hacer una rotación completa de 360°.

difusión Acción de extenderse libremente para distribuirse de manera uniforme.

diseño Un arreglo repetitivo de formas o colores.

disolver Desintegrar y mezclar completamente una sustancia con otra, como la sal en el agua.

distancia angular Distancia aparente entre dos cuerpos celestes, medida en grados.

dosel La capa superior, en forma de sombrilla, de un bosque tropical, formada por las copas de árboles altos de hoja ancha, siempre verdes.

eclipse Acontecimiento en el cual un cuerpo celeste pasa frente a otro y obstruye su luz.

eclipse de Sol Eclipse en el cual la Luna pasa frente al Sol y obstruye la luz de éste.

eclipse total de Sol Eclipse solar en el cual la Luna tapa toda la luz del Sol.

ecosistema Región donde los seres vivos y los elementos inanimados interactúan unos con otros y con su ambiente.

ecuador Línea imaginaria que rodea a la Tierra en la latitud 0°, que la divide en la mitad norte y la mitad sur.

efecto invernadero El calentamiento de la Tierra por los gases de la atmósfera, que atrapan las radiaciones infrarrojas del Sol y la vuelven a radiar hacia la Tierra, del mismo modo que el vidrio o plástico de un invernadero atrapa y vuelve a emitir la radiación infrarroja dentro del mismo.

eje Línea imaginaria que pasa por el centro de un objeto, alrededor de la cual gira éste.

elasticidad Propiedad física que representa la capacidad para regresar a la longitud original después de haberse estirado.

electricidad estática Acumulación de cargas eléctricas positivas o negativas.

electrón Partícula con carga negativa que se encuentra en el exterior del núcleo del átomo.

elemento Sustancia constituida por átomos iguales.

elíptico De forma oval.

embrión Organismo en la primera etapa de su desarrollo, como la planta inmadura dentro de una semilla.

energía (E) Capacidad para realizar un trabajo.

energía cinética (KE) Energía que posee un objeto en movimiento debida al mismo movimiento.

energía mecánica Energía de movimiento; suma de las energías potencial y cinética de un objeto.

energía potencial (PE) Energía acumulada en un objeto debido a su posición o condición.

energía potencial gravitacional (GPE) Energía potencial debida a la altura de un objeto sobre una superficie.

energía radiante Forma de energía que viaja en ondas electromagnéticas.

energía térmica La energía interna total de un material, debida a movimiento molecular.

enlace Fuerza que mantiene unidos a los átomos.

enlace cruzado Puente químico entre las moléculas de un polímero.

epicótilo Estructura del embrión de una planta que se encuentra arriba del punto de unión del cotiledón, la cual se desarrolla para formar tallo, hojas, flores y fruto de una planta.

erosión Proceso por medio del cual las rocas y otros materiales de la corteza terrestre se desbaratan y son arrastradas por agentes de erosión.

escala Celsius Escala de temperatura en la que el punto de congelación del agua es 0° y su punto de ebullición 100°.

especie Grupo de organismos similares que pueden producir más de su mismo tipo.

espermatozoide Célula sexual masculina.

esqueje Parte que se corta a una planta, crece y forma una planta nueva. También le llaman *rampollo*.

estaciones del año Periodos del año recurrentess de manera regular caracterizados por un tipo específico de condiciones meteorológicas.

estados de la materia Las formas en que existe la materia. Los tres principales son: sólido, líquido y gaseoso.

estándar Patrón o material de referencia contra el cual se comparan otros materiales.

estímulo Algo que causa una respuesta en un organismo.

estratosfera Capa de la atmósfera de la Tierra entre la mesosfera y la troposfera.

evaporación Cambio de estado líquido a gas.

evaporar Cambiar de líquido a gas.

exosfera Capa más alta y exterior de la atmósfera de la Tierra; inicia en la termosfera.

expansión Dilatación o aumento del volumen de un cuerpo por efecto del calor que separa sus moléculas.

expansión del lecho marino Proceso por medio del cual se forma la nueva corteza oceánica, la cual se aleja lentamente de las cordilleras oceánicas.

extinto Que ya no existe.

fases de la Luna Los cambios aparentes en el tamaño y forma del lado de la Luna que mira a la Tierra y que está iluminado por el Sol.

fecundación La unión de dos células sexuales, un óvulo y un espermatozoide, provenientes de dos progenitores.

fenotipo Características observables de un organismo, determinadas por el genotipo; la expresión de rasgos específicos.

flotación Técnica que las crías de araña usan para desplazarse a diferentes lugares.

fluido Material que fluye; gas o líquido.

fórmula Representación simbólica de una molécula.

fotosfera Capa más exterior del Sol, que está alrededor de la zona de convección y en realidad es la primera capa de la atmósfera solar.

fotosíntesis Proceso por medio del cual las plantas verdes aprovechan algunas sustancias (agua y bióxido de carbono) en presencia de clorofila y luz para producir alimento.

fototropismo Crecimiento o movimiento de una planta en respuesta a la luz.

fototropismo positivo Crecimiento o movimiento de una planta hacia la luz.

frente Frontera entre las masas de aire frío y caliente.

fricción Fuerza que se opone al movimiento de un objeto cuya superficie está en contacto con otro.

frontera divergente Límite donde las placas tectónicas se separan y se añade nuevo material de corteza al lecho marino.

fuerza Acción de atracción o repulsión sobre la materia.

fuerza ascensional Fuerza que eleva un objeto que vuela.

fuerza equilibrada Fuerza aplicada de manera uniforme a un objeto desde direcciones opuestas.

fuerza magnética La atracción entre imanes o entre un imán y un material magnético.

fuerza muscular Fuerza ocasionada por cambios en la longitud de los músculos.

fuerza no equilibrada Fuerza aplicada sobre un objeto sin una fuerza opuesta o igual.

fuerza prensil Acción de prender fuertemente un objeto grande entre el pulgar y los cuatro dedos restantes.

fusión Cambio de estado sólido a líquido.

fusión nuclear Unión de los núcleos de los átomos.

gas Sustancia que se encuentra en un estado de la materia caracterizado por no tener volumen y forma definidos.

gen Estructura de un cromosoma que determina los rasgos hereditarios y que está formado por ADN.

género El sexo de un organismo: masculino o femenino.

genotipo Configuración genética de un organismo o de un grupo de organismos, determinada por los alelos.

geosfera Parte sólida de la Tierra –corteza, manto, núcleo– sin considerar hidrosfera ni atmósfera.

geotropismo *Véase* gravitropismo.

Enseña la ciencia de forma divertida

germinación Proceso por el cual comienza a crecer una semilla.

glaciar Cuerpo grande de hielo continental que fluye lentamente cuesta abajo.

grado Unidad para medir ángulos.

gravedad Fuerza de atracción entre todos los objetos del universo.

gravedad superficial Gravedad en o cerca de la superficie de un cuerpo celeste.

gravitropismo Crecimiento o movimiento de una planta en respuesta a la gravedad. También se le llama *geotropismo*.

gravitropismo negativo Crecimiento o movimiento hacia arriba de una planta en dirección opuesta a la fuerza de gravedad.

gravitropismo positivo Crecimiento o movimiento hacia abajo de una planta, en dirección de la fuerza de gravedad.

halita Forma mineral de la sal de mesa, constituida por cristales de cloruro de sodio.

Hemisferio Norte Región que se encuentra por encima o al norte del ecuador.

Hemisferio Sur Región que se encuentra abajo o al sur del ecuador.

heredar Recibir rasgos de los padres.

herencia Transferencia de rasgos de una generación a la siguiente.

híbrido Descendencia cuyos alelos son diferentes para un rasgo.

hipocótilo Parte del embrión de una planta que se encuentra por abajo del punto de unión del cotiledón, cuya parte superior se desarrolla para formar el sistema de raíces de la planta.

horizonte Línea imaginaria en donde parece que el cielo se junta con la Tierra.

hormonas de la planta Sustancias químicas de las plantas que controlan el crecimiento celular.

humedad Presencia de vapor de agua en la atmósfera.

iceberg Parte de un glaciar que se desprendió y flota en el océano.

imán Objeto rodeado de un campo magnético que atrae materiales magnéticos.

inercia Tendencia de un objeto a permanecer en reposo o a resistirse a cambios en su estado de movimiento, a menos que una fuerza externa actúe sobre él.

intemperismo Etapa de la erosión que abarca sólo la rotura de materiales de la corteza.

intemperismo mecánico Tipo de desgaste que descompone o desintegra materiales de la corteza terrestre por medios físicos.

intemperismo químico Tipo de desgaste que modifica las propiedades químicas de los materiales de la corteza terrestre.

joule (J) Unidad SI con la que se mide el trabajo.

latitud Distancia en grados al norte o sur del ecuador.

lava Roca fundida que ha llegado a la superficie de la Tierra.

ley de conservación de la energía Ley de la física que establece que la energía se puede cambiar de una forma a otra, pero que no se puede crear ni destruir en condiciones normales.

ley de conservación de la energía mecánica Ley de la física que establece que la suma de las energías potencial y cinética de un objeto permanece igual mientras no actúe sobre ellas ninguna fuerza externa.

libra La unidad de peso inglesa.

límite de la vegetación arbórea Límite entre una región con árboles y una tundra.

líneas de fuerza magnética Patrón de líneas que representan el campo magnético alrededor de un imán.

líquido Sustancia que se encuentra en un estado de la materia que se caracteriza por tener un volumen definido, pero no una forma definida, es decir, la sustancia adopta la forma del recipiente que la contiene.

litificación (petrificación) El endurecimiento de sedimentos en la roca.

litoral Límite en donde un cuerpo de agua se junta con la tierra.

litosfera Parte de la Tierra formada por la corteza y la parte superior del manto.

litro (L) La unidad volumen del sistema SI o métrico.

locomoción Acción de desplazarse de un lugar a otro.

luna creciente Fase de la Luna en la cual el área iluminada del lado de la Luna que mira hacia la Tierra semeja el segmento de un anillo con extremos puntiagudos.

luna gibosa o luna casi llena Fase de la Luna que se presenta antes y después de la luna llena, en la cual más de la mitad del lado de la Luna que mira a la Tierra está iluminado.

luna llena Fase de la Luna en la cual el lado de la Luna que mira a la Tierra está totalmente iluminado.

luna nueva Fase de la Luna en la cual el lado de la Luna que mira a la Tierra no está iluminado.

magma Roca fundida que se encuentra debajo de la corteza terrestre.

magnetismo Fuerza magnética.

mamífero Animal que tiene pelo y alimenta a sus crías con leche.

manto La capa de la geosfera que se encuentra entre el núcleo y la corteza terrestre, formada en su mayor parte por silicatos.

masa Cantidad de material.

masa de aire Cuerpo grande de aire cuya temperatura es casi igual en toda su extensión.

materia Todo lo que ocupa espacio y tiene masa; de lo que está hecho el universo.

material magnético Material que puede ser atraído o magnetizado por un imán, como hierro y acero.

meiosis Proceso de división celular por medio del cual se reproducen las células sexuales.

membrana celular Capa externa delgada que mantiene unida a la célula y permite que las sustancias entren y salgan de ella.

menguante Que se hace más pequeño.

menisco (media luna) Superficie superior curva de una columna de líquido.

mesosfera Capa de la atmósfera de la Tierra entre la estratosfera y la termosfera.

metamorfismo Proceso por medio del cual el calor y la presión cambian la forma, textura o estructura de las rocas.

mezcla Combinación de dos o más sustancias puras. Las mezclas pueden ser homogéneas o heterogéneas.

mezcla heterogénea Mezcla que no es uniforme y consiste de partes visiblemente diferentes (piedra en agua, agua y aceite, etcétera).

mezcla homogénea Mezcla uniforme en la que a simple vista no hay diferencias (aire, sal en agua, etcétera).

mililitro (ml) Milésima parte de un litro.

mineral Sólido que se encuentra en la corteza terrestre y del que están formadas las rocas.

molécula Grupo de dos o más átomos unidos por enlaces.

molécula diatómica Molécula formada por dos átomos de la misma clase.

movimiento El acto o proceso de cambiar de posición.

newton (N) Unidad de peso del sistema SI o métrico.

núcleo 1) El centro de un átomo. 2) Cuerpo de forma esférica u oval en una célula que controla la actividad de la misma. 3) El centro de un cuerpo celeste. El núcleo terrestre es la parte de la geosfera que se encuentra debajo del manto y está formado en su mayor parte por dos elementos metálicos: hierro y níquel. El núcleo solar es la parte más caliente del Sol.

oído externo Oreja. Parte exterior visible del oído, que recoge las ondas sonoras y las dirige hacia el oído interno.

ola Movimiento ondulatorio sobre la superficie del agua que se repite.

onda electromagnética Alteración en los campos eléctrico y magnético; alteración que puede propagarse por el espacio.

ondas Fluctuaciones que se propagan por la materia o por el espacio.

órbita Trayectoria curva de un cuerpo alrededor de otro.

organismo Un ser vivo.

óvulo Célula sexual femenina.

paramecio Protista que tiene cilios y dos tipos de núcleo.

pastizal (sabana) Bioma semiárido cuya vegetación es en su mayor parte pasto o hierba con muy pocos árboles o arbustos.

perenne Que dura todo el año o varios años. Que tiene hojas que no se caen y permanecen verdes todo el año.

periodo de revolución El tiempo que toma a un cuerpo dar una vuelta alrededor de otro cuerpo.

periodo de rotación El tiempo que toma a un cuerpo completar una vuelta sobre su propio eje.

permafrost Capa subterránea de suelo congelado que permanece así durante dos años o más.

pesca excesiva Sobrepesca. La práctica de pescar hasta tal grado que se agote la población de peces.

peso Medida de la fuerza de gravedad. En la Tierra es una medida de la fuerza con la que la gravedad de la superficie terrestre atrae a un objeto.

Enseña la ciencia de forma divertida

pigmento Sustancia que da color a los materiales.

pipeta Instrumento que se usa para medir volúmenes.

placas tectónicas Planchas de la litosfera que cubren la superficie de la Tierra.

planear Avanzar en el aire suavemente y sin esfuerzo.

playa Costa con una franja uniforme de arena o gravilla.

plúmula Las hojas pequeñas inmaduras ubicadas en la punta de un epicótilo que en la madurez forman las primeras hojas verdaderas de la planta.

población Todos los organismos que existen en un hábitat específico o que son de la misma clase o especie.

poder de resolución Capacidad del ojo para enfocar objetos a distancia.

polímero Molécula muy larga que parece cadena.

Polo Norte Extremo norte del eje de la Tierra.

Polo Sur Extremo sur del eje de la Tierra.

polos magnéticos Uno de los dos extremos de un imán, donde el campo magnético es más fuerte.

precipitación Cualquier forma de agua que cae de la atmósfera.

prensión (habilidad prensil) Acción de agarrar o apretar con fuerza un objeto.

prensión de precisión Acción de prender fuertemente un objeto pequeño levantándolo con el pulgar y los cuatro dedos restantes.

presa Animal del que se alimenta el depredador.

primate Mamífero que tiene manos que pueden apretar y asir objetos, incluyendo a los seres humanos, simios y monos.

propagación vegetativa Producción de una planta nueva a partir de una parte de la planta diferente a la semilla.

propiedades físicas Características de la materia que se pueden medir y observar sin alterarla.

propiedades químicas Características que describen el comportamiento de una sustancia cuando se cambia su identidad.

protista Organismo del reino *Protista*, que incluye a la mayoría de los organismos unicelulares que tienen núcleos visibles.

protón Partícula con carga positiva que se encuentra en el núcleo de un átomo.

punto de fusión Temperatura a la cual un sólido cambia a líquido.

radiación Energía radiante; también la transmisión de energía radiante en ondas.

radiación infrarroja Radiación que emiten todos los objetos y que produce calor cuando se absorbe.

radícula Estructura inferior de un hipocótilo que se desarrolla para formar el sistema de raíces de la planta.

rasgo Una característica física.

reacción física Cambio en el que no se forman nuevas sustancias.

reacción química Proceso por el cual interactúan los átomos para formar una o más sustancias nuevas.

reproducción Proceso por medio del cual un organismo produce descendencia de la misma especie.

reproducción asexual Reproducción en la cual solamente hay un progenitor y la descendencia es idéntica a éste.

reproducción sexual Reproducción por medio de fecundación.

rerradiar Acción de volver a emitir la radiación previamente absorbida.

respuesta Reacción de un organismo a un estímulo.

roca Mezcla sólida que generalmente es de dos o más minerales.

roca clástica Tipo de roca sedimentaria que se forma cuando los sedimentos de rocas preexistentes se compactan y cementan.

roca madre La roca común de una región.

roca metamórfica Roca que se forma de otros tipos de roca, por medio de presión y calentamiento dentro de la corteza terrestre.

roca sedimentaria La roca que se forma de sedimentos depositados por el agua, viento o hielo.

roca ígnea Roca que se forma cuando el magma se enfría y solidifica.

rotar Girar sobre un eje.

sangre Fluido que transporta sustancias por todo el cuerpo.

sedimentos Fragmentos de un material que han sido llevados de un lugar y depositados en otro por un agente de erosión.

selva tropical Bosque en la zona tropical, formado por árboles perennes (siempre verdes), de hojas anchas, que forman una sombrilla; también se llama bosque lluvioso.

semiárido Palabra que describe un clima seco, con poca lluvia, pero no tan seco como un desierto.

semilla Producto de la reproducción sexual en las plantas, que contiene material genético de ambos padres y se puede desarrollar para dar lugar a una planta madura.

silicatos Sustancias químicas que se encuentran en el manto de la Tierra formadas por silicio y oxígeno combinados con otros elementos.

sistema circulatorio Red cerrada de vasos sanguíneos a través de la cual la sangre fluye por el cuerpo.

sistema de raíces Parte de una planta que crece hacia abajo dentro de la tierra, a través de la cual toma agua y nutrientes.

Sistema Internacional de Unidades (SI) Sistema de medida que se usa principalmente en ciencia y tecnología en todo el mundo. Comúnmente llamado *sistema métrico*.

sistema métrico *Véase* Sistema Internacional de Unidades (SI)

sitio del gen El sitio en donde se ubica un gen en un cromosoma.

sólido Sustancia en un estado de la materia caracterizado por tener forma y volumen definidos.

solsticio de invierno El día cuando el Polo Sur de la Tierra está inclinado más lejos del Sol, casi siempre el 22 de diciembre en el Hemisferio Norte.

solsticio de verano Día cuando el Polo Norte de la Tierra está inclinado más cerca del Sol, casi siempre el 21 de junio en el Hemisferio Norte.

solución Mezcla homogénea donde una sustancia está disuelta en otra.

sonido Energía que se propaga en forma de ondas a través del aire o de otros materiales.

sustancia Cualquier material.

tallo Estructura de soporte central de una planta.

tamaño aparente El tamaño que un objeto distante parece tener.

temperatura Propiedad física que determina la dirección en que el calor fluye entre las sustancias.

termosfera Capa entre la mesosfera y la exosfera de la Tierra.

termómetro Instrumento que se usa para medir la temperatura.

testa de la semilla Cubierta protectora de una semilla.

tiempo de reacción El tiempo que un organismo requiere para responder a un estímulo.

trabajo (w) Movimiento de un objeto por una fuerza.

traslación Moverse en una trayectoria circular alrededor de otro objeto.

tropismo El movimiento de inclinación de una planta en respuesta a estímulos como luz, calor, agua o gravedad.

troposfera Capa inferior de la atmósfera de la Tierra, es la que está en contacto con el suelo.

tundra Bioma sin árboles; ocupa la mayor parte de la región del Ártico.

tundra alpina La tundra de una región que está arriba del límite de la vegetación arbórea a grandes altitudes.

tundra ártica Tundra de la región del Ártico.

unicelular Que posee una sola célula.

uniones capilares Nombre utilizado para designar a las arteriolas y vénulas.

valle de falla Fisura angosta en la corteza terrestre, a lo largo de la parte superior de una cordillera oceánica.

vapor de agua Agua en estado gaseoso.

vasos capilares Vasos sanguíneos microscópicos que unen las arterias y las venas.

velocidad Rapidez a la que se recorre una distancia en un tiempo determinado.

velocidad promedio Distancia total recorrida dividida entre el tiempo total.

venas Vasos sanguíneos grandes que llevan sangre "sucia" o con poco oxígeno al corazón.

vénulas Extremos de las venas que se conectan a los capilares.

volumen Cantidad de espacio que ocupa un cuerpo.

zona de convección Capa del Sol que se encuentra entre la zona de radiación y la fotosfera.

zona de radiación Capa del Sol entre el núcleo y la zona de convección.

zona templada Cualquiera de las dos regiones que se encuentran entre las latitudes 23.5° y 66.5° norte y sur del ecuador.

zona tropical La región de la Tierra entre las latitudes 23.5 °N y 23.5 °S, que se caracteriza por tener un clima cálido y húmedo durante todo el año.

Índice

propiedad química, 26, 27, 221

propiedades físicas, 19, 22, 24, 25, 221

protista, 78, 79, 221

protoctista, 78

protón, 20, 46, 47, 221

Punnett, cuadro de, 96, 97, 217

punto de fusión, 170, 171, 221

química, 17

radiación:
    calor, 62
    definición de, 62, 63, 221
    formas de, 62
    infrarroja, 62, 63, 221
    propiedades de, 62, 63, 154
    rayos X, 62

radiación infrarroja, 62, 63, 221

radiación solar, 62

radiar, 62

radícula, 98, 99, 221

rasgo, 82, 83, 217

rayos infrarrojos, 62, 63, 221

rayos X, 62

reacción física, 24, 25, 221

reacción química, 26, 27, 221

reflejado, 32, 74

región del Ártico, 120, 121, 216

relación simbiótica, 146

reno, 147, 148

reproducción, 81-101

reproducción asexual, 100, 101, 221

reproducción sexual, 92, 93, 221

reptil, 106

rerradiar, 186, 187, 221

respuesta, 104, 105, 221

roca, 166, 167, 221

roca clástica:
    definición de, 168, 169, 221
    tipos de, 168

roca ígnea, 170, 181, 221

roca madre, 166, 167, 221

roca metamórfica, 172, 173, 221

roca sedimentaria, 168, 169, 221

roca sedimentaria clástica, 168

roca sedimentaria orgánica, 168

roca sedimentaria química, 168, 174

rotación, 194, 195, 221

Rutherford, Count, 56

sal de mesa, 174

sal de piedra, 174

salivar, 104

sangre, 76, 77, 221

sedimentos, 166, 167, 221

semiárido, 132, 133, 222

semilla, 98, 99, 222

sesamoideo radial, 150

silicatos, 164, 165, 222

sistema, 20, 67

sistema circulatorio, 76, 77, 222

sistema de raíces, 98, 99, 222

Sistema Internacional de Unidades (SI), 22, 23, 222

sistema métrico, 22, 23, 222

sistemas vivos, 67

Sol, 62

solar, 62, 186, 192

sólido, 24, 25, 222

solsticio de invierno, 198, 199, 222

solsticio de verano, 198, 199, 222

solución:
    definición de, 30, 31, 222
    tipos, 30

soluto, 30

solvente, 30

sombra, 206

sonar, 163

sonido, 154, 155, 222

sudor, 106

sustancia, 20, 30, 222

sustancias de desecho, 76

taiga, 122

tallo, 98, 99, 222

tamaño aparente, 206, 208, 222

taxonomía, 68

tectónica de placas, 163

temperatura, 58, 59, 222

teoría calórica, 56

termómetro:
    definición de, 58, 59, 222
    escala Celsius, 58, 59, 211, 218
    escala Fahrenheit, 58
    tipos de, 58, 59

termosfera, 184, 185, 222

testa de la semilla, 98, 99, 222

tiempo de reacción, 108, 109, 222

tigmotropismo, 112, 114

tipos de, 168

torque, 35

trabajo, 52, 53, 222

transmitido, 32, 74

transpiración, 178

traslación, 194, 195, 222

tropismo, 112, 113, 222

tropismo negativo, 114

tropismo positivo, 114

troposfera, 184, 185, 222

tubérculo, 100

tundra, 120, 121, 222

tundra alpina, 120, 122, 123, 222

tundra ártica, 120, 121, 216

umbra, 206

unicelular, 78, 79, 222

valle de falla, 176, 177, 222

vapor de agua, 178, 179, 222

velocidad, 36, 37, 222

vegetación arbórea, límite de la, 122, 123, 219

velocidad promedio, 36, 37, 222

venas, 76, 77, 222

vénula, 76, 77, 222

volumen, 22, 23, 222

xenolito, 170

zona de convección, 192, 193, 222

zona de radiación, 192, 193, 222

zona tropical, 128, 129, 222

zonas templadas, 124, 125, 222

zoología, 65

7-11-09

LA EDICIÓN, COMPOSICIÓN, DISEÑO E IMPRESIÓN DE ESTA OBRA FUERON REALIZADOS
BAJO LA SUPERVISIÓN DE GRUPO NORIEGA EDITORES
BALDERAS 95, COL. CENTRO. MÉXICO, D.F. C.P. 06040
1199865000305544DP9200IE